C000165916

# DEVINE QUI VIENT MOURIR CE SOIR?

Né à Londres en 1959, dramaturge et scénariste pour le cinéma et la télévision, Ben Elton est l'un des écrivains les plus doués de sa génération. Sa pièce *Popcorn*, dont il a tiré un roman, a été jouée en France. Véritable star en Angleterre, où il réside avec sa femme et leurs trois enfants, il a reçu le Crime Writers' Association's Golden Dagger Award pour *Popcorn* (L'Archipel, 1999).

# BEN ELTON

# *Devine qui vient mourir ce soir ?*

TRADUIT DE L'ANGLAIS PAR CHRISTINE BARBASTE

BELFOND

*Titre original :*

DEAD FAMOUS
Publié par Transworld Publishers,
a division of The Random House Group Ltd, Londres.

Tous les personnages de ce roman sont fictifs,
et toute ressemblance avec des personnes réelles,
vivantes ou mortes, serait pure coïncidence.

© Ben Elton, 2001. Tous droits réservés.
© Belfond, 2003, pour la traduction française.
ISBN : 978-2-253-11966-1 – 1re publication LGF

*David.* Son métier : comédien. Son signe astrologique : Bélier.

*Jazz.* Son métier : apprenti cuisinier. Son signe astrologique : Lion (avec une conjonction en Cancer).

*Kelly.* Son métier : conseillère de vente. Son signe astrologique : Balance.

*Sally.* Son métier : physionomiste. Son signe astrologique : Bélier.

*Garry.* Son métier : chauffeur de camion. Son signe astrologique : Cancer.

*Moon.* Son métier : trapéziste, et occasionnellement danseuse de charme. Son signe astrologique : Capricorne.

*Hamish.* Son métier : interne en médecine. Son signe astrologique : Lion.

*Woggle.* Son métier : anarchiste. Son signe astrologique : se réclame des douze à la fois.

*Layla.* Son métier : styliste de mode et responsable de vente. Son signe astrologique : Scorpion.

*Dervla*. Son métier : trauma-thérapeute. Son signe astrologique : Taureau.

*Le meurtre s'est produit le vingt-septième jour.*

Sélection

## VINGT-NEUVIÈME JOUR, 9 H 15

« Animateur télé, animateur télé, animateur télé, animateur télé, conducteur de train. »

Le sergent Hooper leva la tête.

« Conducteur de train ?

— Je me suis trompé, excusez-moi. Animateur télé. »

L'inspecteur-chef Coleridge laissa tomber sur son bureau l'épais dossier rassemblant les portraits des suspects et reporta une fois de plus son attention sur le grand écran vidéo installé dans un coin du bureau improvisé. Il venait de consacrer deux heures à visionner des cassettes.

La bande était arrêtée sur l'image figée de Garry, affalé sur le canapé vert. Pourtant, aurait-elle défilé que cela n'aurait pas changé grand-chose : le jeune homme se tenait dans sa position coutumière, les jambes largement écartées, les muscles bandés, sa main gauche agaçant négligemment ses testicules.

Un aigle bleu à moitié effacé planait sur sa cheville droite. Coleridge détestait cet aigle. Qu'est-ce que ce pauvre balourd, ce minable, ce personnage arrogant et ignare s'imaginait posséder de commun avec un aigle ?

Il appuya sur la touche « lecture », et Garry se mit à parler.

« Ton équipe anglaise, à la base, c'est dix connards et un gorille balèze, un Black en général, qui se traîne à l'avant. »

Coleridge lutta pour maintenir son intérêt en éveil. Son esprit, déjà, se mettait à dériver. Quel tombereau d'âneries ces gens-là étaient-ils capables de débiter ? Des âneries, tout le monde en proférait, certes, mais dans la plupart des cas elles s'évaporaient dans l'air ambiant ; alors que, avec cette clique, elles étaient là à jamais. Pire que ça : elles constituaient des indices et il était de son *devoir* de policier de les écouter.

« … tout ce que les dix connards ont à faire, c'est d'envoyer le ballon au gorille en espérant qu'il sera démarqué et qu'il ne foirera pas son tir. »

Ces brillantes observations, le monde entier les avait déjà entendues : elles avaient subjugué les gens de Voyeur Prod., qui les avaient sélectionnées pour un passage à l'antenne. L'association des mots « Black » et « gorille » dans une même phrase garantissait un formidable moment de télé-réalité.

« Provocante, polémique et controversée », marmonna Coleridge, citant une coupure de presse dénichée dans le boîtier de la cassette.

Tous les enregistrements de *Résidence surveillée* avaient été livrés avec les articles idoines. Les attachés de presse de Voyeur Prod. étaient on ne peut plus consciencieux. Dès qu'on demandait à consulter leurs archives, on était servi sur un plateau.

L'article en question était un portrait de Geraldine Hennessy, la bien-aimée productrice de *Résidence surveillée*.

« Nous ne sommes pas BBC TV, y déclarait Geraldine – connue des médias sous le sobriquet de la

Geôlière –, mais PPC TV : Provocante, Polémique et Controversée. Donner au monde entier la possibilité de contempler le racisme ordinaire et inconscient de Garry, nous ne voulons rien d'autre. »

Coleridge soupira. Provocante ? Polémique ? Drôles d'ambitions pour une femme de son âge… Il reporta son attention sur le jeune homme assis en face de Garry, sur le canapé orange : Jasper le tape-à-l'œil, dit « Jazz », un garçon on ne peut plus détendu, des plus à la mode, exsudant une telle confiance en lui, toujours souriant – sauf quand il ricanait, ce qui était justement le cas ici.

« C'est comme ça, mon pote, enchaîna Garry. Zéro talent, zéro finesse, zéro plan. La base de tout le jeu anglais, c'est la stratégie de l'ouverture au petit bonheur la chance. » Une fois de plus, il réajusta ses attributs génitaux, dont on devinait aisément la forme sous le satin vert acide du short de sport. La caméra zooma. Manifestement, Voyeur Prod. appréciait les attributs génitaux. Sans doute étaient-ils PPC.

« Hé ! Jazz, me calcule pas mal quand je dis que le mec balèze est noir, ajouta Garry. C'est juste qu'aujourd'hui, la plupart des buteurs du championnat le sont. »

Jazz braqua sur Garry un regard qui se voulait très certainement énigmatique et intimidant à la fois. Il possédait un corps encore plus impressionnant que celui de Garry, et lui aussi maintenait ses muscles dans une tension quasi permanente. Ils semblaient presque onduler le long de ses bras, tandis qu'il tripotait d'un geste négligent l'épaisse chaîne en or qui pendait à son cou et reposait de tout son poids sur sa magnifique poitrine d'athlète.

« Gorille.

— Quoi ?

— T'as pas dit "mec", t'as dit "gorille". »

— Ah bon ? Ben quoi, j'voulais dire que les gorilles sont grands et forts, c'est vrai, non ? Comme ceux de ta race. »

Derrière eux, dans la cuisine, Layla, la hippie blonde qui se prenait – mais c'était bien la seule – pour un top model, secoua ses incroyables tresses perlées en signe d'écœurement. L'inspecteur Coleridge ne pouvait ignorer que le mouvement de cette jolie chevelure était bel et bien un signe de dégoût, car l'image avait été intercalée au montage ex abrupto. Pour rien au monde, Voyeur Prod. n'aurait raté ce ricanement mesquin tellement petit-bourgeois. Le policier réalisait de plus en plus vite que le montage de Voyeur Prod. avait des prétentions résolument anti-intellectuelles.

« Nous sommes tous des enfants de Voyeur Prod. », déclarait Geraldine dans l'article. À l'évidence, et au vu du portrait concocté au montage, Geraldine avait également catalogué Layla comme la garce petite-bourgeoise typique, bêcheuse et sans humour.

Coleridge insulta l'écran. Il était en train d'observer Jazz, car c'était lui qui l'intéressait, mais – et là résidait l'un des handicaps majeurs de son enquête – il était tributaire des choix de Voyeur Prod. Or l'inspecteur avait un tout autre cahier des charges à honorer que celui de la maison de production. Voyeur Prod. tentait de faire ce qu'ils appelaient de la « supertélé » ; Coleridge, lui, essayait de confondre un meurtrier.

La caméra opérait maintenant un retour sur Garry et ses testicules.

Coleridge ne *pensait* pas que ce garçon soit le meurtrier. Il le connaissait, Garry. Des gars comme lui, il en avait agrafé une vingtaine durant chacun des samedis soir de ses longues années passées sous l'uniforme. Un Garry ne différait pas d'un autre : grande gueule, imbu de lui-même, crâneur. Coleridge se remémora l'attitude du jeune homme lorsque, deux nuits auparavant, dans les heures suivant le meurtre, ils s'étaient trouvés face à face, séparés l'un de l'autre par un magnétophone. Le jeune type ne pavoisait plus à ce moment-là, il avait l'air terrorisé.

Les Garry se bagarraient, mais ils n'assassinaient pas les gens, sauf en cas d'extrême malchance ou d'ivresse au volant. Coleridge le savait, et s'il n'éprouvait aucune affection, loin s'en fallait, pour ce petit cockney tatoué, frimeur et nerveux, il ne le croyait pas mauvais. Il ne le croyait pas capable de s'approcher à pas de loup d'un autre être humain pour lui planter un couteau de cuisine dans la nuque, pour le retirer avant de le lui *enfoncer jusqu'à la garde dans le crâne*.

Non, Coleridge ne le croyait pas capable d'un tel acte. Mais après tout, il s'était déjà trompé. Souvent.

Ses pairs, eux non plus, ne croyaient pas à la culpabilité de ce garçon. C'était un de leurs chouchous. Dans leurs premiers pronostics concernant le vainqueur du jeu, les tabloïds avaient misé sur Garry le P'tit Gars. C'était avant que le jeu en question n'ait tourné au vrai film policier, et maintenant, lorsque les médias hasardaient des hypothèses sur l'identité du meurtrier, ce concurrent-là arrivait rarement en tête de liste.

Coleridge sourit, pour lui-même, d'un sourire triste, un rien supérieur – le seul type de sourire dont il semblait capable ces jours-ci. Ses pairs ne connaissaient pas vraiment Garry. Ils croyaient le connaître, mais ils se trompaient. On ne leur avait donné à voir que les meilleurs côtés du personnage : ses bons mots ; sa déconcertante capacité à repérer, selon une appréciation toute personnelle, un snobinard ou un type qui se croyait plus malin que tout le monde ; l'inépuisable jubilation avec laquelle il faisait marcher l'arrogante et prétentieuse Layla. Sans oublier son pénis, dont on avait une fois aperçu l'extrémité trapue pointer effrontément à travers son short de sport. Une image qui avait immédiatement trouvé sa place sur des tee-shirts vendus au marché de Camden.

« Cyclope ! À la niche ! avait crié Garry comme s'il s'était adressé à un chien, avant de remettre en place le membre scandaleux. Désolé, les filles, c'est que je porte pas de slip, vous comprenez. Ça me fait transpirer mes bijoux d'amour. »

Voilà tout ce que le pays voyait de Garry : des morceaux choisis d'un bon petit gars pas compliqué et plein de bon sens, et dans l'ensemble, les gens l'appréciaient pour ça.

Sur l'écran, Garry – à l'instar du monteur de la cassette que visionnait Coleridge – avait remarqué la faible conviction avec laquelle Layla avait accueilli son homélie sur les caractéristiques raciales, et, ayant détecté la réaction d'une snob qui se croyait plus maligne que tout le monde, il avait décidé d'insister.

« Mais c'est la vérité ! protesta-t-il, se moquant de la gêne de Layla. Je sais qu'on n'est pas supposé le dire, mais j'l'encule, moi, ce putain de politiquement correct. Je lui fais un compliment, à Jazz. Les Noirs sont plus rapides et plus forts, c'est prouvé. Regarde à la boxe, regarde aux jeux Olympiques. Merde, quoi, les Blancs, on devrait leur filer une médaille rien que pour avoir les couilles de participer. C'est même pire chez les gonzesses. Tu les as vues courir, les nanas ? T'as une demi-douzaine de putains d'amazones noires comme l'ébène qui foncent en tas sur la ligne d'arrivée et, dix minutes plus tard, tu vois débouler deux rouquines, deux sacs d'os de Glasgow. »

Provocant, polémique, controversé.

« Oui, mais c'est parce que… bégaya Layla, soucieuse de réfuter cette effroyable opinion.

16

— Mais parce que quoi, bordel ?

— Eh bien… Parce que les Noirs sont obligés de se tourner vers le sport, vu que la société leur refuse les autres opportunités. C'est pour ça qu'ils sont surreprésentés dans les activités physiques. »

Ce fut au tour de Jazz de mettre son grain de sel, mais pas pour soutenir Layla.

« Attends. Si j'ai bien suivi, tu dis qu'en fait un paquet de mecs blancs pourraient nous battre à la course ou sur un ring ou à n'importe quoi d'autre si seulement ils étaient pas aussi occupés à devenir docteurs et Premiers ministres. C'est bien ça, Layla ?

— Non !

— C'est toi, la putain de raciste, tu m'débectes. »

Layla semblait sur le point de pleurer. Garry et Jazz, eux, riaient de concert. Inutile de chercher pourquoi le pays tout entier les préférait à elle. Une large part des téléspectateurs voyait en Garry et Jazz leurs représentants. Des types joviaux, pas cons, avec la tête sur les épaules. De braves petits gars, des perles. Mais comment réagiraient-ils, se demanda Coleridge, s'ils devaient, comme les autres candidats de *Résidence surveillée*, les supporter vingt-quatre heures sur vingt-quatre ? Endurer, jour après jour, semaine après semaine, leur imperturbable arrogance qui envahissait la maison du sol au plafond ? À quel point n'allaient-ils pas craquer ? À quel degré de haine pourraient-ils, en secret, parvenir ? Un degré suffisant pour, d'une manière ou d'une autre, agresser l'un d'eux ? Un degré suffisant pour en mettre un, ou les deux, sur la défensive ? Pour les pousser au meurtre ?

L'exaspération avait-elle jamais conduit personne à tuer ? Eh bien oui. Coleridge le savait d'expérience, ces choses-là arrivaient. L'exaspération constituait le plus banal des mobiles. Des disputes tristes, idiotes, humaines, qui, soudain, explosaient dans des proportions mortelles sans que personne ait eu l'intention de tuer. Combien de fois, au cours de sa carrière, l'inspecteur s'était-il retrouvé en face d'un membre désespéré d'une famille, à tenter de débrouiller ce que l'exaspération l'avait amené à commettre ?

« Je ne pouvais plus le supporter. Je n'ai fait que le bousculer un peu. »

« C'est elle qui m'y a poussé. »

La plupart des meurtres intervenaient dans un contexte domestique, entre gens qui se connaissaient. Et pour ce qui était du contexte domestique, on pouvait difficilement trouver mieux que *Résidence surveillée*. D'autant plus qu'au moment du meurtre, les candidats se connaissaient très bien. Ou, du moins, connaissaient les facettes que chacun accepte de montrer de soi – et qui ne sont jamais que ce que nous connaissons de l'autre. Ces gens-là passaient tout leur temps, chaque minute de veille, de jour comme de nuit, à bavarder les uns avec les autres ou à médire les uns des autres.

Peut-être l'un d'entre eux s'était-il montré assez exaspérant pour se faire assassiner ?

Or ils étaient tous exaspérants. Du moins aux yeux de Coleridge. Pas un pour racheter l'autre, avec leurs abdos en relief et leurs fesses à l'air, leurs biceps et leurs triceps, leurs tatouages et leurs piercings aux tétons, leur passion commune pour les signes astrologiques, leurs interminables viens-que-je-te-serre-dans-mes-bras-et-que-je-te-tripote. Mais ce qui énervait par-dessus tout Coleridge, c'était leur absence totale de curiosité intellectuelle à l'égard de tout ce qui, sur cette planète, n'entretenait aucun rapport direct avec leur petite personne.

Coleridge se serait fait un plaisir de tous les assassiner.

« Votre problème, monsieur, c'est que vous êtes snob, dit le sergent Hooper, qui avait observé Coleridge visionnant les cassettes et avait suivi l'enchaînement de ses pensées aussi sûrement que si l'inspecteur avait eu un crâne transparent. Pourquoi diable quelqu'un voudrait-il être conducteur de train, aujourd'hui ? Il n'y a plus de conducteurs de train, rien que des types qui poussent un bouton pour démarrer l'engin et qui font grève de temps à autre. Ce n'est pas vraiment une tâche noble, non ? Je préférerais être animateur télé. Franchement, oui, je préférerais être animateur télé plutôt que flic.

— Remettez-vous au travail, Hooper », répliqua Coleridge.

L'inspecteur savait qu'ils se moquaient tous de lui. Ils se moquaient de lui parce qu'ils le trouvaient vieux jeu. Vieux jeu parce que l'astrologie et la vie des stars n'entraient pas au nombre de ses passions. Était-il donc le dernier homme sur terre à s'intéresser à d'autres domaines ? Aux livres et aux trains, par exemple ? Bon Dieu, il n'avait que cinquante-quatre ans ! Mais aux yeux de la plupart de ses officiers, il en avait deux cents. Pour eux, Coleridge était un spécimen bizarre. Il était membre de la Société bibliophile et pasteur laïque, il ne dérogeait jamais à la visite d'un monument aux morts le jour anniversaire de l'Armistice, et il semait des graines plutôt que d'acheter des plantes dans une jardinerie.

Et c'est justement lui qui devait visionner la totalité des rushes disponibles de *Résidence surveillée*, scruter un groupe de jeunes sans le moindre intérêt vivant ensemble dans une maison sous la surveillance ininterrompue de caméras vidéo. Ironie cruelle. En des circonstances normales, aucune émission, dans toute l'histoire de la télévision, n'aurait moins tenté Coleridge que celle-ci.

Il empoigna l'anse de la tasse de vraie porcelaine qu'il s'obstinait à utiliser, bien qu'il fallût la laver.

« Hooper, quand je souhaiterai votre avis sur les conducteurs de train ou tout autre sujet, je vous le ferai savoir.

— Je me ferai toujours un plaisir de vous le donner, monsieur. »

Coleridge savait que le sergent avait raison. Qui pouvait reprocher à la jeunesse actuelle son manque d'ambitions sérieuses? À l'époque où les petits garçons avaient hâte de grandir pour devenir conducteurs de train, l'enjeu était de dompter une énorme machine. Une incroyable bête vivante, qui crachait, fumait et grognait; un monstre de métal dont la maîtrise requérait savoir-faire et audace, dont la maintenance nécessitait application et intelligence. De nos jours, évidemment, la technologie avait atteint de tels sommets de complexité que personne, à l'exception de Bill Gates et de Stephen Hawking, ne savait comment tout cela fonctionnait. L'espèce humaine était hors circuit, songea Coleridge en reprenant une expression souvent entendue dans la bouche de Hooper. Rien d'étonnant, du coup, à ce que tous les jeunes gens veuillent passer à la télévision. Qu'y avait-il d'autre à faire? L'inspecteur contempla avec lassitude les immenses piles de cassettes vidéo et de disques informatiques qui avaient envahi la quasi-totalité de la pièce.

« Bien, reprenons au commencement, d'accord? Attaquons le problème dans l'ordre. »

Il saisit une cassette intitulée « Premier montage antenne » et la glissa dans la machine.

*Une maison. Dix candidats. Trente caméras. Quarante micros. Un seul survivant.*

Propulsés sur l'écran les uns à la suite des autres, les mots faisaient l'effet de coups de poing au visage.

Leur graphisme postpunk venait se greffer sur des images grenues au son d'une musique rock, hargneuse et frénétique.

Une minicaméra motorisée.

Une clôture en fil de fer barbelé.

Un chien de garde, toutes dents dehors.

Une fille, dos à la caméra, en train d'ôter son soutien-gorge.

Un gros plan de bouche, qui hurle et grimace de rage.

D'autres bruits assourdissants de guitare. D'autres effets graphiques aux lignes hachurées.

Au vu de ce générique, aucun spectateur ne pouvait douter un seul instant qu'il s'agissait d'une émission de télé réalisée par des gens dans le coup, pour des gens dans le coup. Le message était clair : les vieilles barbes devaient chercher ailleurs de quoi se distraire, mais si vous étiez jeunes, si vous aviez la pêche et si vous étiez dans le coup, cette émission était pour vous.

*Neuf semaines. Aucune excuse. Aucune issue.*

*Résidence surveillée.*

Un dernier accord de guitare résonna et le générique s'acheva. La maison de Voyeur Prod. était, pour quelques instants encore, vide et calme : un grand espace lumineux et accueillant, comprenant une vaste salle de séjour carrelée, d'agréables chambres communes, des lavabos et des douches en inox, sans oublier une piscine dans le jardin.

La porte s'ouvrit et dix jeunes gens s'éparpillèrent aussitôt dans la grande pièce. Dix personnes qui – les bandes-annonces de l'émission l'avaient assuré – ne s'étaient jamais rencontrées auparavant.

Les jeunes gens poussèrent des exclamations, des cris stridents, ils se donnèrent des accolades en répétant à n'en plus finir : « Mortel ! » Quelques-uns gagnèrent les chambres et se mirent à faire du trampoline sur les lits, d'autres se suspendirent aux encadrements de porte pour exécuter quelques tractions, un ou deux demeurèrent en retrait pour observer, mais tous semblaient convaincus que la plus grande aventure de leur vie venait de débuter, et que jamais, au grand jamais, elle n'aurait pu commencer avec une bande plus sympa.

Ayant clairement démontré aux téléspectateurs qu'ils se trouvaient en compagnie de joyeux drilles, la caméra procéda à une présentation individuelle de chaque colocataire, et choisit en premier lieu un jeune homme incroyablement beau, avec de doux yeux de chiot, des traits enfantins et des cheveux mi-longs. Il était vêtu d'un ample manteau noir et portait une guitare. Des lettres au graphisme composé de briques, comme celles des murs de prison, vinrent oblitérer son visage.

*David. Son métier : comédien. Son signe : Bélier.*

« Mettez en pause, je vous prie. »

L'image se figea, et les policiers réunis dans le bureau étudièrent le beau visage affiché à l'écran : un visage défiguré par l'agressivité du graphisme.

« Son métier : comédien, souligna Coleridge. Quand a-t-il travaillé pour la dernière fois ? »

Trisha, une jeune enquêtrice qui achevait de punaiser au mur les photos des sept suspects, reporta son attention sur le dossier de David.

« Panto, le Prince Charmant. À Noël, il y a deux ans.

— Deux ans ? Mais c'est à peine un métier, alors ?

— C'est ce que dit Garry, plus tard dans l'émission, monsieur, intervint Hooper. Et ça le gave carrément, David.

— Ça le gave ?

— Ça le contrarie.

22

— Merci, sergent. Cela accélérerait considérablement le déroulement des opérations, dans ce bureau, si nous parlions tous la même langue. A-t-on la moindre preuve que ce garçon est effectivement capable de jouer la comédie ?

— Oh oui, monsieur, dit Trisha. Il a très bien commencé. Diplômé du Conservatoire, pas mal de travail au début, mais dernièrement, il ne s'est pas passé grand-chose pour lui. »

Coleridge scruta le visage figé du jeune homme. « Il a un peu revu ses prétentions à la baisse, non ? J'ai peine à croire qu'il projetait de participer à *Résidence surveillée* en quittant le Conservatoire.

— Effectivement, ça a tout l'air d'un acte de désespoir. »

Coleridge observa une fois de plus le visage de David sur l'écran. L'image vacillait et tressautait, car le magnétoscope de la police, un vieil appareil en bout de course, n'appréciait guère le mode pause. Le jeune homme souriait, la bouche entrouverte, et les effets spéciaux induits par les humeurs du magnétoscope lui donnaient l'air de vouloir mordiller l'air.

« De quoi vit-il, pendant qu'il exerce son activité de comédien qui ne joue pas ?

— Eh bien, on se le demande, monsieur, admit Hooper. Je dois reconnaître que ce n'est pas très clair. Il n'a pas de contrat mais tout semble aller bien pour lui : bel appartement, vêtements de bonne qualité et le tout à l'avenant. Il a dit à Voyeur Prod. que ses parents l'aidaient.

— Regardez ça de plus près, voulez-vous ? Voyez s'il a des dettes, s'il vole, s'il vend de la drogue et si l'un des autres dans la maison l'a découvert… Bon, il pourrait y avoir quelque chose, là, l'ombre d'un mobile… »

La voix de Coleridge manquait de conviction.

« Si un autre participant avait découvert quoi que ce soit à son propos, les gens de la télé auraient été au courant, ne croyez-vous pas, monsieur ? argua Trisha. N'entendent-ils pas tout ce qui se dit ?

— Non, pas absolument tout, rétorqua Hooper, un mordu de télé-réalité. Ils voient tout, mais ils n'entendent pas tout. Presque tout, oui, mais pas tout. Parfois, quand les candidats chuchotent, c'est dur de comprendre ce qu'ils disent. Et de temps en temps, ils laissent leurs micros éteints et on doit les rappeler à l'ordre pour qu'ils les rebranchent. Parfois, aussi, ils les tapotent pendant qu'ils parlent. Ce sont les candidats de la première saison qui ont mis au point ce tour. Vous vous souvenez de Super Willy ? Le gars qui s'était fait exclure pour avoir tenté de manipuler les votes ? C'était son astuce favorite.

— Eh bien, ça vaudrait peut-être la peine de garder ça à l'œil, non ? suggéra Trisha. Tapotage de micro : ça a des airs de conspiration.

— Malheureusement, la plupart des séquences où les candidats sont inaudibles n'ont pas été conservées, parce qu'elles étaient inutilisables pour la diffusion.

— Bon, s'impatienta Coleridge. Comme disait ma mère, la vie n'a pas été conçue pour être simple. Image suivante, s'il vous plaît. Avançons. »


« Hé, les mecs, matez ça ! Une piscine ! »

Jazz venait d'ouvrir la porte du patio et de faire volte-face pour annoncer sa découverte. Les effets graphiques propulsèrent quelques briques sur son jeune et beau visage.

*Jazz. Son métier : apprenti cuisinier. Son signe : Lion (avec une conjonction en Cancer).*

24

« C'est mieux qu'Ibiza, ici ! » Il exécuta une petite danse dans l'esprit acid-jazz sur le bord du bassin et se lança dans une imitation vocale plutôt convaincante d'un son de batterie et de guitare basse. « Dooou ! Boooum ! Chh chh boooum ! Chh chh boooum ! Chh chh BOOOUM ! »

Une fille courut le rejoindre. Une jolie fille avec un visage rieur, et un petit bijou en travers du nombril.

*Kelly. Son métier : conseillère de vente. Son signe : Balance.*

« C'est trop mortel ! s'écria-t-elle.

— Chh chh boooum », lui répondit Jazz.

Et Kelly de sautiller en applaudissant.

« Mortel ! Incroyable ! Ça déchire trop grave ! » s'écria-t-elle, avant de se débarrasser de son ample pantalon taille basse et de sauter dans la piscine.


« Conseillère de vente ? releva Coleridge. Qu'est-ce que ça veut dire ?

— Vendeuse, expliqua Hooper. Chez Miss Selfridge. »

Coleridge fixa l'image tremblotante de Kelly sur l'écran. « Vous avez remarqué son pantalon ? On lui voyait la moitié du derrière.

— J'ai exactement le même, objecta Trisha.

— Eh bien franchement, Patricia, je suis surpris. On voyait sa culotte.

— C'est le but, monsieur.

— Vraiment ?

— Mais oui, monsieur, à quoi bon se ruiner pour un G-string chez CK si personne ne peut le voir ? »

Coleridge ne demanda pas qu'elle était la signification des initiales CK. Il ne tombait pas dans des pièges aussi grossiers.

« Quelle estime cette fille a-t-elle d'elle-même, à vouloir faire étalage de ses sous-vêtements ? »

Était-il donc la seule personne au monde à se sentir dépassé, dépossédé de ses repères culturels ? D'autres étaient-ils dans son cas ? Des gens avec des vies secrètes, qui résistaient dans l'ombre, qui redoutaient d'ouvrir la bouche par crainte de s'exposer ? Des gens qui ne comprenaient plus rien aux pubs – sans parler des programmes ?

Sur l'écran, Kelly refit surface telle une bombe et, à la faveur de ce mouvement, un de ses seins jaillit subrepticement de l'encolure de sa veste trempée. Quand elle émergea pour la seconde fois, elle l'avait recouvert. « Oh, putain ! J'avais gardé mon micro ! Le Voyeur va me tuer. »

« Là-dessus, elle se trompait, remarqua Hooper. Le fameux nichon de Kelly. Je m'en souviens bien. Ça valait sans problème le prix d'un micro. Ils ont utilisé l'image dans les bandes-annonces, au ralenti, pour la rendre floue. C'était très insolent, très joli. C'est passé dans les journaux, aussi. *Nichons surveillés.* J'ai trouvé ça trop marrant.

— Pourrions-nous poursuivre, s'il vous plaît ? » aboya Coleridge, excédé.

En se mordant la lèvre, Hooper appuya sur la touche « lecture ». Une jeune femme tatouée et arborant une crête sortit de la maison pour aller voir la piscine.

*Sally. Son métier : physionomiste. Son signe : Bélier.*

« Ils auraient mieux fait de dire : lesbienne de service, souligna Trisha. C'est l'homosexuelle de la bande. Ils étaient obligés de prendre un gay ou une gouine, ça figurait sans doute dans le cahier des charges imposé par la chaîne. »

Coleridge voulut contester l'emploi du mot « gouine », mais, songea-t-il, le langage évoluait à une telle allure,

26

ces temps-ci, que le terme pouvait avoir été officielle-
ment accepté à son insu.

« Pensez-vous que ces tatouages aient une signification particulière ? préféra-t-il demander.

— Ouais, ils veulent dire : "Dégagez ou vous allez
dérouiller", indiqua Hooper.

— Je pense qu'ils sont maoris, intervint Trisha. Ils
en ont l'air, en tout cas. »

Sally avait les bras entièrement tatoués. Des poignets
aux épaules, on ne distinguait plus un seul centimètre
carré de chair vierge. De belles et larges bandes bleu
nuit sinuaient et s'enroulaient le long de sa peau.

« Vous savez, sur Internet, c'est elle qui arrive en tête
de la liste des suspects, souligna Hooper avant d'ajouter : Elle en aurait eu la force. Regardez-moi ses muscles.

— Ce couteau était très aiguisé, lança Coleridge.
N'importe qui dans cette maison aurait pu transpercer
un crâne avec, si le crâne en question lui tapait sur le
système. Et auriez-vous la bonté de garder vos commentaires concernant Internet pour vous, sergent ? Le fait
que des millions d'imbéciles désœuvrés n'aient rien
de mieux à faire que de pianoter sur un clavier pour
déverser leurs âneries sur les lignes téléphoniques ne
concerne en rien cette enquête. »

Un silence accueillit sa remarque. Coleridge songea,
non sans perplexité, qu'il les traitait tous comme des
écoliers ; il n'était jamais simple de savoir comment les
prendre.

« Cette Sally, elle a déjà eu affaire à nos services dans
le cadre de son boulot de physionomiste ? demanda-
t-il.

— Oui, à Soho, une fois ou deux. Elle a démonté
quelques types, mais toujours en légitime défense.

— Sa mère doit être très fière d'elle.

— Elle s'est aussi un peu bagarrée l'an passé, à la marche de la Gay Pride. Elle s'en est prise à deux ou trois voyous qui ricanaient.

— Pourquoi ces gens ressentent-ils le besoin de se définir par leurs préférences au lit ?

— Eh bien, s'ils n'en parlaient pas, monsieur, vous n'en sauriez rien, non ?

— En quoi ai-je besoin de savoir ?

— Parce que, sinon, vous croiriez qu'ils sont comme tout le monde.

— Si vous entendez par là *hétérosexuels*, jamais je ne croirais quelque chose de semblable, Patricia. Je n'y penserais même pas. »

Trisha savait pourtant que Coleridge se dupait lui-même. L'inspecteur, elle en était quasi certaine, supposait qu'elle-même était hétérosexuelle. Imaginer le contraire ne lui serait tout bonnement pas venu à l'idée. Comme elle aurait aimé ébranler toutes ses belles certitudes et prouver qu'elle avait raison en lui annonçant qu'elle était aussi entièrement et résolument lesbienne que la fille tatouée sur l'écran ! *En fait, monsieur, je ne fais l'amour qu'avec des femmes, et ce que je préfère, c'est quand elles me baisent avec un gode-ceinture.*

Il en *tomberait des nues*. Lui qui pensait qu'elle était une fille si *convenable*.

Mais Trisha ne dit rien. Elle demeura sur sa réserve. Et si des femmes telles que Sally forçaient en secret son admiration, c'était parce que ces femmes, quelque irritantes et dépourvues de grâce qu'elles soient, sortaient, elles, de leur réserve et obligeaient les gens de l'espèce de Coleridge à réfléchir.

« Poursuivons », dit celui-ci.

« Jolis nénés, ma petite ! » lança Sally à Kelly, qui émergeait à cet instant de la piscine.

Ce fut ensuite au tour de Garry, tout en muscles et crâne rasé, de sortir de la maison. En découvrant Kelly ruisselante, son jeune corps élancé moulé dans un maillot de bain étriqué, il tomba à genoux dans une posture de feinte adoration. « Merci, mon Dieu ! s'écria-t-il à l'adresse des cieux. Du matos pour les mecs ! Qu'est-ce que c'est bon ! »

*Garry. Son métier : chauffeur de camion. Son signe : Cancer.*

« Ou pour les filles ! lui rétorqua Sally. Qui sait ? Elle pourrait être dans mon camp.

— T'es gouine, alors ? s'enquit Garry en se tournant vers elle, intéressé.

— Tout juste ! répliqua celle-ci, en pointant du doigt l'inscription sur le devant de son débardeur : "Je bouffe des chattes."

— Ah, c'est ça ? Je croyais que ça voulait dire que tu aimais les restaus chinois ! » Garry s'esclaffa à gorge déployée de sa propre plaisanterie – dont la teneur hautement provocante, polémique et controversée devait créer un scandale mineur lors de sa diffusion à l'antenne, plus tard dans la soirée.

À l'intérieur de la maison, une femme au crâne rasé et en minijupe à imprimé léopard explorait le séjour.

« Eh, les mecs, matez ça ! Y a une corbeille garnie pour nous souhaiter la bienvenue. Génial ! »

*Moon. Son métier : trapéziste et danseuse de charme. Son signe : Capricorne.*

« Clopes, chocolat, champagne ! Trop mortel !

— À l'attaque ! » hurla Garry depuis le seuil du patio.

Les autres accoururent pour s'attrouper autour du panier et firent aussitôt sauter les bouchons des quatre bouteilles de champagne bon marché. Puis ils s'avachirent sur les canapés orange, vert et violet sur lesquels ils allaient, au cours des longues journées à venir, passer tant d'heures à flemmarder.

« Bon, puisqu'on se pose cinq minutes, autant vous le dire tout suite, trompetta Moon avec un accent de Manchester à couper au couteau. Parce que, en fin de compte, vous finirez tous par le découvrir, de toute façon. Primo, c'est moi qui vais gagner ce putain de jeu, vu ? Alors, mes cocos, vous pouvez faire une croix dessus. OK ? »

Cette démonstration bravache fut accueillie par des exclamations amicales.

« Deuxio, j'ai été danseuse de charme, d'accord ? J'ai pris de la thune à des pauvres types pour les laisser voir des petits trucs, j'en suis pas fière, mais en fin de compte, je me démerdais plutôt bien. »

Cela déclencha une nouvelle salve de cris et d'exclamations.

« Bravo !

— Et tertio, je me suis fait refaire les nichons, d'accord ? Avant, je m'aimais pas et ça me rendait supermalheureuse. Mes nouveaux nichons m'ont vraiment permis de m'assumer, OK ? Et en fin de compte, c'est le plus important, non ? Franchement, en fin de compte, j'ai l'impression que c'est ceux que j'aurais dû avoir au départ.

— Hé ! Fais-les voir, poupée, et je te dirai si t'as eu raison ! cria Garry.

— Oh, calmos, le fauve ! cria Moon. T'emballe pas. On va se taper neuf semaines dans cette turne, alors en fin de compte je veux y aller mollo. Oh, mais qu'est-ce que j'ai dit ? C'est nul. Ma maman n'a jamais su pour les strip-teases. Elle me croyait sérieuse. Désolée, maman !

— Moi, j'ai rien contre un peu de chirurgie esthétique, observa Jazz. J'ai jamais regretté de m'être fait rétrécir la bite, parce que, au moins, elle dépasse plus d'mes bas de pantalons ! »

Les colocataires éclatèrent de rire à grand renfort de hurlements et de « mortel ! » mais certains riaient plus que d'autres. Une fille d'apparence paisible, avec des cheveux aile de corbeau et des yeux verts, se contenta de sourire. À côté d'elle était assis un jeune homme en vêtements Timberland, à l'élégance décontractée et à l'allure plutôt classique.

*Hamish. Son métier : interne en médecine. Son signe : Lion.*

« Il n'a pas l'air très heureux, observa Coleridge en fixant le beau visage du jeune homme, surpris dans une expression assez maussade.

— Il pense à la victoire, expliqua Hooper. Il est venu là avec une stratégie. Garder un profil bas, éviter de se faire remarquer, voilà sa petite tactique personnelle. "Seuls ceux qui se font remarquer sont sélectionnés." Chaque soir, il est allé au confessionnal et il a répété ça. C'est un jeu très complexe. Avec leurs colocataires, ils doivent se comporter d'une façon, et avec le public d'une autre. Ils doivent se montrer assez discrets pour éviter d'être sélectionnés, mais assez intéressants pour échapper à l'élimination, s'ils le sont. C'est pour ça, je crois, que cette émission fascine autant les gens. C'est une véritable étude psychologique. Un zoo humain.

— Vous croyez ? lâcha Coleridge, caustique. En ce cas, je me demande pourquoi les producteurs ne ratent jamais la moindre occasion de diffuser des conversations à propos de sexe ou d'étaler des poitrines.

31

— Eh bien, monsieur, c'est que les poitrines sont fascinantes, elles aussi, non ? Les gens aiment en voir. Moi, ça me plaît. Et d'ailleurs, quand les gens vont dans un vrai zoo, qu'est-ce qui les intéresse le plus ? Le cul et le sexe des singes. C'est comme ça.

— Ne soyez pas ridicule, Hooper.

— Ça n'a rien de ridicule, monsieur. Si vous aviez le choix entre regarder deux éléphants boire le thé ou forniquer, que choisiriez-vous ? Le sexe intéresse les gens. Vous feriez mieux de l'accepter.

— Nous nous éloignons de notre sujet.

— Vous trouvez, monsieur ? intervint Trisha, qui étudiait le visage d'Hamish à l'écran. Pas moi. Cette maison fourmillait de tensions sexuelles, et ça a un rapport avec le sujet qui nous occupe, non ? Par exemple, regardez qui Hamish est en train de fixer.

— C'est impossible à dire.

— Vous allez le voir dans le plan suivant. »

Trisha enfonça la touche « lecture » de l'antique magnétoscope et, comme prévu, l'image bascula sur un plan d'ensemble du groupe hilare, légèrement soûl et vautré sur les canapés.

« Là, il observe Kelly, et ensuite, il se met à regarder Layla. Il les jauge. Le psychologue de l'émission dit qu'au cours des premières heures chacun s'efforce de déterminer qui, dans le groupe, l'attire.

— En voilà une surprise ! Et moi qui m'imaginais qu'ils réfléchissaient à l'immortalité de l'âme et à la définition de Dieu ! »

Coleridge regretta immédiatement son éclat. Il désapprouvait le sarcasme et il aimait bien Trisha, dont il estimait les qualités professionnelles.

« Désolé. Je crois que j'ai encore du mal à dépasser l'exaspération que m'inspirent ces gens.

— Il n'y a pas de mal, monsieur. Il s'agit indéniablement de sacrés casse-pieds. Mais je persiste à penser qu'il est important pour nous de découvrir vers qui s'orientent les désirs de chacun. Dans ce contexte de meurtre, la jalousie est un mobile vraisemblable.

— À votre avis, qui désire Woggle, alors ? » ricana Hooper à la vue du personnage qui apparaissait à l'instant sur l'écran.

*Woggle. Son métier : anarchiste. Son signe : se réclame des douze à la fois.*

« Bon, regardons les choses en face, poursuivit le sergent. Si on cherchait dans cette bande la victime potentielle d'un meurtre, ça devrait tomber sur Woggle, non ? Franchement, ce type, on dirait qu'il ne demande que ça.

— Comme n'importe quel type de race blanche affublé de dreadlocks, à mon avis, remarqua Trisha. Woggle était le petit projet personnel de Geraldine la Geôlière, monsieur.

— Qu'entendez-vous par là ? »

Trisha faisait allusion à l'un des comptes rendus confidentiels de réunion qu'elle s'était procurés dans les bureaux de Voyeur Prod. le jour du meurtre. « Il était le seul résident que Voyeur Prod. ait réellement approché, contrairement aux autres. D'après Geraldine Hennessy, il était, je cite, "de la supertélé garantie. D'un naturel aussi irritant que le grain de sable autour duquel la perle va grossir".

— Très poétique, souligna Coleridge. Selon moi, c'est pousser un peu loin l'imagination que de qualifier ce monsieur Woggle de perle, mais j'imagine qu'il existe des perles de toutes sortes.

— Geraldine l'avait vu au journal de 13 heures lors des manifestations du 1er Mai, monsieur.

— Ah, il a été arrêté ? Voilà qui est intéressant.

— Non, monsieur, il n'a pas été arrêté, il était interviewé par la BBC. C'était le petit quart d'heure de gloire du bonhomme. »

« J'ai vu ton interview sur l'anarchie et toutes ces conneries, disait Moon à Woggle, devinant chez lui l'âme sœur. Ça déchirait, mec. Ça déchirait grave.

— Merci, belle demoiselle.

— Mais c'était quoi, ce truc avec le chapeau de bouffon ? Tu voulais prouver quelque chose ?

— Tout à fait, ô femme chauve. Quand les hommes soi-disant sages sont à court de réponse, il est temps de parler aux simples d'esprit.

— Ils t'ont parlé, alors, intervint Jazz, sèchement.

— Absolument, âme frère. » Woggle lâcha un bref sourire qui se voulait d'une subtilité diabolique, mais qui, compte tenu de sa barbe et de l'état de ses dents, évoqua surtout une bonde de douche obstruée de poils sur laquelle on aurait émietté des pastilles mentholées.

« Je n'ai pas pu aller travailler ce jour-là, se plaignit Kelly. Ils avaient bouclé Oxford Street. Ça sert à quoi, d'empêcher les gens de faire leurs courses ? »

Woogle s'employa de son mieux à le lui expliquer, mais sans surcharger ses commentaires politiques de détails ni d'analyses. Il semblait déceler l'existence de quelque chose qu'il appelait le « système » et qu'il désapprouvait dans sa globalité. « Voilà, c'est tout, conclut-il.

— Mais alors, c'est quoi, le "système" ? insista Kelly.

— Eh bien, c'est tout ce truc capitaliste, la globalisation, la police, le fric, les hamburgers, l'Amérique, la chasse au renard, les tests sur les animaux, la montée des fascismes, développa Woggle de sa voix lugubre et nasillarde.

— Je vois, fit Kelly, l'air rien moins que convaincu.

— Ce dont nous avons besoin, c'est de communautés macrobiotiques en interaction avec leur environnement dans un climat de respect mutuel.

— Putain, mais de quoi vous parlez ? voulut savoir Garry.

— En gros, ce serait bien que ce soit mieux. »

L'inspecteur actionna la touche « pause » une fois de plus.

« Je présume que la réticence de Woggle à l'égard du "système" ne l'empêche nullement d'en profiter ?

— Tout à fait, monsieur, confirma Trisha. Le seul système qu'il comprenne vraiment, c'est celui de la Sécurité sociale.

— Afin que l'État puisse continuer à le blanchir et le nourrir pendant que lui cherche à le démonter. Très pratique, je dois reconnaître.

— C'est également son avis, monsieur, approuva Hooper. Plus tard, il se disputera violemment avec les autres à ce sujet, parce qu'ils refusent d'applaudir à l'ironie du fait que l'État, son plus amer ennemi, le subventionne.

— Très certainement parce qu'eux-mêmes doivent, comme nous tous, alimenter ses caisses.

— Oui, c'est en gros leur point de vue.

— Bien ! Je suis ravi d'apprendre que ces gens-là et moi possédons au moins un point commun. Concernant ce Woggle, pas de fraudes aux allocations ? De fausse adresse, de planque, de magouilles financières, ce genre de choses ? Rien dont la découverte pourrait le rendre vulnérable ?

— Non, monsieur, sur ce plan-là, il est entièrement propre. »

Après un bref silence, chacun éclata de rire. Si un qualificatif pouvait difficilement s'appliquer à Woggle, c'était bien celui-là.

« Merde, mec ! s'exclama Jazz, horrifié. T'as jamais vu un savon de ta vie ? »

Woggle avait adopté ce qui deviendrait sa posture familière : accroupi par terre dans le seul angle de la pièce, son menton barbu appuyé sur des genoux osseux qu'il serrait contre son torse, ses orteils crasseux et pleins de corne dépassant de ses sandales.

Woggle était sale comme seul peut l'être quelqu'un qui refait surface après avoir creusé un tunnel. Il avait rejoint l'équipe de *Résidence surveillée* depuis son précédent domicile, un tunnel de deux cents mètres situé sous le site pressenti pour le cinquième terminal de l'aéroport d'Heathrow. Woggle avait émis devant Geraldine la Geôlière l'idée de prendre au préalable une douche, mais la productrice, toujours attentive aux éléments susceptibles de fabriquer de la bonne télé, lui avait assuré qu'il était parfait en l'état. « Sois seulement toi-même », avait-elle dit.

« Qui peut l'être ? lui avait-il rétorqué. Ne suis-je pas la somme de mes vies passées et de celles qui me restent à vivre ? »

Woggle puait. Creuser des tunnels est un rude travail physique, et chaque goutte de sueur qu'il avait perdue imbibait ses vêtements crasseux, un assortiment hétéroclite de vieux uniformes militaires et de jean. Si Woggle avait porté une veste de cuir (ce que, en tant que défenseur des animaux, il n'aurait jamais fait), il aurait ressemblé à l'un de ces Hell's Angels ringards et répugnants qui ne lavaient jamais leur Levi's, quel que soit le nombre de fois où ils avaient uriné dedans.

« Hé, mon gars, mais t'es une infection! poursuivit Jazz. Tiens, colle-toi d'mon déodorant avant qu'on crève tous d'asphyxie! »

À quoi Woggle répliqua : « Je considère que tout produit cosmétique relève d'une affectation de la part des humains, qui illustrent, là encore, leur triste incapacité à s'accepter en tant que membres du règne animal de cette planète.

— T'as fumé la moquette ou quoi?

— Les hommes se croient supérieurs aux animaux, et leur manie de se pavaner devant des miroirs et de se parfumer le prouve, récita Woggle de sa voix monocorde, imbu d'une assurance digne d'un Bouddha. Mais regardez le pelage soyeux d'un chat ou les ailes pimpantes d'un rouge-gorge. Un top model a-t-il jamais possédé autant d'allure?

— Un peu, mon n'veu! dit Jazz, qui, pour sa part, utilisait deux déodorants différents et hydratait quotidiennement sa peau avec des huiles parfumées. J'me suis jamais couché en rêvant de niquer un chat, mais Naomi et Kate, c'est quand elles veulent.

— J'ai quelques savons liquides bio et non testés sur les animaux, Woggle, si tu veux », lança Layla depuis le coin cuisine où elle préparait une infusion.

*Layla. Son métier : styliste de mode et responsable de vente. Son signe : Scorpion.*

« Ils n'ont peut-être pas été testés sur les animaux, mais ils ne seront plus inoffensifs pour eux une fois que les bouteilles en plastique auront atterri dans une décharge sous-marine et qu'une mouette s'y sera coincé le bec », rétorqua Woggle.

« Ne vous laissez pas impressionner par cette histoire de styliste, monsieur, indiqua Hooper. Elle est juste vendeuse, elle aussi. On l'a appris plus tard, au cours de la deuxième semaine. Layla n'en revenait pas quand Garry lui a dit qu'elle et Kelly faisaient, grosso modo, le même boulot. Elle s'imagine à mille coudées au-dessus de Kelly.

— Garry aime bien exaspérer tout le monde, non ?

— Oh oui, n'importe quoi pour provoquer, ça, c'est Garry.

— Et cette jeune Layla se prend très au sérieux ?

— Tout à fait. Quelques-unes des plus grosses engueulades au cours de la première semaine ont eu lieu entre elle et David, le comédien ; il s'agissait de déterminer qui des deux était le plus sensible.

— L'un et l'autre se targuent d'être poètes, intervint Trisha.

— Oui, je vois bien que tout ici fourmille de rage rentrée, observa Coleridge, pensif. Il y a beaucoup d'ambitions déçues, d'un côté comme de l'autre. Ce n'est peut-être pas insignifiant.

— Mais cela ne concerne pas Layla ? Elle a été éliminée avant le meurtre.

— J'entends bien. Mais puisque nous ne savons rien, il nous incombe d'enquêter sur tout. »

Hooper détestait travailler sous les ordres d'un homme qui utilisait le mot « incombe ».

« La rancune et le sentiment de faiblesse de cette Layla auraient pu trouver quelques échos au sein du groupe. Cette fille peut avoir été le catalyseur des doutes qu'un autre nourrissait envers lui-même. Qui sait... Parfois, c'est la mauvaise personne qui se fait assassiner.

— Hein ?

— Oui, Hooper, réfléchissez. Imaginons un homme dont la petite amie a mis en cause la virilité. Il finit par claquer la porte pour aller faire un tour en pleine nuit, puis, tandis qu'il rentre chez lui, un inconnu bute contre le talon de sa chaussure. L'homme fait volte-face et tue l'inconnu, alors qu'en réalité c'est sa petite amie qu'il voulait tuer.

— Oui, d'accord, monsieur, ça peut arriver dans le cas d'un geste de colère qui frappe au hasard, mais ici, le meurtre a eu lieu bien après le départ de Layla.

— Soit. Prenons un groupe d'amis. X a dans sa vie un noir secret, que Y découvre. Y commence alors à le divulguer, et cela revient aux oreilles de X. Mais quand celui-ci tente de confondre Y, ce dernier clame de façon convaincante que la pipelette est en fait Z. Alors, X tue Z, qui n'est au courant de rien. La victime n'est pas la bonne personne. L'expérience m'a enseigné qu'un meurtre implique généralement bien plus de gens que le coupable et la victime.

— Donc nous gardons Layla dans le collimateur ?

— Pas en tant que vraie coupable, il va de soi. Mais avant qu'elle quitte la maison, elle a parfaitement pu semer la graine qui allait conduire au meurtre. Poursuivons. »

Trisha appuya sur la touche « lecture », et la caméra, dans un mouvement panoramique, délaissa Woggle pour se fixer sur la dixième et dernière colocataire.

*Dervla. Son métier : trauma-thérapeute. Son signe : Taureau.*

Dervla était la plus belle, tout le monde s'accordait à le dire, et la plus mystérieuse. Son naturel paisible et son calme extrême n'aidaient en rien à deviner ce qui se tramait derrière ces yeux verts et souriants d'Irlandaise. Des yeux qui, lorsque le reste du groupe riait, semblaient toujours s'amuser d'une autre blague. Au moment du meurtre, Dervla arrivait, chez les bookmakers, en seconde position des paris sur le gagnant du jeu. Elle aurait remporté la première place si Geraldine Hennessy n'avait, par jalousie, triché de temps à autre au montage pour montrer une fille bêcheuse là où Dervla n'était que distraite.

« Alors, elle fait quoi, la trauma-thérapeute ? » s'enquit Garry.

Dervla et lui prolongeaient agréablement les effets du champagne du matin en se prélassant au bord de la piscine.

« Mon boulot consiste à comprendre comment les gens réagissent au stress, afin de les aider à le gérer, expliqua Dervla avec son doux accent irlandais. Ce pour quoi je voulais participer à cette émission. Toute cette expérience n'est-elle pas une série de minitraumatismes ? Je trouve que ce sera vraiment intéressant d'être proche des gens concernés, tout en l'étant moi-même.

— Alors, ça n'a rien à voir avec le fait de gagner une demi-brique ? »

Dervla était bien trop intelligente pour éluder entièrement ce détail. Le pays tout entier ne serait-il pas le soir même suspendu à ses lèvres en attendant sa réponse ?

« Bon, ce serait bien, évidemment. Mais je suis sûre d'être éliminée avant. Non, fondamentalement, je suis ici pour enrichir mes connaissances. Sur moi-même et sur le stress. »


L'exaspération de Coleridge culminait à un point tel qu'il lui fallut se préparer une autre tasse de thé. Voilà une jeune femme belle, intelligente – et qui, découvrait-il non sans embarras, avec ses yeux d'émeraude et sa voix tout sucre et miel, ne le laissait nullement indifférent –, mais qui n'en racontait pas moins un tombereau d'âneries.

« Le stress ! Le stress ! martela-t-il en élevant la voix. Il y a deux générations à peine, le spectre d'une invasion imminente de cohortes de tueurs nazis planait sur toute la population de ce pays ! Et la génération précédente avait perdu un million de garçons dans les tranchées. Un million de pauvres types innocents. Aujourd'hui, nous avons des "thérapeutes" qui étudient les "traumatismes" générés par l'élimination d'un jeu télévisé. Parfois, je perds espoir. Vraiment, je perds espoir.

— Oui, monsieur, objecta Trisha, mais en situation de guerre les gens peuvent se raccrocher à quelque chose. De nos jours, il n'y a plus grand-chose en quoi nous pourrions croire. Nos angoisses et notre douleur en sont-elles moins dignes d'intérêt ?

— Bien sûr que oui ! » Coleridge se força à ne rien ajouter. Même lui pouvait de temps en temps s'apercevoir qu'il tenait des propos de bigot, de vieil imbécile réactionnaire. Il inspira profondément avant de reporter son attention sur la jeune femme à l'écran.

« Donc, cette Dervla est entrée dans la maison avec l'intention purement cérébrale d'observer des cas cliniques de stress ?

— C'est cela, confirma Trisha en se reportant au dossier. Elle trouvait que le système de sélection, avec ses gagnants et ses perdants, offrait une occasion idéale d'étudier les réactions des gens à l'isolement et au rejet.

— Un projet on ne peut plus louable, je dois le reconnaître.

— Elle a aussi ajouté qu'elle aimerait un jour devenir animatrice télé.

— Tiens donc ! Et pourquoi cela ne me surprend-il pas ? lâcha Coleridge avant de siroter son thé sans quitter l'écran des yeux. Une maison, dix participants, reprit-il comme pour lui-même. Une victime. »

## TRENTIÈME JOUR, 7 HEURES

Trois jours avaient déjà passé depuis le meurtre, et Coleridge avait l'impression que l'enquête piétinait. La fouille de la maison n'avait fourni aucun élément pertinent à l'expertise médico-légale, les interrogatoires des suspects n'avaient révélé rien de plus que leur état de choc, et les experts de Voyeur Prod. étaient incapables de suggérer le moindre mobile ; quant à Coleridge et son excellente équipe, ils en étaient réduits à échafauder des suppositions sans queue ni tête, scotchés à un écran de télévision.

L'inspecteur ferma les yeux et contrôla sa respiration. Il devait se concentrer. Oublier la tempête qui faisait rage autour de lui, et se concentrer.

Il tenta de libérer son esprit, de le débarrasser de toute idée préconçue, de le transformer en une page vierge sur laquelle une main invisible pourrait inscrire la réponse. Le meurtrier ou la meurtrière est… Mais rien ne vint.

Cela défiait la vraisemblance qu'il y ait eu un meurtrier dans cette maison, et pourtant, il y avait bel et bien eu un meurtre.

Comment commettre un meurtre sans se faire prendre dans un environnement totalement clos, dont chaque centimètre carré était surveillé en permanence par des caméras de télévision et des micros ?

Au moment du drame, huit personnes, dans la salle de régie, gardaient les yeux rivés sur les moniteurs. Un opérateur avec sa caméra était posté plus près encore du lieu du crime, derrière le miroir sans tain, dans le couloir qui encerclait la maison. Six autres personnes se trouvaient dans la pièce que l'assassin avait quittée pour poursuivre sa victime, et y étaient encore quand il l'avait regagnée peu après, une fois son forfait perpétré. Sans compter les quarante-sept mille internautes qui, selon les estimations, regardaient l'émission via le site créé par Voyeur Prod. pour ses spectateurs les plus acharnés.

Tous ces gens avaient vu le meurtre se produire, et pourtant l'assassin avait trouvé le moyen de se montrer plus malin qu'eux.

Un spasme de terreur contracta l'estomac de l'inspecteur-chef. Sa longue carrière modérément brillante ne risquait-elle pas de s'achever par un échec spectaculaire ? Un échec de notoriété mondiale, puisque cette enquête était devenue la plus célèbre de la planète ? Tout le monde, partout, y allait de sa théorie sur le meurtre, dans chaque pub, chaque bureau, chaque école, dans chaque restau de nouilles du centre de Tokyo ou chaque hammam d'Istanbul. Heure après heure, le bureau de l'inspecteur était bombardé de milliers de mails expliquant qui était le meurtrier ou la meurtrière et quel était son mobile. Criminologues et cinglés poussaient partout comme des herbes folles – aux informations télévisées, dans les journaux et, dans toutes les langues, sur les forums d'Internet. Les bookmakers enregistraient des paris, les médiums bavardaient avec la victime et Internet menaçait de crouler sous le poids du trafic généré par l'échange des théories entre les petits malins du Web.

Le seul à n'avoir pas le commencement d'une idée sur l'identité du coupable était l'inspecteur Stanley Spencer Coleridge, l'officier de police chargé de l'enquête.

Il fit les cent pas dans la maison, en essayant de s'imprégner de ses secrets, de lui soutirer quelques amorces de piste. Naturellement, il ne se trouvait pas dans la vraie maison : les équipes médico-légales de la police avaient achevé leur travail en un jour et il avait fallu rendre la maison à leurs propriétaires. Celle où se trouvait l'inspecteur était une maquette à l'échelle que Voyeur Prod. avait obligeamment prêtée à la police ; une version en Placoplâtre, assemblée à la colle, que la production avait utilisée, quelques mois durant, pour procéder aux répétitions de caméras et s'assurer qu'aucun recoin n'échappait à leur champ, qu'absolument aucun endroit n'offrait de cachette. Cette maquette n'avait ni toit, ni plomberie, ni jardin, mais, à l'intérieur, couleurs et dimensions étaient fidèles à l'original.

L'inspecteur se maudit. En arpentant cette maquette, il avait l'impression d'être entré dans la peau d'un des résidents : la réflexion avait laissé la place aux sensations.

« Sensations, songea-t-il. Le modus vivendi de toute une génération. On n'a plus besoin de penser, ni de croire à quelque chose, il suffit de sentir. »

À l'instar de son original, la maquette installée dans un studio d'enregistrement vacant des Shepperton Film Studios comportait deux chambres, une salle de douche, une salle de bains dotée d'une grande cuve d'acier pour laver le linge, des toilettes, une vaste pièce ouverte sur la cuisine et le coin repas, un cellier et un « confessionnal », pièce dans laquelle les participants venaient s'entretenir avec Voyeur Prod.

Les trois murs qui n'ouvraient pas sur le jardin étaient couverts d'immenses miroirs sans tain derrière lesquels, le long d'un couloir sombre, on déplaçait les caméras manuelles pour espionner les résidents. Entre ces caméras, manœuvrées par des opérateurs, et celles, motorisées et télécommandées depuis la régie, qui étaient installées dans la maison, aucun centimètre carré

44

dans la maison n'offrait la possibilité de s'abstraire du regard. À l'exception des toilettes. La production avait fixé une limite à son voyeurisme, pourtant obsessionnel, et renoncé à poster des cameramen à trente centimètres des locataires évacuant leurs selles. Toutefois, dans la mesure où les toilettes étaient équipées d'une minicaméra motorisée, les monteurs de permanence devaient vérifier qu'ils ne rataient rien. Ils étaient également contraints d'écouter, puisque l'habitacle était équipé de micros.

Cela remémora à Coleridge le slogan placardé sur tant de panneaux d'affichage lors de la campagne de promotion qui avait précédé le coup d'envoi de !'émission : « Aucune issue ». Pour l'un des participants, cette promesse s'était révélée prémonitoire.

Un fossé, ceinturé d'une double clôture en fil barbelé tranchant, et surveillé par des gardes en faction, entourait le complexe maison-jardin. Situé à cinquante mètres de la clôture, le bâtiment de la régie, véritable bunker dans lequel œuvraient les équipes de production, était relié aux couloirs de travelling des caméras par un tunnel creusé sous le fossé. Ce tunnel dans lequel, lors de cette sinistre nuit, Geraldine et toute l'équipe de nuit de Voyeur Prod. s'étaient précipités, horrifiés, après avoir assisté à un meurtre par moniteurs interposés.

Le meurtre.

Ce meurtre qui rongeait l'inspecteur.

Pour la énième fois, il traversa la réplique du sol que la victime avait foulé avant que son meurtrier la suive, quelques minutes plus tard. Puis il alla se poster dans le couloir de travelling des caméras pour embrasser la pièce du regard, comme l'avait fait le cadreur le soir fatal. Il revint ensuite dans la grande pièce et ouvrit l'un des tiroirs de la cuisine, le premier en partant du haut, celui que le meurtrier avait ouvert. Il n'y trouva aucun couteau ; ce n'était qu'un lieu de répétition.

L'inspecteur consacra presque trois heures à déambuler dans cette maquette étrangement déprimante, sans rien découvrir de plus sur ce qui s'était passé pendant ces quelques instants d'effroyable violence. Comment lui, Coleridge, aurait-il exécuté son plan s'il avait été le meurtrier ? Réponse : exactement de la même façon – la seule qui offrait la moindre chance de s'en tirer impunément. Le meurtrier avait entrevu cette possibilité de tuer tout en préservant son anonymat, et l'avait saisie au vol.

Bon, c'était déjà quelque chose, songea Coleridge. La célérité avec laquelle l'assassin avait saisi sa chance prouvait qu'il était à l'affût et attendait son heure. Qu'il ou elle avait eu l'intention de tuer.

Quel événement avait pu engendrer une telle haine ? Jusqu'à preuve du contraire, un mois auparavant, aucun de ces jeunes gens ne connaissait les autres. Son équipe et lui-même avaient épluché par le menu le passé des participants, sans rien y découvrir qui puisse suggérer un lien quelconque entre eux.

Alors, pourquoi tuer un inconnu ?

Parce que, au moment du meurtre, les candidats n'étaient plus des inconnus les uns pour les autres. Au cours des trois semaines écoulées, quelque chose avait dû se passer, ou être dit, qui avait rendu le meurtre inévitable. Mais quoi ? On avait certes observé d'effroyables conduites dans cette maison, mais rien qui puisse, de près ou de loin, fournir le mobile d'un meurtre.

Établir avec certitude que deux des résidents se connaissaient auparavant était impossible. Une vieille rivalité avait-elle resurgi dans la maison ? Une sinistre et effrayante coïncidence dans le processus de sélection avait-elle conduit au meurtre ?

Quelle que soit la réponse, Coleridge savait qu'elle ne se cachait pas dans ce vieux hangar lugubre, mais dans la vraie maison, au sein du groupe.

Las, il regagna sa voiture, où Hooper s'était replié une demi-heure plus tôt, et, ensemble, ils reprirent la route du Sussex, où Voyeur Prod. avait installé la vraie maison. Avec un peu de chance, ce trajet d'une quarantaine de kilomètres ne leur prendrait que le reste de la matinée.

## TRENTIÈME JOUR, 9 H 15

Tandis que Coleridge et Hooper roulaient le long de la M25, Trisha interrogeait Bob Fogarty, le chef monteur de *Résidence surveillée*. Après Gégé la Geôlière, Fogarty était le technicien le plus expérimenté dans la hiérarchie de Voyeur Prod. Trisha souhaitait de plus amples informations sur les procédés utilisés pour présenter les gens qu'elle avait vus sur les vidéos.

« En gros, *Résidence surveillée* est une fiction », expliqua Fogarty. Il tendit à sa visiteuse un gobelet de polystyrène rempli d'un breuvage indéfinissable et, à cause de la pénombre dans la salle de montage, il faillit rater sa main. « Comme dans les films et tout ce qu'on voit à la télé. Ça prend forme au montage.

— Vous manipulez les images des candidats ?

— Évidemment. Nous ne sommes pas des scientifiques, nous fabriquons des émissions de télé. Les gens, en général, sont ternes. À nous de les rendre intéressants, de les transformer en héros ou en méchants.

— Je pensais que votre rôle se bornait à observer et que le propos de l'émission consistait en une expérience sur l'interaction sociale.

— Écoutez, madame l'inspectrice, expliqua patiemment Bob Fogarty, pour fabriquer une demi-heure d'émission quotidienne, on dispose des images de trente caméras qui tournent vingt-quatre heures sur vingt-quatre. Ce qui nous fait, au total, sept cent vingt heures de rushes par jour pour une demi-heure d'antenne. Même si on le voulait, on ne pourrait pas éviter de faire des choix subjectifs. Ce qui nous épate, c'est que le public croie à la réalité de ce qu'on lui montre. Les gens prennent ce qu'ils voient pour argent comptant.

— Je doute qu'ils réfléchissent beaucoup à la question. À quoi bon ?

— Certes. Tant que c'est de la bonne télé, ils s'en fichent. C'est pourquoi, nous, au montage, on colle autant que faire se peut au scénario.

— Un scénario ?

— On en utilise souvent pour les actus et les reportages thématiques.

— Ça consiste en quoi ?

— Eh bien, imaginons que vous vouliez faire un petit sujet pour le JT, une enquête sur la consommation d'héroïne dans les cités. Si vous vous contentez d'aller fouiner avec votre caméra dans n'importe quel coin sordide de la ville, à Noël vous serez encore en train de courir après votre histoire. Alors, vous préparez votre sujet avant d'y aller, vous vous dites : Bon, il me faut deux ou trois mômes qui racontent qu'on peut se procurer de l'héro à l'école ; il me faut une fille qui avoue se prostituer pour une dose, un travailleur social qui dit que tout ça, c'est la faute du gouvernement… Vous écrivez votre topo, et puis vous expédiez quelqu'un sur le terrain pour rassembler quelques petits frimeurs à qui vous expliquez ce qu'ils doivent dire.

— Comment pouvez-vous faire ça dans *Résidence surveillée*? Vous ne dictez tout de même pas aux candidats ce qu'ils doivent dire?

— Non, mais on peut avoir une idée assez précise de l'histoire qu'on veut raconter et chercher dans les bandes ce qui va la corroborer. C'est le seul moyen d'éviter la pagaille. Tenez, regardez ça, par exemple… C'est la première visite de Kelly au confessionnal, l'après-midi du premier jour. »

## PREMIER JOUR, 16 H 15

« C'est trop génial, trop mortel, trop délire. J'ai vraiment une pêche d'enfer », se pâma Kelly sur le moniteur central. Elle était venue au confessionnal pour raconter combien tout cela était fascinant, excitant.

« Aujourd'hui, ç'a vraiment été le jour le plus mortel de tous, parce que, vraiment, j'adore trop tous ces gens, et je sais qu'on va tous s'entendre super bien. Je me doute qu'il y aura des tensions et qu'à cause de ça je finirai par tous les haïr, mais ça durera pas longtemps. Et puis, c'est toujours ce qui se passe entre amis, non? Au fond, je les *adore*. C'est trop mon groupe. Ma bande. »

Des profondeurs obscures de la salle de montage, Geraldine décocha un regard à Bob Fogarty. « C'est bien ça que tu voulais qu'elle dise, hein? »

Bob se tapit derrière sa tasse en polystyrène. « Ben, c'est ce qu'elle a dit, Geraldine. »

Les yeux de la productrice lancèrent des éclairs, ses narines se gonflèrent, et elle retroussa les lèvres sur sa mâchoire supérieure, laquelle était spectaculairement saillante. On aurait dit qu'Alien venait de jaillir du ventre de John Hurt.

« T'es qu'un pauvre gland! Une grosse feignasse de gland! Un singe me suffirait pour diffuser ce qu'elle a dit! N'importe quel merdeux de gamin boutonneux sans la moindre putain d'expérience pourrait diffuser ce qu'elle a *vraiment* dit! Moi, si je te paye, c'est pour écouter ce qu'elle a *réellement* dit et y dégoter ce qu'*on veut* qu'elle dise, pauvre gland! »

Fogarty lança un regard aux membres les plus jeunes et les plus impressionnables de l'équipe.

« Qui est Kelly, Bob? poursuivit Geraldine en gesticulant vers l'image de la jolie brune. Qui est cette fille? »

Fogarty étudia l'écran, d'où on lui souriait d'un grand sourire gentil, franc, honnête, naïf.

« Eh bien…

— C'est notre salope de service, Bob, notre manipulatrice. L'un de nos personnages haïssables! Tu te souviens des entretiens pendant le casting? Cette ambition démesurée? Sa manie d'exhiber sa culotte sans la moindre grâce? Toutes ces conneries à la Spice Girls sur les droits des femmes? Tu te souviens de ce que j'ai dit, Bob? »

Fogarty s'en souvenait très bien, mais Geraldine tint néanmoins à le lui répéter.

« J'ai dit : OK, sale petite merdeuse, on va voir si tu iras loin dans ton projet d'animer un jour ton émission de divertissement, une fois que le pays tout entier aura décidé que tu n'es qu'une chienne et une peste qui passe son temps à exciter des bites. Voilà ce que j'ai dit.

— Oui, Geraldine, mais aujourd'hui, elle a prouvé qu'elle pouvait être sympa. Elle est un peu bête, un peu vaniteuse, c'est certain, mais ce n'est pas vraiment une garce. À mon avis, on va avoir du mal à la faire passer pour telle.

— Elle passera pour *qui* bon nous semble, et elle sera ce qu'on veut qu'elle soit », ricana Geraldine avec mépris.

## TRENTIÈME JOUR, 9 H 20

« Geraldine s'adresse-t-elle toujours à vous sur ce ton ? s'enquit Trisha.

— Elle s'adresse sur ce ton-là à tout le monde.

— Vous y êtes habitués, alors ?

— Ce n'est pas un ton auquel on s'habitue. J'ai une maîtrise en techniques informatiques des médias. Je ne suis pas un pauvre gland. »

Trisha hocha la tête. À l'instar de la plupart des gens, elle connaissait Geraldine Hennessy de réputation avant que *Résidence surveillée* la propulse sur le devant de la scène. Cette femme était une célébrité en soi. Une productrice de télévision provocante, polémique et controversée, présuma Trisha.

« Bordel ! reprit Bob Fogarty. C'est une pute du petit écran qui s'imagine innover. Elle tire son épingle du jeu parce qu'elle connaît quelques stars de la chanson et qu'elle s'habille en Vivienne Westwood. Tout ce qu'elle fait, c'est voler, en général en Europe ou au Japon, des idées télévisuelles vulgaires, simplistes et dignes des tabloïds, qu'elle agrémente d'une touche de style branché, d'un soupçon de culture de night-clubbing par-ci, d'une pincée de drogues par-là, et qu'elle fourgue aux petits-bourgeois en leur vendant ça pour de l'ironie postmoderne.

— Vous ne l'aimez pas tellement, on dirait.

— Je la méprise. Les gens de son espèce ont coulé la télévision. Elle vandalise la culture. C'est une garce nuisible, débile et dangereuse. »

En dépit de la pénombre, Trisha vit la tasse de poly-styrène trembler dans la main de Fogarty. Elle se sentit prise de court. « Calmez-vous, monsieur.

— Je suis calme.

— Parfait. »

Fogarty visionna ensuite pour Trisha la confession de Kelly telle qu'elle avait été diffusée.

« Je finirai par tous les haïr. »

Six mots, pas un de plus.


## PREMIER JOUR, 4 H 30

Kelly sortit du confessionnal et regagna la salle com-mune. Layla lui adressa un petit sourire de sympathie et, au moment où elle passait près d'elle, lui caressa le bras. Kelly se retourna, lui sourit et les deux filles se donnèrent une brève accolade.

« Je t'aime, dit Layla.

— Moi aussi, je t'aime vachement.

— Tu craques pas, OK ? »

Kelly lui assura qu'elle essaierait de ne pas craquer. Elle était tellement contente que Layla l'ait serrée dans ses bras ! Quelques heures plus tôt, elles s'étaient légè-rement accrochées toutes les deux, quand Layla avait insisté pour inclure une bouteille d'huile de noix à la première liste de courses du groupe. Comme elle se nourrissait quasi exclusivement de salades, avait-elle souligné, les sauces étaient très importantes pour elle et l'huile de noix constituait l'un de leurs ingrédients essentiels.

« En plus, elle lubrifie mes chakras », avait-elle ajouté.

Kelly avait timidement protesté que l'huile de noix serait sans doute un article de luxe pour leur budget courses.

« Ça, mes chéris, c'est une remarque complètement subjective, avait rétorqué Layla en savourant sa propre éloquence. Et, franchement, ça en dit long sur la valeur que vous accordez à vos chakras. »

David, prenant le parti de Layla, se montra favorable à l'achat. En ce qui le concernait, souligna-t-il, le bacon que Kelly suggérait de commander sous prétexte qu'elle préparait un petit déj' trop mortel n'avait rien d'essentiel... « Sauf peut-être pour le cochon qui l'a fourni, précisa-t-il benoîtement, aussi inattaquable qu'une forteresse dans sa position du lotus. Personnellement, je préfère de loin commander de l'huile de noix que du cadavre. »

Tous les autres garçons s'en mêlèrent pour soutenir Kelly. Mais David et Layla avaient investi le terrain des hauteurs morales avec une telle facilité que la jeune fille, très mal à l'aise, avait cru se mettre à pleurer. Au lieu de quoi elle partit au confessionnal dire au Voyeur combien elle les aimait tous.

Maintenant, elle en était ressortie et Layla l'avait récompensée d'une accolade.

Kelly était vêtue en tout et pour tout d'un tee-shirt et d'un microshort. Layla, dans un esprit minimaliste similaire, portait un petit sarong en soie et un haut de maillot de bain assorti. Leurs ventres fermes se caressèrent et leurs poitrines s'écrasèrent l'une contre l'autre.

De l'autre côté de la pièce, la minicaméra motorisée fixée au plafond pivota diligemment et zooma vers les deux filles avec une hâte inconvenante.

« Même s'il faisait beau et chaud, Geraldine insistait pour que le chauffage central fonctionne en permanence. Vous le saviez, non ? » ajouta Fogarty.

Trisha tomba des nues. « Vous faisiez ça pour que les gens se déshabillent ?

— Bien sûr. Vous croyez quoi ? Voyeur Prod. voulait de la chair. Pas des pulls informes ! Vingt-quatre degrés, c'est la température optimale pour produire de la bonne télé. Il fait chaud, mais pas assez pour transpirer. Geraldine dit toujours que, si elle trouvait le moyen de maintenir une pièce à vingt-cinq degrés, mais avec une zone à moins cinq autour des tétons des filles, elle aurait la température idéale. »

Trisha considéra pensivement son interlocuteur. Il en rajoutait indiscutablement pour donner une mauvaise image de sa patronne. Pourquoi ? Voilà la question.

« Quoi qu'il en soit, conclut Fogarty, la Prétentiarde, le génie machiavélique, la si brillante Geraldine Hennessy s'était plantée en ce qui concerne Kelly, même si elle ne l'a jamais reconnu. Elle pensait que, puisqu'elle n'aimait pas Kelly, personne ne l'aimerait, mais le public, lui, l'aimait. Après Woggle, Kelly était la candidate la plus populaire. Nous avons dû réviser notre tactique et, à partir du second jour, nous avons fait un montage favorable à Kelly.

— Alors, ce sont parfois les sujets qui mènent l'émission ?

— Bon, avec un petit coup de pouce de ma part, je dois l'admettre. J'ai montré plein d'aspects mignons chez elle. Merde quoi ! J'allais pas marcher dans les sales combines de Geraldine ! »

54

Après avoir lu dans le rapport de Trisha le compte rendu de sa conversation avec Fogarty, Coleridge convoqua toute son équipe en réunion.

« Actuellement, annonça-t-il avec fermeté, je suis porté à croire que nous poursuivons les sept mauvais suspects et la mauvaise victime. »

Ce commentaire, comme tant d'autres, fut accueilli par des regards inexpressifs, et l'inspecteur-chef crut presque l'entendre surfer par-dessus les têtes, dans un bruissement.

« Comment ça, patron ? dit Hooper.

— Patron ?

— Inspecteur.

— Merci, sergent.

— Alors, comment ça, inspecteur ? reprit Hooper avec lassitude. Comment se fait-il qu'on cherche les mauvais suspects et la mauvaise victime ?

— Parce que nous considérons ces gens de la façon dont les producteurs et les monteurs de Voyeur Prod. veulent que nous les considérions, et non pas tels qu'ils sont. » Coleridge s'interrompit, distrait par un officier – une femme officier – qui, au fond de la pièce, mâchait un chewing-gum. L'envie de lui dire de trouver un morceau de papier pour s'en débarrasser le démangea, mais l'époque où un inspecteur pouvait traiter ses collaborateurs de la sorte était, il le savait, révolue depuis belle lurette. Il n'aurait pas été surpris outre mesure d'apprendre qu'il existait, à Bruxelles, une Cour qui, à force de cajoleries, avait ajouté la liberté de mâcher du chewing-gum au nombre des droits de l'homme. Il se contenta d'un regard cinglant qui paralysa la mâchoire de la fille pendant trois bonnes secondes.

« Nous devons donc nous montrer extrêmement prudents dans notre approche, car, excepté le bref interrogatoire auquel nous avons soumis chaque colocataire tout de suite après le meurtre, nous ne connaissons ces gens qu'à travers l'œil trompeur de la caméra, ce faux ami, si convaincant, si plausible, si *réel*, et pourtant, nous l'avons déjà constaté, si inconstant et si fourbe. Nous devons, par conséquent, repartir de zéro avec tous ces gens, sans *a priori*. Rien du tout. »

Donc le pénible travail de visionnage des cassettes d'archives de *Résidence surveillée* continuait.

« *Nous sommes au troisième jour de* Résidence surveillée, *et Layla est allée chercher du fromage dans le réfrigérateur.* » La voix était celle d'Andy, le narrateur de l'émission. « *Ce fromage végétarien représente une part non négligeable de son alimentation, puisqu'il constitue sa principale source de protéines.* »

« Vous voyez comment la télévision nous jette de la poudre aux yeux ! s'exclama Coleridge, exaspéré. Si nous n'étions pas concentrés, nous pourrions effectivement avoir l'impression qu'il s'est produit quelque chose d'intéressant ! Le talent de cet homme pour parer les observations les plus insipides et les plus indigestes d'une importance normalement réservée aux questions de vie et de mort laisse rêveur.

— Ça vient de l'accent écossais, je pense, opina Hooper. Il paraît plus sincère.

— Cet homme aurait pu couvrir l'affaire des missiles cubains sans changer quoi que ce soit à son intonation… Il est minuit dans le bureau Ovale et le président Kennedy attend toujours des nouvelles du secrétaire Khrouchtchev…

— C'était qui, Khrouchtchev ?

— Bon sang, Hooper ! C'était le Premier secrétaire de l'Union soviétique !

— Jamais entendu parler de ce machin, monsieur. C'est affilié à la Confédération des syndicats britanniques ? »

L'inspecteur espéra que Hooper plaisantait, mais préféra, plutôt que de s'en assurer, appuyer sur la touche « lecture ».

« *Layla vient de s'apercevoir qu'il lui manque un morceau de fromage* », continua Andy.

« Il dit ça comme si elle venait de découvrir la pénicilline », marmonna Coleridge.


## TROISIÈME JOUR, 15 H 25

Layla claqua rageusement la porte du frigo. « Hé là, minute ! Ça suffit ! Qui a mangé mon fromage ?

— Ouais, bon, c'est moi, admit David. C'est pas cool, ça ? » Il s'adressait toujours aux gens d'un ton doucereux, imperceptiblement teinté de supériorité, tel l'homme qui connaît le sens de la vie mais pense être le seul dans ce cas. En général, quand il lançait une phrase à quelqu'un, il parlait à son dos, car il avait la manie de masser les épaules de ses interlocuteurs. Mais, quand il s'adressait à quelqu'un en face, il aimait bien le regarder droit dans les yeux : il prêtait aux siens un pouvoir hypnotique et les imaginait tels deux lacs limpides dans lesquels son interlocuteur aurait d'instinct envie de plonger.

« Tu vois, je me disais que ce serait cool de manger un peu de ton fromage, reprit-il.

— Un peu, ouais, c'est ça ! La moitié, tu veux dire… Mais t'as raison, c'est super-cool. Archi super-cool, sauf que tu vas le remplacer, hein ?

— Mais ouais, bien sûr, si tu veux, on s'en fout », répondit-il d'un ton qui laissait entendre combien ce débat autour d'un fromage était indigne de lui.

« *Plus tard*, enchaîna Andy, *dans la chambre des filles, Layla confie à Dervla ses sentiments après l'incident du fromage.* »

Les deux filles étaient allongées sur leurs lits.

« C'est pas à cause du fromage, murmura Layla. Vraiment pas. C'est juste que c'était le mien, tu comprends. »

## TRENTE ET UNIÈME JOUR, 8 H 40

« Franchement, je ne suis pas certain de pouvoir poursuivre cette enquête », déclara l'inspecteur Coleridge.

## TRENTE ET UNIÈME JOUR, 14 HEURES

« En fait, c'est le fromage de Layla qui a déclenché la première crise de Geraldine. »

Trisha était revenue dans le bunker de la régie pour s'entretenir une fois de plus avec Bob Fogarty. Le chef monteur était, avait-elle expliqué à l'inspecteur, celui qui en savait le plus long à la fois sur les participants et sur les méthodes de travail de Voyeur Prod.

« Pourquoi le fromage a-t-il déclenché une crise ? s'enquit-elle.

— Parce que le monteur de permanence ce jour-là a démissionné en embarquant ses deux assistants. J'ai dû rappliquer et prendre la relève. Vous n'appelez pas ça une crise, vous ? Moi, si.

— Pourquoi a-t-il démissionné ?

— Parce que, à l'inverse de moi, il lui restait quelques vestiges de fierté professionnelle, commenta amèrement Fogarty, en laissant choir un carré de chocolat au lait dans sa tasse d'eau mousseuse, pratique

58

que Trisha observait pour la première fois. Ce type ultra-compétent n'arrivait plus à retrouver chaque soir sa femme et ses enfants pour leur raconter qu'il avait consacré toute sa journée à filmer minutieusement la querelle entre deux imbéciles au sujet d'un morceau de fromage.

— Donc il a démissionné?

— Oui. Il a envoyé un mail à Geraldine pour lui dire que *Résidence surveillée* déshonorait la télévision britannique, ce qui, soit dit en passant, est entièrement vrai.

— Et comment a réagi Geraldine?

— À votre avis? Elle s'est penchée par la fenêtre pendant qu'il regagnait sa voiture, et elle lui a hurlé : "Bon vent, espèce de sale con prétentieux!"

— Ça lui était égal, alors?

— Bon, c'était un coup dur. Surtout pour moi. Mais nous lui avons vite trouvé un remplaçant. Les gens se battent pour bosser avec nous. Nous faisons de la télévision d'avant-garde, vous comprenez. (L'amertume perçait sous le sarcasme.) Nous sommes à la pointe de l'industrie télévisuelle, nous sommes dans l'air du temps, nous relevons des défis, nous innovons. Je parle ici d'une industrie, bien sûr, où les gens se sont imaginé relever des défis et innover quand les présentateurs des journaux télévisés ont commencé à se percher sur leur bureau au lieu de s'asseoir derrière… Zut! »

En remuant la cuillère dans sa tasse, Fogarty chercha à repêcher le carré de chocolat. Trisha en conclut qu'il avait eu l'intention de le ramollir sans le laisser fondre entièrement. À force de passer leur vie professionnelle dans des pièces obscures, les gens développent d'étranges habitudes.

« Bon sang, j'ai été jaloux de ce type qui est parti, poursuivit Fogarty. Moi, j'ai voulu bosser à la télévision pour monter des finales du championnat ! Des dramatiques et des comédies, des émissions scientifiques et musicales. Et je me retrouve à faire quoi ? À rester assis dans le noir à observer dix crétins affalés sur des canapés. Toute la journée. »

Trisha découvrait l'un des grands secrets de *Résidence surveillée*. Les gens qui travaillaient sur l'émission méprisaient ceux qu'ils étaient chargés d'épier.

« C'est tellement rasoir ! Personne n'est assez intéressant pour mériter d'être observé comme on observe ces abrutis. C'est une situation sans issue. Toute personne qui voudrait entrer dans cette baraque à la con n'est pas, par définition, quelqu'un d'assez intéressant pour y être. » Fogarty fixa son banc de moniteurs. Après un long silence attristé et creux, il enchaîna :

« Ce sont les accolades que je déteste le plus, voyez-vous. Et tout ce cirque de caresses… Et, par-dessus tout, les palabres interminables.

— Vous devriez rencontrer mon chef, remarqua Trisha. Vous vous entendriez vraiment bien, tous les deux. »

Fogarty s'abîma dans un nouveau silence avant de reprendre :

« Si cette clique, dans la maison, avait la moindre idée du mépris dans lequel on les tient, de l'autre côté du miroir, et des surnoms qu'on leur donne… Cure-Nez, Triste Pétasse, le Péteur… S'ils se doutaient de nos putains de calculs quand on taille en pièces leurs commentaires pour les faire coller à nos besoins, s'ils savaient qu'aucune de leurs motivations ne nous inspire une once de respect… ils regretteraient probablement de ne pas avoir été tous assassinés. »

Coleridge et son équipe étaient de plus en plus hor-ripilés par Woggle. Le problème était que ce garçon s'obstinait à se mettre en travers du chemin de ses colo-cataires. Selon Voyeur Prod., Woggle était un tel paran-gon de supertélé que, dans les séquences archivées des premiers jours, des kilomètres de bande concernaient ses exploits et l'exaspération croissante qu'ils susci-taient chez les autres colocataires.

« Si Woggle avait été la victime, nous aurions pu trouver un mobile pour n'importe lequel d'entre eux, se lamenta Coleridge. J'en suis moi-même malade de le voir, sans avoir été contraint de vivre avec lui.

— Vous ne pouvez pas reprocher aux producteurs de l'avoir poussé, objecta Hooper. Ce type a été la coqueluche de tout le pays pendant un bon moment. La Wogglemania, on a appelé ça. »

Coleridge s'en souvenait. Même lui avait remarqué ce nom surgi à la une des tabloïds et à la troisième ou quatrième page des suppléments de programmes télé. À l'époque, il n'avait pas la moindre idée de l'identité du bonhomme. Il s'était dit qu'il devait s'agir d'un foot-balleur, ou d'un violoniste réputé.

Hooper éjecta la cassette qu'ils venaient de visionner entièrement, la déposa sur la petite pile des cassettes « vues » et en prit une autre sur la pile colossale des « à voir », qu'il glissa dans le magnétoscope.

« Vous savez que la pile "à voir" n'est qu'un frag-ment d'une autre, bien plus haute, n'est-ce pas, mon-sieur ? Qui se trouve dans les annexes.

— Oui, sergent, je le sais. »

Hooper enclencha la touche « lecture » et, une fois de plus, les mornes intonations écossaises d'Andy le narrateur s'égrenèrent dans le bureau.

« *Nous en sommes au quatrième jour. Layla et Dervla ont suggéré d'instaurer une rotation pour répartir équitablement les tâches ménagères.* »

Coleridge se tassa un peu plus sur sa chaise. Il ne pouvait s'autoriser une autre tasse de thé avant près de cinquante minutes. Une tasse par heure, quatorze fois le contenu d'une pinte par journée de travail, c'était sa limite.

## QUATRIÈME JOUR, 14 H 10

« Je voudrais qu'on fasse une réunion, annonça Layla. Si tout le monde pouvait se calmer, ça serait sympa. Histoire qu'on discute un peu. »

À l'autre bout de la pièce, Moon dressa son crâne rasé derrière le livre qu'elle lisait, intitulé *Vous êtes Gaia : quatorze étapes pour devenir le centre de votre univers*.

« C'est spirituel à mort, ce bouquin, commenta-t-elle. Ça parle du développement personnel et de l'émancipation de soi, et, en fin de compte, je suis à fond là-dedans. Vous voyez ce que je veux dire ?

— Ouais, Moon, on voit super-bien. Bon, écoute, tu as vu l'état des toilettes ?

— Il a quoi, l'état des toilettes ?

— Il a qu'il est pas très cool. Et Dervla et moi…

— Alors là, putain, compte pas sur moi pour les nettoyer. Quatre jours que je suis là et, en fin de compte, j'ai toujours pas chié, moi. Je suis constipée à mort parce que mon côlon est pas irrigué, et puis les champs magnétiques des caméras foutent en l'air mon yin et mon yang.

— Layla ne te demande pas de nettoyer les toilettes, Moon, corrigea doucement Dervla. Nous pensons juste que ce serait bien de mieux organiser les tâches domestiques, c'est tout.

— Ah, d'accord. Si vous voulez. N'importe quoi, ce sera cool. Mais, bon, en fin de compte, comptez pas sur moi pour frotter la merde des autres quand, moi, j'ai pas chié. Putain, franchement, ça serait un comble !

— Moi, j'ai rien contre un peu de travail de force, genre soulever des trucs, les transporter, dit Garry le P'tit Gars, en interrompant les pompes qu'il exécutait quasi en permanence depuis son arrivée dans la maison. Mais briquer les chiottes, ça, pas question. Surtout que j'en ai rien à branler si elles sont dégueu. Comme ça, on a un truc à viser quand on pisse, non ? »

Le délicat visage de Layla et son regard horrifié emplirent l'écran pendant presque dix secondes.

« Bon, oublions les toilettes, Garry. Tu préférerais la vaisselle ? s'enquit Dervla. À moins que ça ne te gêne pas, non plus, de manger dans des assiettes moisies ? »

David, magnifique dans sa chemise ample, prit la parole sans daigner ouvrir les yeux :

« Peut-être qu'au cours de la première semaine, nous devrions nous contenter chacun de nos propres tâches ménagères ? En ce moment, je fais un régime détoxifiant et je ne mange que du riz bouilli, alors j'imagine que mes assiettes seront plus faciles à nettoyer que celles de Garry, Jazz et Kelly, qui se gavent de ces cochonneries à vous pourrir les entrailles.

— Ça me va, acquiesça Garry. De toute façon, je nettoie toujours mon assiette avec un bout de pain.

— Oui, Garry, intervint Layla, et sans vouloir être lourde, tu pourrais peut-être te souvenir aussi que le pain est pour tout le monde ? J'espère que tu le prends cool, ce que je te dis, là. Que tu crois pas que je te prends la tête. »

Garry se contenta de grimacer avant de retourner à ses pompes.

« David ? lança Kelly. Ce serait pas un peu idiot de faire notre vaisselle chacun de notre côté ?

— Pourquoi cela, Kelly ? »

David ouvrit les yeux et fixa la jeune fille avec un sourire empreint d'autant de douceur, de gentillesse et de tolérance qu'un serpent à sonnette.

« Eh bien, parce que… parce que…

— S'il te plaît, ne le prends pas mal. C'est important que tu sois capable de me traiter d'idiot, mais en quoi le suis-je ?

— Je ne voulais pas dire… Enfin, je veux dire que… je ne pensais pas… »

Kelly n'alla pas plus loin dans ses explications. David referma les yeux et s'en retourna contempler ses pensées.

Hamish, l'interne en médecine, l'homme qui ne voulait pas se faire remarquer, apporta alors l'une de ses rares contributions à la conversation.

« Je n'aime pas les rotations des tâches domestiques. Je me suis tapé cinq années de vie communautaire quand j'étais étudiant. Les gens comme toi, Layla, je les connais par cœur. La prochaine fois, tu me fileras un gage pour ne pas avoir remplacé le rouleau de PQ que j'aurai fini.

— Ah ! C'est toi, alors, qui fais ça ! s'exclama Dervla.

— Je prenais un exemple, s'empressa de se défendre Hamish.

— Vous voulez savoir ce qui est pire qu'un type qui termine un rouleau de PQ ? s'écria Jazz en s'immisçant dans la conversation avec un vif enthousiasme. Le salaud qui ne laisse que *la dernière feuille* et qui l'enroule sur le tube ! »

Jazz avait effectué un stage d'apprenti cuisinier, mais ce n'était à ses yeux qu'un job, nullement une vocation. Jazz voulait faire tout autre chose de sa vie. Il voulait devenir artiste comique, et là se situait la raison de sa présence dans la maison. Il s'imaginait que *Résidence surveillée* signifierait pour lui le tremplin d'une carrière dans le spectacle. Il se savait capable de faire rire ses amis et il rêvait, grâce à ce don, de mener un jour une vie aisée et glamour. Mais les emplois de pitre ne le tentaient pas. Non, Jazz voulait endosser le rôle du bel esprit. Du type qui raconte des histoires, du mec à la fois intelligent et sans pitié. Il voulait être convié sur le plateau d'un jeu télévisé pour échanger des vacheries spirituelles avec les autres invités. Il rêvait de présenter des soirées thématiques super-cool à la télé, où il pourrait démolir des célébrités oubliées à coup de plaisanteries d'un goût douteux. Il voulait animer une soirée de remise de prix. Voilà en quoi résidait l'ambition de Jazz : appartenir à cette bande triée sur le volet de bons petits gars qui gagnaient leur vie en se contentant d'improviser des répliques brillantes. Il voulait se montrer branché, marrant, porter des costumes élégants, faire partie de l'air du temps et prendre tout à la légère.

Mais, avant toute chose, il devait se faire remarquer. Il lui fallait montrer aux gens quel irrésistible boute-en-train, quel mec drôle à mourir il était. Sitôt entré dans la maison, il n'avait eu de cesse de guetter une opportunité pour exploiter ses bonnes idées dans la conversation. La mention des rouleaux vides de papier toilette avait été un don du ciel.

« Le type qui enroule la dernière feuille de PQ sur le tube, c'est un nazi des chiottes ! s'écria-t-il. C'est pas à lui de remplacer le rouleau, hein, puisqu'il n'est *pas encore fini* ? Il laisse juste assez de papier pour que le prochain mec se mette direct les doigts dans l'cul ! »

Cette tirade fut accueillie par un silence circonspect qui devait beaucoup au fait d'avoir été déclamée, en majeure partie, en face de l'une des caméras télécommandées qui pendaient du plafond.

« Tu ne sais même pas s'ils le diffuseront, Jazz, remarqua Dervla.

— Ça coûte rien d'essayer, mes poussins. Billy Connolly[1] essayait bien d'choper des mouettes à l'hameçon quand il était docker à Glasgow.

— Écoutez ! protesta Layla. On pourrait, *s'il vous plaît*, rester sérieux cinq minutes ? On essaie d'organiser une rotation.

— Pourquoi ne pas juste laisser couler et voir comment ça se passe ? suggéra Hamish. Le travail se fera, ça marche toujours comme ça.

— Oui, Hamish, le travail sera fait par des gens comme moi et Layla, rétorqua Dervla de sa voix douce et poétique, qui se fit, pour le coup, un peu moins douce et poétique. Et après, les gens comme toi diront : "Ben vous voyez, je vous avais bien dit que le boulot serait fait", sauf que toi, tu n'y auras pas participé.

— Bon, d'accord, répliqua Hamish en retournant à son livre. Organise une rotation, si ça te chante. Je marche. »


## TRENTE ET UNIÈME JOUR, 15 H 10

« Vous avez vu, monsieur, dit Hooper en appuyant sur la touche "pause". Hamish se met en retrait, il ne veut pas se faire remarquer. Seuls ceux qui se font remarquer sont sélectionnés. »

---

1. Comédien et acteur comique très populaire en Angleterre. *(N.d.T.)*

Coleridge n'y comprenait plus rien.

« Hamish n'est-il pas allé raconter au confessionnal que son but était d'avoir une relation sexuelle avant de quitter la maison ?

— Oui, c'est bien lui… le docteur.

— Eh bien, n'est-ce pas vouloir se faire remarquer que de déclarer ça ? »

Hooper soupira. « C'est différent. Le confessionnal, c'est pour le public. Hamish a besoin de s'y montrer un peu coquin, comme ça, si jamais il est sélectionné par ses colocataires, le public rechignera à l'éliminer parce qu'il aura dit qu'il allait avoir des relations sexuelles à la télé.

— Ce serait pourtant une excellente raison de l'éliminer, me semble-t-il.

— Pas pour la majorité des gens, monsieur. »


## QUATRIÈME JOUR, 14 H 20

Les haussements d'épaules des uns et des autres indiquaient que Layla et Dervla avaient obtenu gain de cause, et, comme les résidents n'avaient droit ni à du papier ni à des crayons, Jazz, faisant valoir son stage d'apprenti cuisinier, suggéra de dessiner un tableau des rotations à l'aide de spaghettis.

« Les spaghettis collent aux murs, expliqua-t-il. C'est comme ça qu'on vérifie s'ils sont cuits. On les balance contre le mur, et si ça colle, c'est cuit.

— C'est débile, ton truc, observa Garry le P'tit Gars. Ça veut dire qu'après, tu dois décoller ta bouffe du mur ?

— Mais tu les jettes pas tous, connard, juste quelques-uns.

— Ah ouais… »

« *Jazz fait cuire quelques spaghettis dans de l'eau frémissante*, dit Andy le narrateur, *et dessine un tableau sur le mur.* »

« Génial, fit Jazz en admirant son travail. Maintenant, on peut représenter chacun de nous avec un grain de riz bouilli. L'amidon les fera coller.

— Mortel de chez mortel ! s'écria Moon. Chacun pourrait même personnaliser son grain, comme ces mecs super-barrés, en Inde ou je sais plus où, qui sculptent le riz. J'ai vu ça sur la chaîne Découverte, ils font des tonnes de détails grave microscopiques et le truc grave philosophique, en fin de compte, c'est qu'ils sont trop petits pour qu'on puisse les voir.

— Ben alors, c'est débile, non ? observa Garry.

— Mais non ! C'est un putain de truc philosophique ! Comme si un arbre tombait dans la forêt mais que personne l'entendait. Qu'il fasse du bruit ou n'importe quoi. Ces types le font pas pour toi ou pour moi. En fin de compte, ils décorent des grains de riz pour Dieu.

— Je ne te suis plus, là.

— Parce que, en fin de compte, Garry, t'es con comme un balai. Tu t'imagines que non, mais en fait, si. »

La conversation générale se mit à rouler sur la façon dont ils pourraient individualiser leurs grains de riz, et c'est à cet instant-là que Woggle, de son recoin, prit la parole.

« Mes amis, je dois m'exprimer tant qu'il est encore temps. Je pense que ce fascisme domestique est source de totale désunion. La seule méthode adéquate et équitable de contrôle de l'hygiène est de permettre aux schémas de travail de s'épanouir par le biais de l'osmose. »

Tous les regards convergèrent vers lui.

« Écoute, mon gars, faut que j'te dise un truc, lui rétorqua Jazz. La seule chose qui s'épanouit par osmose sur toi, c'est la moisissure. »

Layla essaya l'appel à la raison. « Woggle, t'es pas en train de dire que toute organisation de groupe est fasciste ?

— Si, c'est exactement ce que je dis. »

En silence, les neuf personnes emprisonnées dans une petite maison avec cet énergumène semblable à L'Étrange Créature du lac Noir enregistrèrent la portée de sa réponse : ils allaient devoir cohabiter avec un homme pour qui organiser des tours de corvée de vaisselle équivalait à envahir la Pologne.

Woggle profita du silence abasourdi de ses colocataires pour préciser sa pensée :

« Toutes les structures s'autocorrompent.

— Mais de quoi tu parles, mon gars ? protesta Jazz. Parce que laisse-moi t'dire, on croirait entendre un débile.

— Les initiatives de travail issues d'une planification centralisée et imposées avec rigidité ne produisent que rarement des résultats effectifs ou une force de travail détendue et satisfaite. Regardez l'Union soviétique, regardez le métro de Londres.

— Woggle, reprit Layla avec cette fois des aigus dans la voix, nous sommes dix dans cette maison, et tout ce que je dis, c'est que ce serait une bonne idée, pour qu'elle reste agréable à vivre, d'assumer les corvées ménagères à tour de rôle.

— Ce que tu dis, belle enfant, lui rétorqua Woggle avec son irritante voix nasillarde, c'est qu'on ne peut attendre de quelqu'un qu'il se comporte en personne responsable que si il ou elle en a reçu l'ordre.

— Toi, je sens que j'vais te haïr, déclara Jazz, parlant pour les huit autres.

— Dans le grand schéma des choses, au sein des énergies positives et négatives de la création, la haine n'est jamais que l'autre face de l'amour, car chaque saison fait son temps. Donc, en termes d'univers compris comme un tout, cela revient à dire que tu m'aimes.

— Putain, n'importe quoi ! dit Jazz.

— Mais non.

— Mais *si*, j'te dis !

— Non. »

Woggle ne capitulait jamais.


## CINQUIÈME JOUR, 9 HEURES

Dervla fit glisser le savon sous son tee-shirt pour se savonner les aisselles. Elle commençait à peine à s'habituer à se doucher en sous-vêtements. Le premier matin, elle avait trouvé ça très inconfortable et s'était sentie un peu bête, comme lorsqu'on s'obstine à se déshabiller sous les couvertures lors d'une excursion scolaire. L'autre solution, cependant, signifiait exhiber son corps nu devant des millions de téléspectateurs et cela n'était nullement son intention. Elle avait regardé assez d'émissions de télé-réalité pour savoir ce que les producteurs appréciaient le plus, aussi savonnait-elle ses dessous de bras avec d'extrêmes précautions. Il aurait été très simple de soulever son vêtement par inadvertance et d'exposer sa poitrine. Elle savait que, derrière les miroirs sans tain de la cabine de douche, un cadreur, à l'affût, n'attendait rien d'autre. Une seconde d'inattention de sa part, et ses nichons se baladeraient quelque part sur Internet jusqu'à la fin des temps.

Une fois douchée, Dervla se brossa les dents, et c'est là qu'elle remarqua les lettres sur le miroir. D'abord, elle crut qu'elles avaient été tracées dans la condensation par le précédent occupant de la salle de bains, mais quand d'autres lettres firent leur apparition, la jeune femme comprit, avec un frisson, que quelqu'un, de l'autre côté du miroir, était en train de les écrire.

Dervla avait beau n'être incarcérée que depuis quatre jours, elle avait déjà l'impression que ses compagnons et elle étaient les seuls survivants sur terre. Que leur petite bulle étanche était tout ce qui restait du monde. Quel choc de se voir rappeler que tel n'était pas le cas, que dehors, derrière le miroir, à quelques centimètres d'elle à peine, mais dans un autre monde, quelqu'un essayait de communiquer avec elle.

« *Chut.* »

C'était le premier mot qu'elle avait vu apparaître, lettre après lettre, à travers la vapeur et la condensation, en bas du miroir, juste au-dessus des robinets du lavabo.

« *Ne regarde pas* » furent les mots suivants. Et Dervla réalisa alors qu'elle fixait les lettres d'un regard ahuri, la brosse à dents dans la bouche. Elle s'empressa de recentrer son regard sur son propre reflet dans le miroir, comme toute personne qui se brosse les dents.

Elle laissa s'écouler un petit moment avant de risquer un nouveau coup d'œil vers le bas du miroir.

« *Je t'aime bien. Je peux t'aider. Salut.* »

Un instant passa, puis la conclusion du correspondant anonyme apparut : « *XXX* ».

Dervla acheva en hâte de se brosser les dents, s'enroula dans une serviette de toilette, ôta son tee-shirt et son slip mouillés, s'habilla du plus vite qu'elle put et sortit s'asseoir dans le potager. Elle avait besoin de réfléchir. Elle n'arrivait pas à déterminer si ce rebondissement, dans lequel elle n'était pour rien, la mettait en colère ou l'excitait. Hésitante, elle s'avoua qu'elle était partagée. Elle était en colère parce que cet homme (il s'agissait d'un homme, elle en aurait mis sa main à couper) l'avait clairement choisie, *elle*, comme objet de son attention particulière. Il l'avait observée et, maintenant, il voulait user de son pouvoir sur elle pour s'immiscer dans son intimité. Cela lui inspirait un sentiment assez inconfortable. À quelles motivations cet homme obéissait-il ? Éprouvait-il de l'attirance pour elle ? L'avait-il choisie pour cible d'une démarche perverse ? Pour quelle autre raison aurait-il risqué sa place d'une telle façon ? D'un autre côté, peut-être faisait-il ça par jeu ? Peut-être n'était-il qu'un fou, prêt à tout pour jouer un bon tour à Voyeur Prod. ? Dervla savait pertinemment combien les médias préféraient que la maison soit le théâtre de scandales et de magouilles plutôt que d'honnêtes relations. C'était des mauvais garçons et des vilaines filles que l'on parlait. Si ce mystérieux traceur de lettres parvenait à entamer un dialogue avec elle, l'histoire vaudrait bien plus qu'un salaire de cadreur.

C'était une possibilité. Peut-être était-il déjà à la solde d'un journal ? La presse essayait sans cesse de lâcher des tracts, des parachutistes et des types en Deltaplane dans la maison. Soudoyer un cadreur avait dû leur traverser l'esprit. Et puis Dervla eut une autre idée : et si cette personne, loin d'être un ami, était un provocateur ? Quelqu'un qui voulait l'inciter à transgresser les règles ? Était-ce un piège ? Une arnaque ? Voyeur Prod. ou les journaux essayaient-ils de la prendre en défaut ? Si oui, agissaient-ils de même envers les neuf autres ?

Dervla imagina comment les médias lui feraient endosser le rôle de la tricheuse, et comment la voix off masculine révélerait sa honte, d'un ton sincèrement outré mais avec délectation : « *Nous avons décidé de mettre chacun des résidents de la maison à l'épreuve en leur offrant un moyen illégal de communication avec le monde extérieur. Dervla a été la seule à mordre à l'hameçon, la seule à avoir manifesté la volonté de tricher… »*

C'en serait fini : elle serait disgraciée, expulsée, une étiquette resterait à jamais collée à sa peau, Dervla la Perverse, Dervla la Sournoise… *Sale Dervla.*

Elle divaguait. Elle se força à mettre de l'ordre dans ses pensées.

Non, impossible. Voyeur Prod. ne pouvait pas faire une chose pareille. Tendre un piège était immoral – et constituait peut-être même un délit puni par la loi. Si une respectable boîte de production s'abaissait à ça, elle risquait de perdre définitivement sa crédibilité. Non, Voyeur Prod. n'avait rien à voir avec cet incident.

Le coup venait peut-être des journaux. Et alors ? Jusque-là, elle n'avait rien fait de mal, et elle veillerait à ce que ça continue ainsi. De plus, n'importe quel journal qui aurait soudoyé un cadreur ne pourrait rien publier sans révéler sa source, ce qui ne se ferait sans doute pas tout de suite. Elle disposait d'un peu de temps pour voir comment la situation allait évoluer. Et s'il s'agissait vraiment d'un ami, de quelqu'un à qui elle avait tapé dans l'œil et qui voulait qu'elle gagne… Qui sait ? Peut-être pourrait-elle tirer un avantage de la situation. Glaner quelques informations de l'extérieur constituerait indiscutablement un atout… Et puis, elle n'avait rien *demandé*, elle… Donc, ce n'était pas vraiment immoral. Il n'y avait tout de même pas de mal à regarder dans un miroir, non ?


TRENTE-DEUXIÈME JOUR, 9 H 20

Un des murs du bureau était désormais connu sous le nom de la « Carte ». Trisha y avait affiché les photos des dix résidents, qu'elle avait ensuite reliées par un réseau incroyablement dense et enchevêtré de rubans adhésifs, sur lesquels ses collègues et elle avaient noté de brèves indications : « attiré par », « méprise », « dispute à propos de fromage », « reste trop longtemps aux toilettes »…

Hooper avait tenté de récréer le tableau de Trisha sur son ordinateur, en mettant à contribution son scanner et les incalculables gigabits d'un logiciel de graphisme en trois dimensions. L'entreprise, hélas, ne cessait d'échouer et une petite bombe s'obstinait à apparaître sur l'écran, assortie d'un message lui demandant de redémarrer. Assez rapidement, Hooper dut revenir en catimini aux punaises et aux rubans adhésifs, comme tous les autres.

Debout devant le tableau, Coleridge contemplait les dix colocataires et le réseau – en expansion continue – des relations au sein du groupe. « Quelque part, quelque part dans cette masse dense de relations humaines, se trouve forcément notre mobile, notre catalyseur du meurtre », déclara-t-il avec solennité, comme s'il s'adressait à une large audience. En fait, il ne restait plus que Trisha et Hooper dans le bureau, les autres ayant depuis longtemps regagné leurs pénates. Le thème de discussion pressenti d'un commun accord pour la soirée serait Layla, la jolie « hippie », et David, l'homme qui voulait être comédien.

Sur l'un des rubans adhésifs reliant les photos de ces deux-là, Trisha avait écrit : « Amitié pendant un jour ou deux. A viré à l'aigre. »

« Sur quoi reposait cette entente des premiers jours ? s'enquit Coleridge. Elle ne devait pas être bien solide, pour que le vent ait tourné si vite.

— Ils ont pas mal de points communs, répondit Trisha. Ils sont tous les deux végétariens, obsédés par les régimes. Cela semble avoir été un facteur de rapprochement. Le premier soir, ils ont longuement discuté, en aparté, des associations d'aliments et de l'acidité gastrique. J'ai préparé la cassette. »

Effectivement, quand Trisha enclencha la touche « lecture », David et Layla, assis légèrement à l'écart du groupe, savouraient la plus exceptionnelle des rencontres entre deux esprits.

« C'est tellement vrai, dit Layla.

— N'est-ce pas ?

— Mais c'est fou le nombre de gens persuadés que les produits laitiers sont bons pour la santé.

— Alors que c'est une aberration.

— Tu savais qu'au siècle dernier les œufs ont tué plus de gens qu'Hitler ?

— Oui, je crois que je l'ai entendu dire, *et* ne parlons pas de la farine de blé.

— Beurk ! *La farine de blé !* Ne me lance pas sur ce sujet ! »

Là, les intonations lugubres d'Andy le narrateur firent une brève intrusion : *« David et Layla se sont découvert de nombreux points communs : leur chat leur manque horriblement à tous les deux. »*

« Pandore est la plus belle et la plus intelligente des créatures que j'aie jamais rencontrées, expliqua David. Et malheureusement, j'inclus les êtres humains dans cette constatation.

— Si tu savais comme je te comprends », renchérit Layla.

Trisha arrêta la cassette.

« Fogarty, le monteur, m'a raconté que, ce soir-là, ils se sont tous excités au sujet de David et Layla. Ils

75

pensaient que ça pourrait même se finir dans la cabane à crac-crac pour une petite séance, et ça s'est soldé finalement par un massage des épaules.

— Mais ils étaient sérieusement amis ? demanda Coleridge.

— À mon avis, ils détestaient surtout leurs colocataires. Quand on regarde les cassettes, ça crève les yeux qu'ils se croient un cran au-dessus des autres. Les premiers jours, les caméras les ont souvent surpris en train d'échanger des regards hautains et supérieurs. Voyeur Prod. a diffusé ces images et le public les a détestées. David et Layla étaient de très loin les candidats les plus impopulaires.

— Mais, évidemment, ils l'ignoraient.

— Ils n'avaient aucun moyen de le savoir. Ils étaient coupés du monde. En fait, quand on les observe, ils donnent l'impression d'être convaincus que les gens vont les adorer autant qu'ils s'adorent eux-mêmes. David tout particulièrement.

— Oui, celui-là ne manque pas d'arrogance, risqua Coleridge. Il est très mégalo, en fait, sous ses airs calmes. »

Hooper fut surpris d'entendre Coleridge utiliser un terme aussi galvaudé que « mégalo », mais qui, sans aucun doute, résumait le personnage à la perfection.

Ils observèrent l'image de David à l'écran et, en scrutant son doux regard de chien battu, tous trois eurent la même pensée.

« Il fallait assurément une personne très sûre d'elle pour s'imaginer pouvoir s'en tirer comme s'en est tiré notre meurtrier, commenta Coleridge. Quiconque eût douté un minimum de soi ne l'aurait jamais tenté. Ainsi, poursuivit-il en revenant au thème de l'amitié, l'intimité a vite eu raison de la proximité entre David et

Layla. Comme beaucoup d'amitiés entamées avec trop d'enthousiasme, celle-ci n'avait aucune assise.

— Tout à fait, approuva Trisha. Ça a commencé à se gâter avec l'incident du fromage, et ensuite c'est allé de mal en pis.

— Ils se ressemblaient trop, je pense, intervint Hooper. Ils se faisaient de l'ombre. Ils briguaient le même rôle dans la maison, celui du candidat le plus beau et le plus sensible. Tout est parti à vau-l'eau avec l'incident du poème de Layla. »

## CINQUIÈME JOUR, 21 HEURES

La dispute commença avec les meilleures intentions du monde. Pour tenter un rapprochement avec Layla (et donc, éviter qu'elle ne le sélectionne), David, faisant valoir son entraînement et sa maîtrise de l'art de la récitation, avait proposé d'apprendre un des poèmes écrits par la jeune femme et de le réciter à sa place. Layla avait été touchée, flattée, et puisque ni crayons ni papier n'étaient autorisés dans la maison, David avait décidé d'apprendre le poème directement de la bouche de son auteur.

« Lactation, dit Layla.

— C'est très très beau, répondit David.

— C'est le titre.

— Je vois, acquiesça David avec un doux hochement de tête, comme si le simple fait de comprendre que *Lactation* était le titre requérait un degré supérieur de perception.

— On peut prendre deux vers par deux vers ? » s'enquit Layla.

En guise de réponse, David ferma les yeux, joignit les mains par le bout des doigts, effleurant les index de ses lèvres. Layla commença. « Une Femme. Fertile. Grosse, pleine, gonflée, riche d'une petite fille. Vagin, double voie des miracles. »

David inspira bruyamment et répéta ces deux premiers vers. Sa diction laissait clairement entendre que Layla ne pouvait être qu'ébahie et émue en découvrant une voix si puissamment fluide et subtile donner des ailes à ses mots.

Si tel était le cas, elle le cacha bien. « En fait, ce premier vers est censé être très optimiste, très enjoué, souligna-t-elle. Tu es trop lugubre. Moi, je le récite toujours avec un immense sourire, surtout quand je prononce les mots "petite fille". Réfléchis deux secondes, David. Est-ce que penser à la puissance et au courage d'un ventre de femme rempli d'une jolie petite fille ne te donne pas envie de sourire ? »

David était manifestement assommé. « Es-tu en train de *m'indiquer* comment je dois réciter, Layla ?

— Non, je veux juste que tu saches comment le dire, c'est tout.

— Tout l'intérêt du travail d'un *comédien* sur un texte, *Layla*, réside dans le fait de confronter ce texte à l'interprétation d'un autre artiste. Un comédien trouvera dans un poème des choses dont l'auteur ne savait même pas qu'elles y étaient.

— Mais je ne veux pas des choses qu'il n'y a pas. Je veux celles qu'il y a. »

David sembla changer brusquement son fusil d'épaule.

« En ce cas, récite-le toi-même, ça vaudra mieux, riposta-t-il en se levant d'un mouvement brusque et rageur. Parce que, franchement, il est nul, ton poème. Indépendamment de l'image repoussante d'un gros ventre de femme enceinte, image qui, pourrais-je ajouter, émane d'une femme qui a moins de chair sur les os qu'un bâton de Chupa Chups, je suis un comédien *professionnel*, et il est hors de question que je me laisse diriger par un poète *amateur*! Surtout après avoir fait au soi-disant poète *l'immense* honneur de m'intéresser à sa merde de texte! »

Sur quoi David sortit de la maison pour faire trempette dans le Jacuzzi.

## TRENTE-DEUXIÈME JOUR, 10 H 15

« De très mauvaise humeur, notre maître David, observa pensivement Coleridge. D'assez mauvaise humeur pour commettre un meurtre, pensez-vous? »

Une fois la bande rembobinée et arrêtée sur l'image du visage furibond du jeune homme, l'hypothèse n'avait rien d'impossible.

« C'est sûr qu'il a la tête de quelqu'un qui aimerait bien lui tordre le cou, convint Hooper. Mais, bon, ce n'est pas elle qui a fini assassinée, n'est-ce pas?

— Ainsi que nous l'avons dit mille fois, sergent. Si le mobile était évident, à l'heure qu'il est, notre meurtrier attendrait de passer en jugement. Tout ce que nous pouvons espérer découvrir est la graine qui a fait germer l'idée du meurtre. »

Hooper signifia à Coleridge, du plus sèchement qu'il l'osa, qu'il en était parfaitement conscient.

## CINQUIÈME JOUR, 9 H 15

David sorti, Layla s'empressa de suivre son conseil et récita elle-même le poème, en souriant tel un babouin qui aurait eu une banane coincée en travers de la gueule.

Jazz, Kelly, Dervla et Moon l'écoutèrent avec un profond respect, et, la récitation achevée, déclarèrent tous qu'ils trouvaient ça très, très bon.

Woggle, sans bouger de son coin, souligna qu'à son avis la poésie n'était rien d'autre qu'un effort de formalisation du langage, et qu'à ce titre elle dénotait une tournure d'esprit totalitaire. « Les mots sont anarchistes. Laissez-les s'agencer en toute liberté », dit-il. Mais les autres l'ignorèrent – attitude qu'ils avaient appris à adopter le plus souvent possible, tout en comptant les minutes qui les séparaient du jour des sélections.

« En fin de compte, il est nickel, ton poème, Layla. Vraiment mortel, bravo, dit Moon, dont l'accent de Manchester semblait s'épaissir chaque jour davantage.

— Vous avez remarqué mon rouge à lèvres rouge ? » jubila Layla.

Ils avaient tous remarqué.

« Des anthropologues pensent que les femmes peignent leurs lèvres en rouge pour que leur bouche évoque leur vagin.

— Hé, poupée, on se calme, lança Garry par-dessus la bouilloire. Je viens juste de finir de bouffer.

— Ils disent que les femmes font ça pour se rendre plus séduisantes aux yeux des hommes mais, pour moi, c'est une célébration.

— De quoi ? s'enquit innocemment Jazz.

— De mon vagin.

— Ah.

— Hé, Layla, si jamais t'as besoin d'un coup de main pour la célébration, j'suis là, lança Garry.

— Ta gueule, Garry ! dit Moon. Putain, ces mecs ! En fin de compte, ça n'a rien à voir avec vous, mais avec le fait d'être une femme forte et courageuse, n'est-ce pas, Layla ?

— Oui, Moon, c'est exactement ça. »

Kelly était encore un peu perplexe. « Ben, je comprends pas vraiment où ces anthropologues veulent en venir. Quelle fille aurait envie d'avoir une tronche qui ressemble à un cul ? »

Layla dut s'accorder quelques secondes de réflexion. Jamais on ne lui avait posé cette question. Les gens qu'elle connaissait se contentaient de hocher la tête d'un air entendu, avant de demander s'il restait du guacamole.

« Je ne pense pas qu'ils veuillent dire ça *exactement*. L'idée, c'est juste de suggérer un sexe de femme dans le but d'inciter le mâle à la procréation.

— Ah oui, je vois, acquiesça Kelly.

— C'est pour ça que les guenons se font rosir le derrière. Si elles ne le faisaient pas, l'espèce serait éteinte depuis longtemps. Faites confiance aux femmes pour trouver une solution. »

Tout le monde opina pensivement du chef.

« Vous saviez que les singes ont des signes astrologiques ? dit Moon. Ben ouais. Y a une mystique qui est allée au zoo de Londres et qui a fait les horoscopes de tous les primates avancés, et vous savez quoi ? En fin de compte, elle a mis en plein dans le mille, leurs personnalités et tout et tout. Putain, c'était super bizarre. »


SEPTIÈME JOUR, 8 HEURES

Depuis la veille ou l'avant-veille, Dervla s'était débrouillée pour être toujours la première levée afin d'avoir la salle de bains tout à elle. Ce matin-là, cependant, elle découvrit que Moon l'avait coiffée au poteau, non parce que celle-ci était brusquement devenue matinale, mais parce qu'elle partait se coucher.

« J'ai passé la nuit à lire ce bouquin, *Dragon rouge*, que Sally a apporté. Tu sais, le premier avec Hannibal Lecter. Putain, en fin de compte, ça déchire. J'avais une de ces trouilles ! Je trouve que c'est les meurtres les plus flippants, ceux où y a pas de raison. La seule raison, en fin de compte, c'est que le mec s'éclate à décapiter les gens. Un serial killer, en somme. »

Dervla patienta, le temps que Moon se brosse les dents.

« Réveille-moi si jamais je rate de la bouffe », dit celle-ci en quittant la salle de bains pour gagner son lit d'un pas titubant.

Dervla était enfin seule, postée devant le lavabo, en sous-vêtements. Elle devina un mouvement derrière le miroir. Cela arrivait, parfois : les occupants de la maison percevaient une présence, des bruits étouffés, et de temps à autre, la nuit, quand les lumières étaient éteintes dans les chambres, ils discernaient confusément des formes derrière les miroirs. Dervla savait que son ami était venu à sa rencontre.

« Miroir, mon beau miroir, dit-elle, comme si elle s'amusait à se parler à elle-même, qui de nous tous sera le gagnant ? » Elle fit semblant de rire et étala du dentifrice sur sa brosse. Aucun des monteurs observant la scène n'aurait pu s'imaginer qu'elle parlait à quelqu'un.

Bientôt, les lettres apparurent, exactement comme chaque matin. De vilaines lettres, toutes gauches. À l'évidence, le messager était obligé d'écrire à l'envers, et peut-être, songea la jeune femme, à bout de bras.

« *Woggle n° 1 pour public* », annonça le message.

Dervla faillit se trahir et manqua de balbutier tout haut le nom de Woggle tant elle tombait des nues. Heureusement, elle réussit à garder son sang-froid et ne s'autorisa qu'un bref coup d'œil vers le bas du miroir.

Son informateur anonyme compléta le message. « *Kelly 2, toi 3.* » Et puis : « *Bonne chance. XXX.* »

Dervla acheva de se brosser les dents, puis se savonna le visage. Elle arrivait donc en troisième position. Sur dix candidats, ce n'était pas un mauvais score. La popularité de Woggle était certes une surprise, mais, en y réfléchissant, Dervla estima qu'il devait bénéficier de l'effet produit par la nouveauté – effet qui ne tarderait pas à s'estomper.

Kelly, elle, constituait une menace d'un tout autre acabit.

C'était une fille adorable. Elle l'aimait bien. Le public aussi, manifestement. Bah, ce n'était pas grave, songea Dervla. Il restait encore huit semaines à passer. Bien des choses pouvaient arriver d'ici là, et sans doute Kelly ne pourrait-elle pas toujours demeurer aussi joyeuse, aussi éblouissante.

Avant de quitter la salle de bains, Dervla essuya les mots et souffla un petit baiser à son reflet. Son ami le cadreur, se dit-elle, apprécierait peut-être un geste amical.

TRENTE-DEUXIÈME JOUR, 23 H 35

Coleridge quitta la cuisine sur la pointe des pieds pour gagner le salon avec sa seconde canette de bière. À l'étage, sa femme dormait. Elle dormait déjà quand il était arrivé à la maison, et elle dormirait encore le lendemain matin quand il en repartirait à 6 heures. Elle lui avait écrit un mot pour souligner que, tout en habitant sous le même toit, ils ne s'étaient pas vus une seule fois en trois jours.

Coleridge chercha un stylo à bille et griffonna : « Je n'ai pas changé » sous le message de sa femme.

Qui serait toujours à la même place le lendemain soir, sauf qu'à ce moment-là son épouse aurait répondu : « C'est bien dommage. »

Elle ne le pensait pas. Elle l'aimait d'un amour sincère ; toutefois, observait-elle souvent, il est facile de nourrir de la tendresse à l'égard de quelqu'un qu'on ne voit jamais.

Coleridge avait rapporté chez lui la liasse d'articles de presse de Voyeur Prod. relatifs à la première semaine, par-dessus laquelle était agrafée la photocopie d'un mémo, sur papier à en-tête de la maison de production, intitulé : « Principales caractéristiques des candidats selon la perception du public et de la presse au huitième jour. » Le rédacteur s'était montré admirablement succinct.

*Woogle : chouchou du public. Archi-populaire.*

*David : le salaud. Haï.*

*Kelly : bandante. Populaire.*

*Dervla : la beauté énigmatique. Populaire.*

*Layla : éminemment baisable, mais c'est une emmerdeuse. Peu appréciée.*

*Moon : une emmerdeuse et même pas vraiment baisable. Peu appréciée.*

*Garry et Jazz : appréciés (mais ni par les féministes, ni par les intellectuels).*

*Sally : peu mentionnée. Et quand elle l'est, peu appréciée. N.B. : la communauté gay trouve que S. est un stéréotype navrant. Aurait préféré une grande folle, ou une lesbienne plus féminine.*

*Hamish : non mentionné.*

Coleridge feuilleta les coupures de presse. La plupart confirmaient le mémo de Voyeur Prod. Quelques autres, toutefois, polémiquaient autour du fait que la troisième saison de *Résidence surveillée* s'en tirait bien mieux que prévu.

« Le soufflé regonfle ! » titrait un article, en référence à son pronostic de la semaine précédente qui signalait qu'un soufflé ne gonfle jamais deux fois, et encore moins trois… Coleridge découvrit, en lisant l'article, qu'à l'annonce de la troisième saison de *Résidence surveillée* les spéculations étaient allées bon train, prédisant que la petite bulle des émissions de téléréalité avait déjà explosé. L'inspecteur avait tenu pour acquis que ce type d'émission recueillait obligatoirement du succès, mais il se trompait. Les coupures de presse révélaient que nombre d'émissions conçues aux beaux jours du créneau, et qui à l'époque semblaient gagnantes d'avance pour peu qu'elles accueillent des grandes gueules ou des personnages agaçants, avaient, en réalité, échoué à captiver le public. Au début de la première semaine, il était quasiment certain que cette nouvelle saison de *Résidence surveillée* serait un échec retentissant. Mais l'émission avait démenti les pronostics les plus pessimistes, et, après la diffusion de sept épisodes, cette nouvelle saison réussissait aussi bien que les précédentes. Personne n'était plus surpris que Geraldine elle-même, ce qu'elle reconnut librement lors de son apparition sur le plateau de *Permanence de nuit*, un talk-show branché où on l'avait conviée à assurer la promotion de la deuxième semaine.

Coleridge glissa la cassette dans son magnétoscope et, aussitôt, se retrouva à batailler pour baisser le son, surpris par le tintamarre strident du générique qui avait envahi le salon et s'entendait très certainement jusqu'à l'étage, où sa femme essayait de dormir.

« On vous applaudit très fort ! s'écria la fille branchée qui présentait l'émission en accueillant Geraldine sur le plateau. Formidable, cette première semaine ! Nous avons adoré.

— Cette femme, c'est de la balle, sa télé ! renchérit le type branché qui présentait lui aussi l'émission. Total respect. Je vous tire mon chapeau.

— Allez, Woggle ! Ouais ! lança la fille. On l'aime tellement, celui-là.

— Ouais, mec. Total respect ! s'écria le type.

— Ouais, tout à fait. Total respect ! » renchérit la fille.

Les acclamations redoublèrent. Le public adorait Woggle.

« C'est fou, dit Geraldine quand l'ovation fut calmée. Voyez-vous, je trouvais qu'il serait intéressant et je pensais qu'il pimenterait un peu l'émission, mais je n'avais pas du tout escompté qu'il recueille un tel succès auprès des téléspectateurs.

— Ouais, ben, il est un peu comme un animal domestique, non ? opina la fille. Comme Dennis la Malice, ou Animal, du Muppet Show.

— Oui, personne n'a envie de vivre avec lui, mais c'est super marrant de regarder d'autres gens le faire. C'est vachement bien !

— Respect à Woggle !

— Ouais, total respect ! Bravo ! Mais toute l'émission est super mortelle, s'empressa d'ajouter le type. On tire notre chapeau à toute la bande dans la maison.

— Bravo !

— Ma préférée, c'est Kelly !

— Toi, tu fantasmerais sur Kelly ? s'exclama la fille, bourrant son coéquipier de petits coups dans les côtes. Dervla est de loin la plus belle.

— Dervla est belle, c'est vrai qu'elle me fait carrément fondre parfois, et pour ça je lui tire mon chapeau, mais Kelly, ben, elle, elle a…

— De gros nénés?

— Tu veux que je te dise? C'est un truc de garçon. »

Les garçons présents dans le public firent savoir qu'ils partageaient ce point de vue.

« Et David, il est pas détestable, celui-là? repartit la présentatrice.

— Allons, allons, on ne le déteste pas tant que ça », tempéra son acolyte.

La mention du nom de David souleva d'autres clameurs et le producteur de l'émission intercala quelques images en direct de la maison, prises sur la connexion Internet. David, assis par terre en tailleur, était en train de jouer de la guitare, et, selon toute évidence, semblait se trouver plutôt beau. Cette image provoqua une nouvelle salve de huées et de rires.

« Il est triste ou quoi? » lança la présentatrice d'une voix stridente.


Tout en sirotant sa bière et en regardant cet enregistrement qui remontait à trois semaines et demie, Coleridge fut frappé de découvrir tant de brutalité. Le jeune homme montré à l'écran était tourné en ridicule, sans qu'il puisse rien soupçonner des railleries qu'il suscitait. Le pays tout entier semblait s'être transformé en une immense cour de récréation dans laquelle le public tenait le rôle de la brute bête et méchante.


« Bon, ça suffit comme ça, trancha le présentateur, apparemment en proie à une crise de conscience. Je suis certain que sa maman l'aime.

— Ouais! On applaudit bien fort la maman de David! Mais, *s'il vous plaît*, pourriez-vous lui dire de se couper les *cheveux*?

— Et d'arrêter de jouer de la *guitare* ! »

Puis l'interview bifurqua vers le succès inattendu remporté jusque-là par la troisième saison de l'émission.

« Vous avez donc cloué le bec aux mauvaises langues et aux persifleurs, et l'émission fait un énoooooooorme carton, dit le type. C'est un soulagement, ou je me trompe, Gégé ?

— Vous ne vous trompez pas du tout, répondit Geraldine, et si je n'étais pas une nana, je dirais que je joue mes couilles sur ce coup-là. J'ai englouti jusqu'à mon dernier penny dans cette aventure. Mes économies, et toutes les indemnités de licenciement que j'ai reçues quand j'ai quitté la BBC. Je suis l'unique directrice de Voyeur Prod., mon cher confrère, et donc, si la société se plante, je ne pourrai m'en prendre qu'à moi.

— Quel cran, cette femme ! s'enthousiasma la fille. On adore ça ! Bravo !

— Le cran, c'est clair que j'en ai, ma petite, souligna Geraldine. J'ai laissé tomber une place confortable de contrôleur d'antenne à BBC 1 pour me lancer dans l'aventure de *Résidence surveillée*, et tout le monde attendait que cette troisième session se casse la gueule.

— Ouais, Gégé, c'est clair que vous avez pris un risque en quittant la BBC, approuva le présentateur. Je sais que votre nom a pas mal circulé dans les couloirs comme éventuelle future directrice générale.

— Oui, je crois qu'ils voulaient me proposer ce poste, mais mon truc, voyez-vous, c'est de fabriquer des programmes, pas de passer mon temps à baiser le cul des politicards, comme Billy ici présent. Je n'ai pas encore assez grandi pour ça. »

La caméra recula pour avoir dans son champ le visage de Billy Jones, l'autre invité de *Permanence de nuit*, qui souriait avec indulgence. Billy était le ministre de la Culture et il avait accepté de participer à cette émission dans le cadre de la stratégie mise en place par le gouvernement pour atteindre les jeunes.

« Je regrette énormément de ne pas pouvoir me faire baiser le cul par une aussi charmante dame, intervint-il, ce qui lui valut de récolter un éclat de rire.

— Alors, Billy, dit la présentatrice en se tournant vers lui, la mine grave, quelle note décernez-vous à *Résidence surveillée*? Supertélé ou tas de merde?

— Oh, supertélé, indiscutablement, protesta le ministre de la Culture. *Impossible* de considérer ça comme un tas de merde.

— Mais il y tout de même des gens qui prétendent que la télé devient simpliste, que nous aurions besoin de plus de… Quoi? De programmes historiques, de téléfilms classiques.

— Eh bien, assurément, il existe un créneau pour les trucs d'ordre historique et toutes ces âneries de télé-films classiques, mais, en fin de compte, les politiques, les professeurs et les travailleurs sociaux doivent être *en position d'écoute* face aux jeunes, parce que, franche-ment, je ne pense pas que l'histoire et les trucs comme ça intéressent les jeunes aujourd'hui.

— On applaudit bien fort notre invité! lança le pré-sentateur. Bravo, voilà qui est parlé!

— Parce que, en fin de compte, poursuivit Billy, les politiques, les enseignants et les autres ont le devoir de se connecter à ce qui intéresse vraiment les gamins, comme Internet. D'après nous, Internet est terriblement important, au même titre, bien sûr, que ces expérien-ces géniales de télé-réalité telles que *Résidence sur-veillée*. »

Au moment où l'émission allait s'achever et que le dernier groupe de musiciens faisait son entrée sur le plateau, Coleridge avait déjà sombré dans le sommeil. L'image qui s'offrit à lui à son réveil fut celle d'un skinhead américain dégoulinant de transpiration, vêtu en tout et pour tout d'un short de sport et de tatouages qui recouvraient quatre-vingt-dix pour cent de la surface de sa peau. Il hurlait : « Je ne suis qu'une merde de déchet humain. »

L'inspecteur décida qu'il était temps pour lui d'aller au lit. Manifestement, Geraldine avait eu un coup de bol avec son émission. En principe, elle aurait dû faire un flop.

David, en revanche, avait eu moins de chance. Il était le bouc émissaire, la risée de tous ses compatriotes, et ce, à cause de Geraldine. Si ce garçon l'avait appris, songea Coleridge, il aurait pu avoir la tentation de se venger de Voyeur Prod. Mais comment aurait-il pu le savoir ?

## TRENTE-TROISIÈME JOUR, 10 H 15

Sur la Carte affichée au mur du bureau, la photo de Woggle menaçait de disparaître sous les innombrables rubans adhésifs qui convergeaient vers elle. Trisha venait juste de compléter le tableau en la reliant à celle de Dervla avec un nouveau ruban portant la mention « Dispute à propos de poils pubiens ».

Dervla avait paru déterminée à demeurer aussi calme et aussi sereine que la muse dans une publicité pour une bière irlandaise, mais c'était là une attitude impossible à tenir si on succédait à Woggle dans la salle de bains.

« *Nous sommes le huitième jour*, annonça Andy, *et Dervla vient de prendre sa douche.* »

« Woggle ! appela-t-elle en émergeant de la salle de bains, un savon dans la main.

— Oui, ma douce.

— Pourrais-tu, *s'il te plaît*, débarrasser le savon de tes poils pubiens, une fois que tu as fini de te laver ? »

C'était leur faute à tous, évidemment. Woggle aurait été ravi de ne pas se laver du tout, mais l'ensemble du groupe lui avait instamment demandé de se laver, de fond en comble, au moins une fois par jour.

« Comme ça, dans un mois ou deux, tu seras peut-être propre », avait remarqué Jazz.

Ils payaient à présent le prix de leur méticulosité. Le matelas pubien tout enchevêtré de Woggle n'ayant jamais connu traitement aussi régulier se déplumait abondamment sous l'effet de ce soin inaccoutumé.

Dervla agita le savon poilu à la barbe de son colocataire. Elle avait mûrement réfléchi avant d'affronter Woggle. Outre le fait qu'elle détestait faire des scènes, elle savait aussi par son informateur secret que Woggle était très populaire à l'extérieur. Se disputer avec Woggle lui aliénerait-il la sympathie du public ? D'un autre côté, il serait peut-être bon que le public ait une petite idée de ce qu'elle et les autres devaient endurer. Finalement, Dervla fut incapable de se retenir : il *fallait* qu'elle dise quelque chose. Woggle ayant coutume de se livrer à ses ablutions hâtives au milieu de la nuit, c'était toujours elle qui tombait sur ses scories puisqu'elle était la première levée.

« Tous les matins, je dois arracher une touffe de poils du savon, et le lendemain, elle a repoussé !

— Assume ta crainte de la Nature, ô toi, femme. Mes poils du cul ne te feront aucun mal. À la différence des voitures, comme celle que tu as admis posséder. » D'une pirouette, Woggle était passé des carences de son propre savoir-vivre, à sa part de responsabilité à elle dans la destruction de la planète. Il ne procédait jamais autrement.

« Mais ça n'a rien à voir avec les bagnoles ! » Dervla fut choquée de s'entendre crier. Elle n'avait pas élevé la voix depuis des années. La sienne se voulait le reflet d'un esprit calme et réfléchi, et pourtant, là, elle était bel et bien en train de crier.

« Oh que si, ô femme celte, parce que vos priorités me font flipper, les amis, elles m'importunent au niveau de ma tête. Les voitures sont des dragons diaboliques qui dévorent notre monde ! Alors que mes poils sont de la matière non volatile, dégradable et totalement inoffensive.

— De la matière inoffensive, non volatile et dégradable qui pousse sur ton *scrotum* ! hurla Dervla. Et qui me fout la gerbe ! Sainte Vierge Marie Mère de Jésus-Christ, mais d'où ça sort, tout ça ? On aurait déjà eu de quoi remplir un matelas ! Tu te sers d'une lotion à l'huile de serpent, là en bas, ou quoi ? »

Ce qu'ignorait Dervla, c'est qu'en fait son attaque blessait Woggle. Comme il semblait ne prêter attention à personne, personne ne l'avait jamais crédité du moindre sentiment. Or Woggle aimait bien Dervla, et elle lui plaisait, aussi. Il était même allé au confessionnal avouer son admiration.

« Il y a incontestablement une connexion entre nous, avait-il dit. Je suis quasi certain qu'à un moment donné, dans une autre vie, elle était une belle princesse des Runes sacrées et que j'étais son Sorcier. »

Face à cette agression perpétrée par quelqu'un qu'il plaçait carrément si haut, Woggle tenta de conserver un semblant de distance et de dignité.

« Je demeure sans repentance pour mes poils de couilles, marmonna-t-il. Ils ont autant droit à une place dans cette maison que d'autres émanations humaines, telles que, par exemple, le pus autour de l'anneau de cicatrisation de Moon, que je respecte. »

Le stratagème ne manquait pas d'intelligence. Le soir précédent, Moon avait insisté pour exhiber devant tout le groupe l'anneau de cicatrisation sur son téton, et n'avait gagné, ce faisant, aucun ami.

« Hé Woggle ! Fous-lui la paix, à mon téton, tu veux ? avait-elle crié depuis le canapé violet où elle était vautrée. Je t'ai déjà expliqué. Comment je pouvais savoir que cette enflure, à Brighton, allait utiliser un métal de merde alors qu'il m'avait certifié que c'était de l'or ? Putain, c'est bien ce qu'il avait dit, non ? Quel fumier ! En fin de compte, je le nettoie au Savlon, et je laisse pas ce qui en sort sur ce savon à la con, moi.

— Oui, n'essaie pas de changer de sujet, Woggle, insista Dervla. Moon fait ce qu'elle peut pour son infection, et toi, tu devrais nettoyer le savon après l'avoir utilisé. Et pas seulement le savon : nettoie aussi la bonde. On dirait qu'une charogne de saint-bernard est en train de s'y décomposer.

— J'enlèverai mes poils, promit Woggle en se drapant dans une attitude qu'il s'imaginait pétrie d'antique et souveraine dignité.

— Parfait, dit Dervla.

— À condition, reprit-il, que tu promettes de renoncer à ta voiture. »

Dès que la pile des cassettes « à voir » faisait mine de décroître et devenait moins intimidante, quelqu'un partait dans les annexes pour la réapprovisionner. Les réserves semblaient inépuisables.

*« Nous sommes le huitième jour, et Jazz et Kelly bavardent dans le jardin. »*

## HUITIÈME JOUR, 15 HEURES

« C'est quoi, le pire boulot que t'as fait ? » demanda Jazz.

Kelly et lui étaient assis au bord de la piscine, se délectant autant de la caresse du soleil que de la certitude d'offrir à la caméra, dans leurs micromaillots de bain, une image absolument renversante.

« Ah ça, je sais, répliqua Kelly. Figurante dans un film. J'ai détesté.

— Pourquoi ? Ça m'a l'air plutôt cool, non ?

— Ben, ça doit l'être si t'as pas l'intention de devenir acteur. Dans ce cas, tu te contentes d'empocher le fric, de manger le plateau-repas et d'essayer d'apercevoir une star. Mais quand tu veux entrer dans la profession comme moi, c'est vraiment trop dur. T'as trop le sentiment que t'arriveras jamais à rien.

— Ah ouais, tu veux être actrice, alors ?

— Oh, mon Dieu, j'en rêve ! Ce serait teeeeeeellement trop cool ! Sauf qu'on dit plus actrice, tu vois. Aujourd'hui, y a plus que des acteurs, même chez les femmes. C'est à cause du féminisme. Prends Emma Thompson, Judi Dench, Pamela Anderson, ou qui tu veux. C'est pas des actrices, mais des acteurs.

— Ah bon ? Je trouve ça bizarre.

— Ben, en fait, moi aussi. C'est quand même des femmes, non ? Mais on a tous dû s'habituer à dire "acteur" en parlant d'elles, sinon, visiblement, ça les vexe. J'sais pas trop, mais je crois que ça remonte à une époque où toutes les actrices étaient, paraît-il, des prostituées… J'imagine que Judi Dench n'a pas envie qu'on la prenne pour une prostituée. Toi, ça te plairait pas, non ?

— Si j'étais une nana avec autant de classe qu'elle, ouais, c'est clair, concéda Jazz. Alors, c'est ça que tu veux être, une femme acteur ?

— Exactement. Et c'est trop pour ça que je suis là. J'espère trop qu'on va me remarquer. L'autre jour, au confessionnal, j'ai récité un passage que j'ai appris dans une série télé à propos d'une fille qui fait une crise de manque dans sa cellule.

— Putain ! Bien joué.

— Ouais, je me suis roulée par terre, j'ai pleuré et tout et tout. Mais bon, je sais pas s'ils le montreront. Je suis trop prête à tout pour devenir actrice. C'est pour ça que j'ai fait de la figuration. Je pensais que je pourrais apprendre quelque chose et peut-être nouer des contacts. Mais j'ai détesté ce boulot. »

David était en train de nager dans la piscine. Il achevait élégamment une série de longueurs d'une brasse liée, nonchalante et désespérément maniérée, qui proclamait à la face du monde que non seulement il nageait magnifiquement bien, mais qu'en plus il nourrissait pendant ce temps des pensées tout aussi magnifiques.

Il avait écouté les propos de Kelly.

« Si on est capable de faire de la figuration, je ne crois pas qu'on désire sincèrement devenir acteur, Kelly. Je te conseille de te trouver un rêve plus réaliste.

— Comment ça ? demanda Kelly.

— Va te faire foutre, David, intervint Jazz. Kelly a l'droit d'avoir les rêves qu'elle veut.

— Oui, et je peux lui donner un conseil si j'en ai envie. Kelly est une grande fille. Elle n'a pas besoin de ta protection, Jason.

— Jazz.

— J'oublie tout le temps.

— Allez, David, tu veux dire quoi, par un rêve plus réaliste ? »

David se hissa hors de l'eau, manifestement conscient des splendides reliefs luisants et ruisselants que l'effort imprimait sur ses bras musclés. Supportant son poids à bout de bras, il suspendit son geste à mi-chemin en roulant des épaules, faisant naître l'ombre de deux creux forts et fermes le long de ses clavicules. Il laissa ses jambes pendre dans l'eau et appuya son ventre plat, ferme et musclé contre le rebord de dalles en terre cuite. « Rien d'autre que ce que j'ai dit. »

Il sortit de la piscine d'un seul mouvement gracieux et lié. « Jouer la comédie est la vocation la plus prenante qu'on puisse imaginer. Plus dure, je pense, que n'importe quelle autre.

— Plus dure que celle d'un poseur de bombes professionnel ? s'enquit Jazz, mais David ignora l'intervention.

— Tu dois croire à fond en toi, et considérer ton rêve non comme un rêve, mais comme un devoir. Si tu es prête, dès le départ, à accepter des compromis, à mon avis tu n'atteindras jamais le but que tu t'es fixé, c'est inévitable. En ce qui me concerne, je préférerais faire la plonge, laver des voitures ou être serveur, plutôt que d'accepter n'importe quel job dans la profession autre que celui que je juge conforme à mes rêves. Tu sais, John Hurt a décidé, au début de sa carrière, de n'accepter que des rôles principaux, et on m'a raconté qu'il avait enduré treize ans de chômage à cause de ça. Mais après… quel triomphe !

— Ouais, et il se passe quoi, pour les acteurs qui s'appellent pas John Hurt ? demanda Jazz. Ceux qui se tapent treize ans de chômage, et encore treize autres et qui crèvent d'alcoolisme ? Et si c'était ça qui t'arrivait ?

— Si tel était mon destin, j'aurais au moins la satisfaction de ne m'être jamais souillé et, bien qu'il n'ait pas été reconnu, de n'avoir jamais trahi mon talent. Je préférerais être Van Gogh, endurer une vie de tourment et mourir sans reconnaissance, plutôt que n'importe quel peintre portraitiste qui se la coule douce en prostituant son talent par manque de foi en lui. Gagner, c'est tout ce qui compte. Les lots de consolation ne valent pas le coup. J'en suis très sincèrement convaincu, Jason. Je sais que tu penses que je suis un connard imbu de lui-même…

— Ça, tu l'as dit…

— Et peut-être le suis-je. Mais je pense vraiment ce que je dis. Tu dois tout avoir, ou rien, et donc, tu ne seras jamais un acteur, Kelly, et je te dis ça en tant qu'ami qui veille à tes intérêts. Accorde-toi une faveur. Trouve-toi un autre rêve. »

## TRENTE-TROISIÈME JOUR, 14 H 35

Hooper appuya sur la touche « stop ».

« David sait très bien ce qu'il fait. Mais ce qu'il ignore, c'est que ça ne marche pas.

— Comment ça ?

— Eh bien, il n'est pas stupide. Il doit se rendre compte qu'il passe pour un type arrogant, méchant. Je pense que c'est sa stratégie. Dans ce genre de jeu, ce ne sont pas forcément les gentils qui restent dans la course, mais les salauds, parfois. À mon avis, David veut se faire remarquer, il veut qu'on voie en lui un beau gosse prétentieux qui n'accepte aucun compromis. En d'autres termes, un meneur, une star. Je crois qu'il se fiche comme d'une guigne de ce que les gens pensent de lui. Il veut juste être une star. »

## HUITIÈME JOUR, 23 H 20

Allongées sur leur lit, les filles buvaient du chocolat chaud. La conversation dériva rapidement sur Woggle, comme cela s'était produit plusieurs fois les soirs précédents.

« Il est cinglé, dit Moon. Il devrait être dans un asile. En fin de compte, il est fou, complètement fou.

— Il est trop bizarre, tempéra Kelly. Moi, j'ai juste peur qu'il se fasse du mal. On avait un gamin comme lui dans notre école, sauf qu'il avait une crête au lieu de dreadlocks. Il restait toujours assis dans son coin à se balancer, exactement comme Woggle, et il a fini par écrire sur son bras avec un couteau, il y avait du sang partout, l'infirmière de l'école s'est évanouie, c'était trop dégueu. »

Puis Sally prit la parole. Elle était, après Woggle, le membre le plus isolé du groupe, et n'avait jusque-là occupé qu'une seule fois le devant de la scène, le jour où elle avait tenu à hisser son *Rainbow Flag*, le drapeau de ralliement des gays et des lesbiennes, dans l'arrière-cour. Toutefois, cela n'avait pas été un événement majeur, car, en dépit de tous les efforts de la jeune femme, l'initiative n'avait soulevé aucune protestation.

Les commentaires de Moon à propos de l'asile d'aliénés avaient touché un point sensible chez elle.

« Mais Woggle est pas fou ! aboya-t-elle. C'est juste un mec crasseux, hideux et politiquement flou. Il est pas fou du tout.

— Ben, si, un peu, quand même, objecta Kelly. Tu l'as pas vu essayer de sauver cette fourmi qui s'était fait éclabousser par l'eau de la piscine ? C'est pas être fou, ça ? »

La réponse venimeuse de Sally les prit toutes de court.

« Écoute, Kelly, tu connais que dalle au sujet, d'accord ? siffla-t-elle. Rien ! Les gens comme toi ont des tonnes d'idées préconçues sur les maladies mentales et n'y connaissent rien. C'est pathétique ! Complètement pathétique et dégradant, aussi.

— Sally, je disais juste qu'il est un peu fou.

— Je sais très bien ce que tu as dit, et je trouve ça insultant. Le fait d'avoir des problèmes de santé mentale ne transforme pas les gens en parias asociaux et répugnants.

— D'accord, Sally, mais il est répugnant, protesta Kelly. Franchement, ça me désole pour lui, mais…

— Mais c'est ce que j'essaie de te dire, pauvre conne ! Il est répugnant, oui, mais pas fou. C'est pas pareil. Tout le monde a tellement de préjugés à la con. Putain, grandissez un peu, quoi ! »

Kelly semblait avoir reçu une gifle. Quant à Sally, sa colère avait enflé si soudainement qu'elle avait les poings serrés et paraissait sur le point d'attaquer.

À la régie, on se mit à tripoter avec frénésie les télécommandes des minicaméras motorisées pour les faire pivoter et les braquer sur les visages des antagonistes. Geraldine ordonna aux deux cadreurs postés dans les couloirs de travelling de pousser dare-dare leurs chariots vers la chambre des filles. Semblait être à l'œuvre en cet instant le plus rare de tous les événements suscep-

tibles de se produire dans les émissions de télé-réalité :
un drame authentique et spontané.

« Sally, calme-toi, intervint Dervla. Kelly a le droit
d'avoir son opinion.

— Pas si cette opinion opprime les minorités.

— Mais je n'ai pas d'opinion, gémit Kelly, les larmes aux yeux. Je t'assure.

— Si, mais tu ne veux pas reconnaître ta propre into-
lérance, glapit Sally. Tout le monde hait et condamne
les malades mentaux, on les accuse de tous les maux
de la société. On leur refuse des traitements, le système les ignore, et puis, une fois tous les trente-six du
mois, quand il se passe un truc, quand un pauvre schizo
qu'on n'aurait jamais dû relâcher dans la communauté
se retrouve coincé dans sa part d'ombre et plante un
couteau dans la tête de quelqu'un, alors là, brusquement, toute personne un tant soit peu déprimée dans le
pays devient un meurtrier en puissance. Mais c'est rien
qu'une putain d'ignorance à la con. »

Sally semblait de plus en plus bouleversée. Les
autres filles n'avaient jamais vu cette facette de leur
camarade. À force de serrer les poings, ses articulations
avaient blanchi et ses yeux baignaient dans des larmes
de rage.

Kelly était horrifiée d'être à l'origine de cette souffrance, mais elle était aussi étonnée de voir Sally céder
si rapidement à tant d'émotivité.

« Écoute, Sally, je suis désolée, d'accord ? Si j'ai dit
un truc idiot, excuse-moi. C'était pas mon intention, et
franchement, y a pas de quoi se mettre à pleurer.

— Mais je pleure pas, putain ! » hurla Sally.

Moon, qui, allongée sur son lit, avait suivi l'échange
d'un air ébahi et indulgent, se redressa pour se joindre

à la conversation : « Sally a raison et tort à la fois, en fin de compte, déclara-t-elle avec une autorité condescendante. Woggle n'est pas vraiment fou, c'est juste un débile qui schlingue. Mais d'un autre côté, Sally, moi, je mettrais pas ma main à couper que le cinglé de base est un type gentil et calme... »

Sally voulut l'interrompre hargneusement, mais Moon poursuivit :

« Bon, disons "quelqu'un avec des problèmes de santé mentale", si tu préfères. Moi, j'en ai vu, des cinglés. Des vrais. Des putains de salauds dangereux, et laisse-moi te dire, ma fille, qu'en fin de compte la société a raison d'avoir les jetons. En tout cas, moi, je les avais.

— Tu racontes n'importe quoi, riposta Sally. T'en sais quoi, hein ? Comment tu saurais quoi que ce soit sur les malades mentaux ?

— Et toi, Sally ? Comment en saurais-tu quelque chose ? » intervint Dervla d'un air songeur et légèrement troublé.

Sans laisser à Sally le temps de répondre à cette question, Moon enchaîna.

« J'en sais un max sur le sujet, Sally ! vociféra-t-elle. (Elle paraissait soudain aussi bouleversée que cette dernière.) Et je vais te dire pourquoi : j'ai passé deux ans, tu m'as bien entendue, cocotte ? Deux putains d'années dans un hosto psychiatrique. Tu piges ? Un hosto pour les dingos, un asile, et c'est pour ça, Sally, que je hais ces putains de cinglés. »

Pendant un moment, personne ne pipa mot. Les autres filles étaient abasourdies par cette révélation totalement inattendue.

« C'est pas vrai, dit Kelly. Tu te moques de nous. »
Mais Moon ne plaisantait pas le moins du monde.

« S'il te plaît, viens pas me parler de gens avec des problèmes mentaux. Moi, j'ai vécu avec eux, j'ai dormi dans leurs chambres, j'ai mangé à leurs tables, j'ai arpenté les couloirs avec eux, j'ai contemplé comme eux les mêmes murs de merde pendant deux ans. Alors, épargne-moi tes conneries du genre *Vol au-dessus d'un nid de coucou* ! Comme si c'étaient eux les sains d'esprit, les putains de héros. »

Bien que manifestement décidée à riposter, Sally resta sans voix face à l'offensive de Moon, qui continua, avec tout autant d'intensité :

« Ouais, je suis sûre qu'il y a des tas de fous sympas sur terre, des tas de petits maniaco-dépressifs gentils qui ne feront de mal à personne, sinon à leur maman, à leur papa et à eux-mêmes… Mais moi je te parle des *cinglés*. Des vrais. De ceux qui hurlent et se cognent la tête contre les murs la nuit. Toute la nuit ! Ceux qui te tabassent quand tu les croises dans une salle, ceux qui essaient de t'embrouiller avec leurs ruses, qui s'agrippent à toi, qui te pelotent, et qui essaient de te *bouffer*. »

Les quatre autres jeunes femmes se redressèrent à leur tour, le regard rivé sur Moon. La tirade passionnée de Sally les avait surprises, mais ça, c'était pire, bien, bien pire. C'était choquant. Moon s'était montrée si enjouée et si rigolote dès le tout premier jour… Et maintenant, ça.

« Mais pourquoi ? Pourquoi étais-tu dans un asile, Moon ? » La voix de Dervla était calme ; douce et rassurante, comme celle d'un médecin ou d'un prêtre, mais quiconque connaissait la jeune femme aurait décelé dans son intonation un soupçon d'anxiété et deviné son effroi. « Tu étais malade ?

— Non, fit Moon avec amertume, en fin de compte, j'étais pas malade. Mais mon enculé d'oncle, lui, il

102

l'était. Mon oncle est un gros connard malade. » Elle s'interrompit, comme si elle hésitait entre poursuivre ou se taire.

« Il a abusé de moi, d'accord ? Il n'a pas été jusqu'au bout, il m'a jamais violée, mais il en a fait pas mal. Un an, ça a duré, jusqu'à ce qu'un jour, j'en parle à ma mère, cette pauvre conne. Je peux le dire, maintenant, parce qu'elle est morte. Jamais j'aurais pensé qu'elle croirait son frère plutôt que moi, mais c'était un homme puissant dans notre coin, je suppose. Il était docteur. Et il avait des amis, des avocats, d'autres docteurs, des gens comme ça, qui se sont débrouillés entre eux pour me faire porter le chapeau. J'étais une sale petite pute et une sale menteuse qui méritait des coups de pied au cul. Ç'aurait peut-être été différent si mon papa avait été là, mais Dieu sait où il est. Dieu sait *qui* il est.

— Ils ont réussi à te faire interner ? s'enquit Dervla, abasourdie.

— Ouais, t'aurais pas cru que ça pouvait arriver, hein ? À une petite ado, à notre époque. Eh ben, si : on m'a internée pour avoir essayé de dire à tout le monde que mon oncle m'avait tripotée. »

Dans la chambre, on aurait pu entendre les mouches voler. Pour la première fois depuis qu'ils étaient entrés dans la maison, personne n'avait rien à dire.

Ce silence se prolongeait tel un écho en salle de régie : Bob Fogarty, Pru – son assistante –, les divers responsables de production et tous leurs assistants étaient sous le choc.

« C'est incroyable, dit Fogarty.

— N'est-ce pas ? souligna la voix de Geraldine Hennessy. Un incroyable ramassis de conneries. »

Tous firent volte-face de saisissement, aucun d'eux ne l'ayant vue entrer. En fait, Geraldine observait les écrans des moniteurs depuis un bon moment. Elle arrivait d'un dîner avec son petit ami du moment – un beau danseur de dix-neuf ans qu'elle avait rencontré en coulisse du festival de musique organisé l'été par Virgin.

« Franchement, le coup du bobard, je n'aurais jamais pensé qu'il viendrait de Moon. Je dois dire que je suis impressionnée.

— Elle ment ? s'étonnèrent les divers monteurs et assistants.

— Bien sûr qu'elle ment, bande de pauvres glands ! Vous pensez vraiment que j'aurais mis une gamine victime de maltraitance sexuelle et sortant d'un hosto psychiatrique dans mon gentil petit jeu télévisé ? Mes couilles ! Woggle est aussi fou que moi. Quant aux parents de cette pute chauve, ils sont vivants et bien portants, ils habitent à Rusholme. Lui tient un bureau de tabac et elle travaille dans un pressing. »

Un immense soulagement, mâtiné d'excitation, accueillit ces nouvelles. Finalement, le jeu à l'intérieur de la maison allait peut-être s'avérer plus intéressant que prévu.

« Regardez son petit sourire en coin, dit Geraldine en pointant du doigt l'un des moniteurs. Elle sait que les autres ne peuvent le voir dans le noir, mais que nous, par contre, nous le voyons ! Ah, elle s'amuse bien, hein ? Elle sait que le public adore les fauteurs de trouble. Les sales types deviennent bien plus célèbres que les gentils. Va me chercher un café, Darren, veux-tu ? Et sers-toi de la machine qui est dans mon bureau, je ne veux pas de la merde que boit cette bande. »

Le splendide garçon de dix-neuf ans secoua en ronchonnant son corps parfait et partit s'acquitter de sa mission.

« Heureusement que tu as fait tes recherches, Geraldine, souligna Fogarty. Si tu ignorais que Moon ment, on serait tous un peu sur les dents, à l'heure qu'il est.

— Je ne me serais pas laissé berner, de toute façon, répliqua pompeusement Geraldine. Ces abrutis de prolos, là-dedans, ils peuvent arriver à se manipuler entre eux, ils peuvent même manipuler le public, mais moi, mon coco, pas de risque.

— Tu aurais deviné qu'elle mentait, si tu ne l'avais pas su ?

— Évidemment. Cette fille n'a jamais mis les pieds dans un hôpital psychiatrique de sa vie. Elle a trop vu de films, voilà tout. Les gens ne hurlent pas, dans ces endroits-là. Parce que, s'ils essaient, laisse-moi te dire qu'on les calme fissa avec des sédatifs. Et pour ce qui est de toucher ou d'agripper les gens, il n'y a que les infirmières qui le font. Les hôpitaux psychiatriques sont *tranquilles* la nuit. Tout ce qu'on y entend, ce sont des pleurnichements, des gens qui rôdent ou qui se branlent. »

L'espace d'un instant, le regard de Geraldine se perdit au loin, et l'équipe rassemblée autour d'elle la trouva presque humaine. Mais, la seconde d'après, elle était redevenue elle-même. « Bon, emballez-moi tout ça. Je ne vais pas m'en servir tout de suite, pour l'instant je me concentre sur Woggle. Par ailleurs, pas question de laisser une petite pute rasée de son espèce influencer aussi tôt le public. Le public, c'est moi qui l'influence, pas ces abrutis de candidats. Mais gardez tout, cependant. Ça pourra nous être utile plus tard.

— Comment ça ? interrogea Fogarty, interloqué. Pour le diffuser hors contexte, tu veux dire ?

— Oui, peut-être. Qui y verrait quelque chose ?

— Mais… Les codes horaires sur la bande… Ils seraient décalés. Ce serait impossible de les ajuster.

— Bien sûr que c'est possible, abruti. Ce ne sont jamais que des chiffres sur un écran, on peut les modifier. Il te suffit d'aller dans le menu Pomme chercher les Préférences Système.

— Je sais parfaitement comment procéder, Geraldine, répliqua Bob Fogarty avec froideur. Je voulais dire que, par éthique professionnelle, nous ne pouvons pas.

— Notre devoir moral et professionnel, c'est de proposer de la bonne télé au public, qui finance nos salaires. Nous ne sommes pas des anthropologues à la con, mon coco, mais des amuseurs. Redescends sur terre. Nous, on bosse dans le même créneau que les illusionnistes, les médiums, les magiciens, les hypnotiseurs et tous les autres escrocs et tricheurs qui fabriquent ce merveilleux business qu'on appelle le spectacle. Donc tu me fous tout ça dans un fichier à part et tu le planques quelque part. »

Sans rien ajouter d'autre, les membres de l'équipe poursuivirent leur travail en silence, et chacun espéra que, si Geraldine décidait vraiment de s'amuser à diffuser des séquences hors contexte, il ne serait pas celui qui écoperait de la tâche. De retour devant les écrans, leur attention fut happée par une tempête de soutiens-gorge et de petites culottes. Les filles s'apprêtaient à aller au lit.

« Matage de nichons ! hurla Geraldine. Au boulot ! »

Chaque fille avait son style. Sally se couchait en tee-shirt et culotte. Kelly, en ôtant son tee-shirt, laissait de temps à autre apercevoir un petit quelque chose avant de plonger dans le lit. Moon se délectait à se pavaner entièrement nue devant les caméras infrarouges. Layla et Dervla étaient les plus réservées et enfilaient de longues chemises de nuit avant de retirer leurs sous-vêtements. En découvrant ce manège, le premier soir,

106

Geraldine avait pris note dans un coin de sa tête de coincer tôt ou tard cette paire de saintes-nitouches (dans les douches, probablement, ou peut-être bien dans la piscine) et d'exhiber ensuite leurs poitrines dans la compilation spéciale du dimanche soir. Ce n'étaient pas des petites traînées vaniteuses de leur espèce qui l'empêcheraient de montrer de la chair. Pour quelle raison s'imaginaient-elles donc qu'elles passaient à la télé ?

Dans la chambre, l'atmosphère était pesante. Les nuits précédentes, les filles avaient ri et gloussé en se mettant au lit, mais, cette fois, le silence régnait en maître. Les révélations de Moon les avaient toutes ébranlées : non seulement l'histoire était triste et choquante, mais, en plus, la détresse de leur camarade allait très certainement titiller la sympathie du public et l'avantager, le moment des éliminations venu. C'était très étrange de s'astreindre à ne jamais oublier que chaque conversation était une conversation entre rivales engagées dans une compétition pour gagner l'affection du public.

Et puis Moon rompit le silence : « Hé, au fait, les filles, tous ces trucs que je vous ai racontés… En fin de compte, c'était du pipeau. Désolée. »

Un nouveau silence accueillit cette déclaration.

« Quoi ! »

Layla, qui criait rarement, était furieuse.

« T'inquiète pas, mon cœur, reprit Moon avec calme et détachement. C'était juste pour rigoler, en fin de compte. Histoire de penser à autre chose qu'à l'infection de mon téton.

— Mais tu as raconté que tu avais été *victime d'abus sexuels* !

— Et alors ? Tout le monde raconte ça, aujourd'hui, non ? Bordel ! Quand tu vois les affiches des assos cari-

107

tatives, t'as l'impression que chaque môme dans ce pays passe plus ou moins son temps à se faire tripoter.

— À quoi tu joues, Moon ? intervint Dervla, la voix pleine d'une fureur à peine rentrée.

— J'viens de l'dire. C'était juste pour rigoler un coup. En fin de compte, je trouvais que notre Sally prenait ça grave à cœur et qu'elle s'énervait trop contre Kelly, à propos de ces tarés, c'est tout.

— Sale conne, dit Layla.

— Grosse pute, renchérit Kelly.

— C'était un coup plutôt bas, Moon, dit Dervla. Les abus sexuels ne sont pas un sujet de plaisanterie.

— Ouais, mais bon, ça a fait passer le temps, non ? Allez, bon'nuit. »

Il y eut un autre long silence, que Kelly rompit finalement :

« Mais alors, pour tes implants, c'est vrai ?

— Ouais, mes lolos, j'pouvais pas m'en passer. Je trouve qu'ils m'aident à trouver l'équilibre quand je suis sur le trapèze. »

Tandis que la paix se réinstallait dans la chambre, Dervla crut entendre Sally étouffer un sanglot.


## TRENTE-TROISIÈME JOUR, 15 H 10

Six jours s'étaient écoulés depuis le meurtre, et le sergent Hooper et son équipe étaient toujours attelés à leur tâche titanesque : aller à la pêche aux renseignements dans les vastes archives de rushes de Voyeur Prod. Se tenir à l'affût du moindre incident susceptible d'avoir pu orienter l'esprit de quelqu'un vers le meurtre. Ce travail s'avérait exténuant, même pour Hooper, qui était pourtant un grand fan de *Résidence surveillée* et correspondait au profil du spectateur « cœur de cible » qu'attendaient les annonceurs. Hooper était tout le contraire de Coleridge : un flic archimoderne, branché, un type dans le coup qui avait la pêche, un garçon du vingt et unième siècle, avec ses baggy et ses baskets, son piercing à l'oreille et son Powerbook Titanium. Ses copains et lui avaient beau ne jamais rater la moindre des émissions de télé-réalité, l'immensité de la besogne qu'il devait affronter le terrassait. Heureusement, la police n'avait pas accès à la totalité des sept cent vingt heures de rushes quotidiens produits par les caméras, car les équipes de montage avaient détruit la majeure partie des bandes au jour le jour. Mais il restait encore des centaines d'heures de bandes disponibles, et les regarder c'était comme regarder sécher de la peinture. Pire même, car à la différence de la peinture – qui, elle, *finissait* par sécher un jour –, cette clique semblait vouée à rester éternellement humide.

Hamish se curant le nez, une fois de plus… Jazz se grattant le derrière.

Les filles et leur yoga, *une fois de plus*.

Garry et ses pompes, encore.

Garry et ses tractions dans l'encadrement des portes.

Garry en train de courir sur le tapis…

Hooper, à son corps défendant, commençait à mépriser les résidents. Outre le fait qu'à son avis ce mépris n'aiderait en rien son travail d'enquête, ces gens, en un sens, lui ressemblaient. Il partageait avec eux des centres d'intérêt, des ambitions, et cette conviction sincère d'avoir droit au bonheur. Hooper ne voulait pas se mettre à réfléchir comme Coleridge. De quel bois cet homme était-il donc fait ? À répéter sans arrêt que les candidats n'avaient aucun sens du « devoir », du « service » ou de la « communauté ». Comme si vouloir profiter de la vie vous transformait en ennemi de la société.

Quoi qu'il en soit, tous autant qu'ils étaient, ces gens commençaient sérieusement à l'épuiser. Le problème était qu'ils ne *faisaient* jamais rien, et, plus irritant encore, qu'ils ne *pensaient* jamais rien. Le trait le plus caractéristique de l'être humain – sa capacité à produire une pensée abstraite – n'était jamais ici qu'au service de… De rien.

Hooper étouffa un juron. Il commençait à penser comme Coleridge.

Et d'indices, il n'en trouvait aucun.

Jusqu'à ce que Trisha remarque quelque chose.

Pas grand-chose, mais quelque chose.

« Venez voir ça, sergent, dit-elle. Une petite embrouille entre Kelly la Pétasse et David la Tapette.

— "Embrouille" ? releva Hooper en singeant le ton professoral de Coleridge. "Pétasse" ? "Tapette" ? »

Tous deux sourirent jaune en songeant à la rigueur linguistique qu'ils étaient tenus d'observer dans l'exercice de leur travail.

Ce n'était qu'un incident mineur, à peine un balbutiement de possibilité, mais, à ce stade-là, la police avait depuis longtemps renoncé à espérer que se manifeste une quelconque évidence.

« Nous recherchons un catalyseur, avait expliqué Hooper aux officiers réunis. En chimie, parfois, le plus minuscule élément, si on le combine à d'autres, peut provoquer le plus explosif des résultats. C'est cela que nous recherchons : un minuscule catalyseur psychologique. »

Hooper avait trouvé la comparaison plutôt parlante dans la bouche de Coleridge. Il la jugea plus expressive encore en l'exposant à l'assemblée de ses officiers. Coleridge avait peut-être de bonnes approches du problème, mais Hooper avait l'impression qu'il savait, lui, comment les communiquer.

110

Le catalyseur potentiel découvert par Trisha était vraiment un minuscule événement. Voyeur Prod. ne l'avait pas jugé suffisamment intéressant pour mériter une diffusion. Pourtant Trisha le trouva digne d'intérêt, et Hooper était de son avis.

## NEUVIÈME JOUR, 12 H 20

Kelly, Jazz et David barbotaient ensemble dans le Jacuzzi. Comme d'habitude, David était en train de parler.

« Tu sais, Kelly, c'est intéressant, ce que tu disais hier, à propos de ton rêve de devenir actrice. Parce que, en réalité, tout le monde joue un rôle ici. Tu en es consciente, non ? Cette maison est une scène sur laquelle nous sommes tous plus ou moins des acteurs.

— Faux, répliqua Jazz, toujours aussi sûr de lui. Moi, je suis moi-même, mec. Tout ce que tu vois, c'est ce qui existe, parce que j'ai que du bon en moi, et ce serait dommage de le cacher.

— Ça n'a pas de sens. Personne n'est jamais vraiment lui-même.

— Et qu'est-ce t'en sais, Monsieur Je-me-la-pète-grave ?

— J'en sais que nous ne nous connaissons jamais entièrement nous-mêmes.

— Tu racontes que des conneries.

— Allons, Jason, reconnais que c'est vrai.

— Jazz.

— Ouais, d'accord. Tu ne t'es jamais surpris toi-même ? Jamais découvert un jour sous un angle nouveau, complètement différent ?

— Eh ben, une fois, j'me suis accroupi au-d'ssus d'un miroir. J'peux t'dire que ç'a été un sacré choc. »

Kelly éclata d'un gros rire irritant.

Irritant aux yeux de David, en tout cas.

« J'me regardais droit dans l'cul, mec, poursuivit Jazz un immense sourire aux lèvres. Et même moi j'avais du mal à l'aimer ! »

Brusquement, David s'énerva. Il se prenait très au sérieux et aimait que les autres fassent de même.

« Je peux t'assurer, Jason, que nous sommes tous des acteurs dans la vie. Nous nous présentons comme nous souhaitons que les autres nous voient. Ce pourquoi les *vrais* acteurs – dont je suis – ont une meilleure compréhension du monde et des gens que les autres. Nous, nous connaissons les ruses, nous savons interpréter les signes. Nous admettons que nous vivons dans un monde peuplé de gens qui jouent un rôle. Certains sont subtils, d'autres sont cabotins, mais chacun d'entre nous *joue*. Et voir derrière ton jeu, *Jazz*, c'est mon gagne-pain. »

Jazz ne répondit pas tout de suite. « C'est des conneries, tout ça », lâcha-t-il finalement – une repartie qui ne faisait, hélas, guère honneur à son bel esprit coutumier.

David sourit.

Puis Kelly se pencha vers lui et lui chuchota quelques mots à l'oreille. C'était à peine audible, mais, sans l'ombre d'un doute, elle venait de lui dire : « Je te *connais*. »

Ensuite, elle se recula contre le rebord du Jacuzzi et regarda David droit dans les yeux.

David la fixa à son tour, son rictus de supériorité toujours intact. Il ne semblait pas ébranlé.

Mais il allait l'être. Et pas qu'un peu.

Car Kelly, s'approchant à nouveau de son oreille, lui murmura autre chose.

## TRENTE-TROISIÈME JOUR, 17 H 30

Cette fois, ni Hooper, ni Trisha, ni aucun des policiers au travail dans le bureau ne réussirent à discerner les paroles de Kelly. La phrase prononcée ressemblait à « par douze seaux d'eau douce ».

« Ça ne peut pas être ça, c'est sûr, dit Hooper.

— Ça semble improbable », renchérit Trisha.

Mais, quoi qu'ait pu murmurer Kelly, David l'avait compris, et ça ne lui avait pas plu.

Là, sur l'écran, son expression se modifia, imperceptiblement (il était trop bon acteur pour laisser son visage le trahir), mais indubitablement. Tout à coup, c'en était fini du sourire hautain et supérieur.

Il avait peur.


## TRENTE-QUATRIÈME JOUR, 9 HEURES

Le lendemain matin, Hooper montra la cassette à Coleridge.

« Quel que soit le sens de ce "par douze seaux d'eau douce", monsieur – et ce n'est certainement pas ce qu'elle a dit –, cela indique, à mon avis, que Kelly connaissait David avant d'entrer dans la maison.

— C'est possible, concéda l'inspecteur.

— Je dirais même probable, insista Hooper en repassant une fois de plus la bande. Quand elle lui dit : "Je te connais", j'ai d'abord cru qu'elle entendait par là le connaître d'un point de vue psychologique, puisque David parlait justement de ça.

— Certes.

— Mais ensuite, elle dit le reste – ce truc à propos de l'eau douce –, qu'à l'évidence seul David comprend, et qui doit faire référence à un secret ou à une expérience qu'ils ont partagée à l'extérieur.

— Sans aucun doute, sergent, convint Coleridge. Mais cela ne signifie pas nécessairement qu'ils se sont déjà rencontrés. Kelly peut avoir reconnu un trait de caractère chez David qui lui a permis de comprendre quelque chose à son sujet.

— Je doute que Kelly soit une lumière, monsieur. La perspicacité, ce n'est pas vraiment son rayon. Pour moi, ils se sont déjà rencontrés.

— Eh bien, si c'est le cas, voilà en effet une découverte des plus significatives. L'ensemble de notre théorie du catalyseur est fondée sur l'idée que tous ces gens étaient étrangers les uns aux autres. Si deux d'entre eux se connaissaient, la dynamique au sein du groupe s'en trouve modifiée. »

Pour la première fois, les deux policiers eurent le sentiment de détenir un éventuel lambeau de piste.

« Quelle est votre interprétation, sergent ? Pensez-vous que, quoi que Kelly ait reconnu chez David, elle l'a reconnu dès le début ?

— À moins d'être aussi bonne comédienne que dans ses rêves, non. Le premier jour a été pour elle un moment de vide absolu, je pense. Elle a passé la journée à hurler, à sauter dans la piscine et à montrer ses seins. Franchement, je n'ai pas remarqué un seul instant de réflexion de sa part. Non, à mon avis, ce qui a provoqué le déclic n'est arrivé que plus tard. À un moment donné, David a baissé sa garde, et Kelly a remarqué un détail à son sujet, qu'elle a reconnu.

— Dans ce cas, j'imagine, cela a dû se produire peu avant qu'elle ne fasse part de sa découverte à David.

— C'est sûr. Selon moi, Kelly n'est pas le genre de fille capable de garder un secret croustillant pour elle. Elle brûlait d'impatience d'assener une bonne gifle à

114

notre David, surtout après la façon dont, la veille, il a ravalé plus bas que terre ses ambitions d'actrice.

— Bon, si cela est juste, quoi qu'elle ait vu, elle l'a vu entre la conversation au bord de la piscine, et celle dans le Jacuzzi. Que faisaient-ils, dans la soirée du huitième jour ?

— Les tatouages ! s'exclama Hooper. Ils ont comparé leurs tatouages ! J'ai regardé la cassette.

— Eh bien, nous allons la re-regarder. »

Hooper avait réintroduit la cassette dans le magnétoscope lorsque Trisha les rejoignit, et tous les trois s'installèrent pour étudier les visages de David et de Kelly pendant que la conversation générale roulait sur les tatouages.


Le dîner venait de s'achever et, Woggle excepté, tous les colocataires étaient rassemblés sur les canapés. Ils venaient juste de terminer une petite tâche ordonnée par Voyeur Prod. : noter – grâce à un stylo et une feuille de papier prêtés à chacun – le nom du candidat ou de la candidate qui, selon leurs pronostics, serait déclaré vainqueur au terme de la neuvième semaine. La production les avait également encouragés à inscrire sur leur bulletin toute autre idée qui leur viendrait quant au déroulement futur du jeu. On collecta ensuite les bulletins dans une grande enveloppe de papier brun étiquetée « pronostics », qui fut solennellement scellée et déposée dans le placard du bloc-cuisine.

C'est à la suite de cet intermède que la conversation dériva vers les tatouages. Tous, à l'exception de Jazz et Dervla, en avaient un à exhiber.

« J'ai la peau trop noire, dit Jazz, et en plus elle est déjà trop belle pour l'améliorer.

— Je ne peux pas expliquer pourquoi je n'ai pas de tatouage, déclara Dervla. Mais le truc incroyable, c'est que, de nos jours, ce sont les gens *qui n'en ont pas* qui doivent se justifier. C'est peut-être pour ça que je n'en veux pas. »

« Sage décision », commenta Coleridge en buvant une gorgée dans sa tasse de porcelaine.

Hooper et Trisha se tinrent cois. Le premier arborait l'écusson du football club d'Everton sur l'épaule, et la seconde, un papillon sur la fesse gauche.

À l'écran, Garry expliquait que l'aigle sur sa cheville symbolisait la force, l'honneur et l'honnêteté.

« Et l'poing serré sur ton épaule, il symbolise quoi ? La branlette ? s'enquit Jazz.

— Non, ça me ferait bien chier, répliqua Garry. Même si je suis au niveau olympique dans ce sport-là. »

Les filles levèrent les yeux au ciel.

« Mon poing serré symbolise aussi la force, l'honneur et l'honnêteté. En plus, je vais m'en faire un autre sur tout le dos. Y aura écrit "Force, honneur et honnêteté" en lettres gothiques. C'est ma devise. »

Les autres lui firent savoir qu'ils s'en étaient doutés.

Moon montra ensuite le motif floral qui remontait le long de sa colonne vertébrale. « Les fleurs symbolisent la paix et la force intérieures. Celles-là sont des fleurs de l'esprit, et je crois qu'on en mettait un bouquet dans la tombe des princesses égyptiennes, mais c'est possible que je confonde. C'est peut-être dans celle des Norvégiennes, mais bon, en fin de compte, ces fleurs sont symboliques et spirituelles à mort. »

Kelly dévoila le Phénix qui s'envolait d'entre ses fesses ; Sally, la guerrière combattant un dragon qui s'enroulait autour de son nombril, et Layla, le minuscule papillon voletant sur une de ses fesses.

« C'est le même que le mien ! s'exclama Trisha, outrée. Le type qui me l'a fait m'avait dit que c'était un exemplaire unique ! »

Coleridge manqua de s'étrangler avec sa gorgée de thé. Jamais il ne lui serait venu à l'esprit qu'un membre de son équipe, un membre *féminin*, soit tatoué. Et surtout pas Patricia, dont il avait toujours pensé qu'elle avait la tête sur les épaules.

Puis Layla écarta fièrement les jambes pour dévoiler un second papillon, qui butinait tout en haut, à l'intérieur de son adorable cuisse parfaitement douce et lisse.

« Je le garde ici pour rappeler à mes amants l'importance et la beauté de la délicatesse et des caresses tendres. »

Coleridge lâcha un grognement et détourna la tête.

« Vous en avez un là aussi, Trish ? demanda Hooper.

— Ah non, pas là ! C'est déjà assez désagréable de se faire épiler le maillot, sans qu'un Hell's Angel s'en mêle avec son aiguille.

— Ça suffit, vous deux ! » rugit l'inspecteur.

Layla montrait à présent un petit symbole oriental ornant l'une de ses clavicules. « C'est tibétain, expliqua-t-elle. C'est un symbole bouddhiste de la lumière de la paix intérieure. »

Tous convinrent que celui-là était particulièrement joli. Tous, excepté David.

« Tibétain ? dit-il, un soupçon d'étonnement indulgent dans la voix.

— Parfaitement. Tibétain, répliqua Layla, sur la défensive.

— Oh… Bon, OK, peu importe. »

Layla avait envie de le tuer. « Ça sous-entend quoi, "peu importe" ? Je te dis que c'est tibétain, bordel !

— Hé, calmos, Layla, dit Jazz en souriant. Pense à la lumière de ta paix intérieure.

— Écoute, Layla, reprit doucement David, ton tatouage est très joli, et il peut – et doit – avoir la signification que tu veux. On s'en fiche, qu'il soit tibétain ou thaï – ce qui est le cas. C'est ton tatouage et il symbolise ce que tu préfères. »

Qui aurait imaginé que l'extraordinaire calme de Layla aurait si facilement volé en éclats ? Son visage était écarlate de colère et d'embarras. « C'est tibétain, salaud, répéta-t-elle. Je le sais. »

David esquissa un agaçant petit sourire et haussa les épaules, comme pour dire : « Tu as tort, mais je ne vais pas m'abaisser à discuter. »

« C'est tibétain, putain ! C'est le symbole de la lumière de la paix intérieure ! hurla Layla en se levant comme une furie pour aller se préparer une tasse de tisane relaxante.

— J'ai entendu une histoire à propos d'un type, commença Garry, un pédé qui avait un proverbe chinois tatoué sur le bras, qui voulait dire : "Je suis dans la douce quête de la vérité." Bref, un jour, il se lève une tante chinetoque dans un restau de nouilles à Soho, et son nouveau petit copain lui dit : "En fait, ça veut dire que tu es un pauvre connard aux yeux de merlan frit." »

L'histoire déchaîna les rires de Garry, Jazz, Sally et Kelly, et arracha un sourire à Hamish et à Moon ; Layla, postée à côté de la bouilloire, le visage cramoisi de rage, se mordit la lèvre ; quant à David, il ferma les yeux quelques instants, comme s'il puisait des forces dans son immobilité.

Hamish montra ensuite la croix celtique gravée sur son avant-bras, et enfin, ce fut au tour de David. Il avait attendu ce moment.

« Je n'ai qu'un seul tatouage, expliqua-t-il, comme si ce fait à lui seul constituait la preuve d'un goût

118

exquis et d'une intelligence supérieure. Et il est très, très beau. »

Ce disant, il souleva le bas de son ample pantalon de soie et dévoila, au-dessus de sa cheville gauche, les premiers mots du fameux monologue d'Hamlet, « Être ou ne pas être », qui s'enroulaient trois fois autour du mollet.

« Pas de papillon, ni de liste de courses tibétaine ou de dragons cruels. Rien d'autre que la plus perspicace des réflexions sur l'absurdité essentielle de la nature humaine qui aient jamais été couchées sur papier.

— Ou sur la peau, pour toi, fit remarquer Jazz, mais David l'ignora.

— L'existentialisme, trois siècles avant son invention. L'humanisme dans un monde de violence et de barbarie. Une minuscule lumière qui a illuminé chaque siècle écoulé depuis lors.

— Ouais, d'accord, mais pourquoi tu l'as fait tatouer sur ta jambe ? demanda Jazz, en porte-parole du pays tout entier.

— Parce que ces mots m'ont sauvé la vie, répondit David avec une pénétrante et imperturbable sincérité. À une époque où je nageais en eaux sombres, où je n'entrevoyais aucune possibilité de vivre en ce bas monde, j'ai vraiment essayé de mettre un terme à ma vie. Croyez-moi, j'étais fermement résolu à me suicider.

— Sauf que tu l'as pas fait, hein ? intervint Garry. Tiens, c'est marrant.

— Non, je ne l'ai pas fait. À la place, en une nuit, une longue nuit, j'ai lu *Hamlet* trois fois de suite de la première à la dernière ligne.

— Putain ! Moi, j'aurais préféré me suicider ! » s'exclama Garry.

Mais David poursuivit, indifférent :

« Ce triste prince a lui aussi envisagé de mettre fin à ses jours, tout comme moi ; mais il s'est dominé et s'est détourné de cet acte effroyable, et il a atteint la vraie noblesse, au plus intime de lui-même.

— C'est pour ça que tu ne l'as pas fait, alors ? demanda Moon, cherchant de toute évidence à apporter son soutien à cette confession. Parce que, en fin de compte, rien de ce que tu éprouvais ne serait jamais pire qu'*Hamlet*.

— On l'a étudié à l'école, dit Garry. Vous pouvez me croire que rien n'est pire qu'*Hamlet*.

— Putain, Garry, mais tu vas la boucler ! dit Moon. David me comprend. Hein, David ?

— Oui, tout à fait, Moon. Et ma réponse est oui et non. Sans aucun doute, le ténébreux tourment du petit prince m'a beaucoup appris. Mais en fait, j'ai renoncé au suicide car j'ai compris en lisant cette pièce que je ne voulais pas quitter un monde pouvant abriter d'aussi belles choses qu'un vers de Shakespeare, une fleur, un lever de soleil ou l'odeur du pain frais.

— Euh, là, je te suis plus, dit Moon. En fin de compte, ça vient foutre quoi, le pain, ici ?

— Je crois, Moon, que, lorsqu'une fois dans sa vie, on a vu et reconnu la beauté, on s'est éveillé à la possibilité de la voir en toutes choses. Et c'est ainsi que j'ai décidé de garder sur moi, à jamais, ces mots que le jeune prince du Danemark a prononcés au plus sombre instant de sa vie. Simplement pour me souvenir que ce monde est beau, et que désespérer de lui, c'est insulter Dieu. »

Jazz grillait d'envie de dire à David qu'il n'était qu'un crétin prétentieux, mais s'abstint. Il y avait quelque chose chez David, quelque chose de si beau, si irrésistible, si complètement évident dans sa colossale vanité, que Jazz ne put se défendre d'une légère émotion.

Les autres étaient un peu perplexes face à leur camarade. L'évidente sincérité de son amour de soi était assez convaincante. Un amour aussi sincère que celui que David se portait à lui-même était difficile à mépriser, car il atteignait quasiment à un degré de noblesse. Tous le fixèrent, incapables de décider ce qu'il fallait penser de ce garçon.

Tous, sauf Kelly.

Le soir même, l'incident était passé inaperçu sur les bancs de moniteurs : les monteurs s'étaient focalisés sur le plan panoramique, et Kelly tournait le dos à la caméra. Mais la police, elle, disposait de toutes les couvertures vidéo de la scène. Un des cadreurs, dans le couloir de travelling, avait opté pour un autre angle et ces images – Kelly, Moon et Hamish installés sur le canapé orange – n'avaient pas été effacées du disque.

Kelly souriait, d'un grand sourire malicieux. Une réaction pour le moins inattendue au récit – tout absurde et pompeux qu'il ait été – des angoisses existentielles et des pulsions suicidaires de David.

« Elle a déjà vu ce tatouage, commenta Hooper.

— Oui, je suis également tenté de le croire », approuva Coleridge.


TRENTE-QUATRIÈME JOUR, 10 HEURES

Tandis que plusieurs jeunes officiers passaient la formule « par douze seaux d'eau douce » au crible d'une recherche sur Internet, et la soumettaient à divers décodeurs de voix, Coleridge et ses proches coéquipiers délaissèrent un instant David pour en revenir à Woggle.

« J'ai l'impression que, pour ce qu'en voyait le public, il n'y avait *en fait* qu'un seul locataire pendant la deuxième semaine, observa Coleridge en visionnant rapidement les montages antenne sélectionnés à son intention par Trisha et son équipe. Woggle, Woggle, Woggle encore et toujours.

— Tout à fait, monsieur, renchérit Trisha. En un rien de temps, il est devenu une sorte de miniphénomène national. La moitié du pays ne parlait que de lui, et l'autre moitié se demandait qui était ce Woggle dont parlaient tous les autres. Vous vous rappelez?

— *Très* vaguement, Patricia.

— Plus il devenait ignoble et plus il niait le fait de l'être, plus les gens l'aimaient. C'était une sorte de folie.

— Jamais je n'oublierai la fois où ils l'ont montré en train d'enlever les puces de ses dreadlocks, intervint un autre policier. On était au pub quand c'est passé à la télé; tout le monde était scié. C'était tellement répugnant!

— Répugnant à voir. Et quasiment insupportable quand on devait vivre avec, dit Trisha. Cette histoire de puces a failli sonner le glas de l'émission. Dommage que ce n'ait pas été le cas, franchement, parce que personne ne serait mort.

— Et nous ne serions pas soumis au supplice de devoir regarder ces sornettes, ajouta Coleridge. Cette bande de sadiques de Voyeur Prod. ne leur a donc pas fourni des poudres antipuces?

— Si, mais Woggle refusait de les utiliser. Il objectait que les puces sont des êtres vivants et que, sans apprécier particulièrement les démangeaisons, il n'avait aucune intention d'assassiner ces pauvres bêtes.

— Doux Jésus! s'exclama Coleridge. Une opinion abstraite! Un point de vue moral! J'avais perdu tout espoir.

— Pour ses colocataires, ça n'avait rien d'abstrait, monsieur. Et le débat sur les puces de Woggle a passionné le public. »

## DIXIÈME JOUR, 15 HEURES

Woggle était tapi dans son coin, encerclé par ses colocataires.

« Mes puces vous obligent à regarder en face le fait que vous utilisez deux poids et deux mesures, protesta-t-il. Est-ce que vous chasseriez le renard ?

— Putain, avec plaisir ! » répondit Garry.

Les autres, cependant, avaient dû convenir qu'ils n'en feraient rien ; David, Layla et Moon avaient même admis avoir participé plus ou moins activement à la dernière campagne antichasse.

« La chasse au renard est une abomination, décréta David avec son air coutumier de sereine supériorité.

— Et pourtant tu voudrais chasser mes puces, rétorqua Woggle. Explique-moi la différence entre un renard et une puce. »

À l'évidence, personne se savait trop par où commencer.

« Eh bien… se lança Kelly, légèrement nerveuse. Les renards sont trop mignons et les puces ne le sont pas.

— Oh, ne sois pas idiote, Kelly ! aboya David.

— Elle n'a rien dit d'idiot, rétorqua Woggle. Elle a énoncé une vérité universelle, car c'est la honte du genre humain de juger la valeur d'une vie en termes esthétiques. Ce que nous jugeons beau, nous le choyons, ce que nous trouvons hideux, nous le détruisons. Oh, maudits soyons-nous, nous, ce virus humain qui infecte cette planète parfaite. »

David en avait manifestement ras le bol de ce cirque. Il n'allait pas laisser Woggle le déloger des cimes du terrain moral. « Les renards ne sont qu'à peine nuisibles. Les chasser relève d'un sport, non d'une nécessité : voilà ce qui rend la chasse au renard méprisable et foncièrement inacceptable aux yeux des gens convenables qui vivent dans l'Angleterre du vingt et unième siècle.

— Les chasseurs de renards prétendent que ces bêtes font énormément de ravages, lui rétorqua Woggle. D'après eux, les renards sont de la vermine.

— Je ne suis pas d'accord.

— T'habites où, au fait, Dave ? demanda Garry, toujours partant pour une prise de bec. Dans une ferme ?

— J'habite à Battersea, lui précisa David d'un ton hargneux. Mais ce n'est pas le… »

Garry et Jazz se moquèrent du malaise de David, ce qui provoqua sa fureur car il avait en horreur cette manie de prétendre qu'il faille vivre à la campagne pour comprendre quelque chose aux renards.

« C'est un débat sérieux, cracha-t-il. Pas un concours à deux balles pour marquer des points. »

Woggle se rangea à cet avis avant de pousser son avantage. « La différence entre les renards et mes puces, camarade, c'est que mes puces, contrairement aux renards, t'irritent. Mais les fermiers fascistes et les chasseurs nazis, eux aussi, prétendent que les renards les irritent. Ils prétendent que les renards dévorent les poules et terrorisent le bétail.

— Je ne prétends absolument rien de cela, insista David, mais de toute façon, le problème, c'est que…

— Le *problème*, ô Adolf du royaume des insectes, le problème, *Herr Hitler*, est le suivant : que les renards soient ou non des terroristes ruraux, je ne les tuerai pas, pas plus que je ne tuerai mes puces, qui pourtant me piquent. Et ce parce que je suis un individu moralement structuré, quand *toi*, à l'inverse, tu n'es qu'un salopard de meurtrier vicieux et hypocrite, une merde de membre de la Gestapo à qui on devrait envoyer une lettre piégée. » Le filet de voix nasillard de Woggle s'était affermi. Manifestement, il croyait à ce qu'il disait. Il se leva d'un bond.

« Ton souci du bien-être des animaux s'arrête très exactement là où il commence à menacer tes propres intérêts, vociféra-t-il tandis qu'autour de ses sourcils broussailleux, la peau avait brusquement viré au rouge luisant. Tu es ni plus ni moins pareil à ces dizaines de millions de sales merdes dans ce pays qui interdiraient la chasse au renard et le massacre des bébés phoques mais s'empiffrent allégrement de poulets grillés élevés en batterie et de steaks génétiquement modifiés. Je te suggère de revêtir un manteau rouge, ô *Gengis Khan*, et de sonner du cor haut et fort. Va donc, après le massacre, barbouiller le museau de tes petits du sang de mes défuntes puces, et boire le coup de l'étrier dans des coupes creusées à même les sabots de cerfs sauvagement abattus. Parce que tu ne vaux pas mieux que Sa Majesté des Sports Sanglants du Royaume des Salauds, David ! Toi qui prétends être si attentionné, tu n'es, en fait, que le chef autoproclamé du massacre des puces organisé par Voyeur Prod. »

Le fait curieux dans cette histoire fut que, lorsque ces éructations woggeliennes furent diffusées, à la fin de la première semaine de *Résidence surveillée*, la plupart des téléspectateurs se débrouillèrent pour trouver des terrains d'entente avec ce réquisitoire. Les détracteurs de la chasse au renard, naturellement, saluèrent en Woggle le plus remarquable porte-parole national qu'ils aient jamais eu, tandis que les sportifs des milieux ruraux acclamèrent l'homme qui obligeait les militants citadins acquis à la défense des animaux à regarder en face la nature sélective de leurs priorités.

Woggle était comme la Bible : chacun revendiquait dans son discours la preuve de ses arguments. Les gens l'adoraient. Brusquement, il semblait être devenu le chouchou du pays tout entier, un chouchou certes sale, puant et envahissant, mais au final, plutôt adorable.

Si les neuf autres locataires avaient un tant soit peu soupçonné l'étendue de la popularité de Woggle à l'extérieur, ils n'auraient certes pas agi comme ils l'avaient fait. Mais, enfermés dans leur huis clos, comment auraient-ils pu imaginer que ce sac à puces incapable de s'asseoir quelque part sans laisser une tache derrière lui était devenu un héros ?

C'était injuste, bien sûr. Geraldine en avait conscience mais – rien de surprenant à cela – elle s'en moquait éperdument. Elle savait que personne n'aurait pu supporter de vivre avec Woggle. Ses neufs colocataires avaient fait preuve envers lui d'une incroyable tolérance. La plupart des gens lui auraient sans doute déjà fait la peau. Néanmoins, la télévision – comme la vie – est injuste, et Geraldine, qui avait involontairement créé un engouement national, était ravie de l'exploiter au montage.

Aussi décida-t-elle de ne rien diffuser des trésors de patience et de persuasion déployés par les colocataires pour inciter Woggle à laver ses vêtements, à nettoyer derrière lui et, par-dessus tout, à régler son problème de puces. Elle ne montra pas Kelly lui apportant des couvertures au milieu de la nuit, ni Dervla vérifiant si ses besoins alimentaires avaient été bien pris en compte sur la liste des courses communes. Quant aux interminables conversations entre Garry, Jazz et Woggle à propos de leur passion commune, le football, elle n'en montra que de courts extraits ; et sauta directement au jour où

Garry, Jazz, David et Hamish assaillirent un Woggle qui lézardait dans le jardin pour le déshabiller de force, brûler ses vêtements et noyer ses vitupérations et ses protestations sous de la poudre antiparasites.

## ONZIÈME JOUR, 19 H 30

L'incident eut lieu le second jeudi, jour des premières sélections.

Les règles édictées par Voyeur Prod. étaient en gros les mêmes que celles de toutes les émissions du même genre. Une fois par semaine, chaque candidat devait en sélectionner deux autres en secret, en vue de l'élimination. Le public votait ensuite par téléphone pour décider qui, des deux candidats le plus souvent nommés, serait exclu.

Pour laisser aux colocataires l'occasion de mieux faire connaissance entre eux, aucun vote n'avait lieu la première semaine, et le onzième jour était donc celui des deux premières sélections. Elles se tenaient dans l'après-midi, et le soir, après que le public avait découvert le nom des sélectionnés, une connexion en direct avec la maison montrait la réaction des colocataires en découvrant qui serait susceptible d'être éliminé le dimanche suivant. Une fois qu'on avait pu à loisir étudier sur chaque visage des signes de soulagement, de joie, de dépit, etc., la connexion en direct s'achevait et laissait place à l'habituel récapitulatif des événements des cinq jours précédents.

Les premières séquences montrées au public, au soir de ce onzième jour de *Résidence surveillée*, concernaient les sélections. Tous les candidats votèrent pour Woggle, à l'exception d'un seul, qui, fait étrange, n'était pas l'intéressé en personne. Car même Woggle – et c'était une première dans toute l'histoire des émissions de télé-réalité – avait voté en faveur de sa propre élimination.

« Je vote moi-même pour être éliminé de ce jeu, déclara-t-il de sa voix monocorde lors de son passage dans le confessionnal. Et ce parce que je rejette entièrement en bloc ce système hautement arbitraire et digne des jeux du cirque, basé sur le principe hiérarchique intrinsèque que la société doit produire des gagnants et des perdants, principe qui a pour corollaire et conséquence inévitable l'émergence d'une oligarchie unique, ce qui est, soyons bien clairs sur ce point, rien moins que du fascisme. En conséquence de quoi, à titre de protestation, je m'offre moi-même en sacrifice contre la mise en œuvre cynique et transparente d'un processus démocratique contrefait, dont le seul but est de miner la véritable démocratie. En second lieu, je vote pour Jason, parce que son déodorant me bouche les sinus. »

Comparées à la stupéfiante performance de Woggle, qui ne pouvait que consolider l'adoration de ses fans, les autres sélections semblèrent relativement ternes.

David sélectionna Woggle, et Layla parce qu'il la trouvait insupportablement poseuse et prétentieuse.

Kelly sélectionna Woggle, et Layla parce qu'elle pensait que celle-ci la regardait de haut.

Jazz sélectionna Woggle, et Sally parce qu'il jugeait agaçantes ses démonstrations de militantisme lesbien.

Hamish sélectionna Woggle, et David parce qu'il estimait avoir plus de chances auprès des filles si David disparaissait du paysage.

Layla sélectionna Woggle, et David parce qu'elle le trouvait insupportablement poseur et prétentieux.

Garry sélectionna Woggle, et Layla parce qu'il la jugeait snob.

Moon sélectionna Woggle, et Garry parce qu'elle considérait que c'était un putain de connard sexiste.

Sally sélectionna Woggle, et Moon en raison de ses propos sur les malades mentaux.

Dervla sélectionna David, et Layla parce qu'elle ne pouvait plus supporter leurs prises de bec. Dervla aurait bien sélectionné Woggle. Elle voulait évidemment que Woggle quitte la maison – elle n'était pas plus immunisée contre lui que ses camarades – mais, à la différence de ces derniers, Dervla était au courant de la popularité de Woggle. Le miroir le lui avait dit.

C'était un thème récurrent des messages.

Woggle tenait la première place, Kelly la deuxième, et Dervla restait désespérément en troisième position.

« Sois gentille avec Woggle. Les gens l'aiment », lui avait écrit le messager, le lendemain matin de son algarade avec l'intéressé au sujet des poils agglutinés au savon. Depuis, Dervla veillait à suivre ce conseil.

Au moment où l'on annonça en direct le résultat des sélections, Woggle se comportait fort étrangement : assis dans son angle d'élection, mais enseveli sous une couverture, il se balançait lentement, d'avant en arrière, en fredonnant pour lui-même. On aurait dit une lamentation. Les neuf autres colocataires, eux, étaient assis sur les canapés.

« Ici Chloe », annonça la voix dans les haut-parleurs. Chloe était le « visage » de *Résidence surveillée*, la fille qui animait les conversations de plateau dans le studio. « Les deux locataires sélectionnés cette semaine, sont… par ordre alphabétique… Layla et Woggle. »

Tout le monde eut beau tenter de le dissimuler, le soulagement était palpable. Plus que trois jours, et Woggle s'en irait. Même Layla n'était pas inquiète outre mesure. Avoir été sélectionnée était certes douloureux, mais elle ne doutait pas d'avoir encore de beaux jours devant elle : à l'instar de presque tous ses camarades, elle n'imaginait pas une seule seconde que le public – qui, forcément, devait lui aussi juger le personnage répugnant – rechignerait à voter en faveur de l'élimination de Woggle.

Dervla, elle, savait qu'il n'en serait rien.

## TRENTE-QUATRIÈME JOUR, 16 H 15

« Le public trouvait Woggle répugnant, dit Bob Fogarty, en repêchant un carré de chocolat à moitié fondu dans sa tasse de polystyrène. Mais c'est justement pour cette raison qu'il l'aimait, et après ce onzième épisode, il est devenu un héros national. C'était tellement malhonnête et injuste, j'avais honte. Je m'en suis plaint à cette garce de Geraldine, mais elle m'a rétorqué que ça faisait partie du boulot et que les connards de mon espèce avaient perdu le droit d'avoir des principes. »

Trisha était revenue à la régie pour tenter de combler le fossé entre ce que le public avait pu voir et ce qui s'était effectivement passé. Selon elle, comprendre comment l'astuce fonctionnait pouvait fournir la clé de l'énigme.

Après tout, tout le monde avait *vu* le meurtre.

Fogarty aspira bruyamment son carré de chocolat. Trisha regarda sa bouche avec de plus en plus de dégoût.

« Cette garce savait très bien que, depuis le départ, elle détournait la sympathie du public vers Woggle, au détriment des autres.

— Donc, compte tenu du contexte créé par Geraldine, l'attaque dont il a été la cible a paru condamnable ?

130

— Absolument, et, comme vous le savez sans doute, le pays tout entier est devenu dingo. J'ai dit à Geraldine que nous accordions trop de place à Woggle, à l'image. Vous comprenez, en plus du fait de diaboliser neuf personnes relativement innocentes, nous n'exploitions plus qu'un seul et même angle dans l'émission, ce qui, à mon *humble* avis, était tout sauf de la bonne télé sur le long terme. Geraldine le savait, bien entendu, mais les images étaient tout simplement irrésistibles. Elles faisaient passer tous les autres garçons pour des salauds finis. Une horreur. On se serait cru dans *Sa Majesté des mouches*. »

## ONZIÈME JOUR, 13 H 45

Les locataires ayant été convoqués au confessionnal par ordre alphabétique afin de procéder à leurs sélections, Woggle s'y présenta en dernier.

« Qu'est-ce qu'y fait, là-d'dans ? s'impatienta Jazz au bout d'une ou deux minutes.

— J'espère qu'il est mort et en train de pourrir, répliqua David.

— Pas besoin qu'il crève pour ça, il l'est déjà, pourri, souligna Garry.

— On va lui rendre service, conclut Jazz. On va l'sauver d'lui-même. »

Aux yeux de Jazz, rien de pire n'aurait pu lui arriver que d'être crasseux. Se pomponner était toute sa vie.

Quand Woggle émergea finalement de la petite pièce, les autres garçons étaient à l'affût.

« 'soir, compagnons humanoïdes, leur lança-t-il en se dirigeant nonchalamment vers le jardin. Joyeux solstice d'été. »

Sans un mot, ils se jetèrent sur lui. Hamish et Jazz le maintinrent au sol tandis que Garry et David le dépouillaient de son vieux pantalon militaire.

« Qu'est-ce qui se passe ? » hurla Woggle, mais les autres étaient trop concentrés sur leur mission pour se donner la peine de répondre.

Il lança dans tous les sens ses jambes maigrelettes, dont la blancheur étincelait au soleil. Apparut un vieux slip kangourou crasseux et orné d'un trou là où le frottement d'un testicule avait élimé l'étoffe. Et, tandis qu'il se débattait contre ses assaillants, la paire entière passa à travers le trou. Ça n'avait rien de drôle. C'était triste, pathétique.

« Non ! Arrêtez ! Qu'est-ce que vous faites ? » s'époumona Woggle, mais les garçons continuaient de l'ignorer. Ils avaient fait un sort au restant de cidre et se sentaient dans leur bon droit. Woggle n'avait que ce qu'il méritait. On ne pouvait pas refiler des puces aux gens sans s'attendre à une réaction de leur part.

« Enlevez-lui son calbute, cria Jazz ; il doit être infesté aussi.

— Ah moi, j'y touche pas, répliqua Garry.

— Moi non plus, renchérit Hamish.

— Faites chier ! » s'exclama Jazz en lâchant Woggle.

Il fila chercher, dans le poulailler, les gants qu'ils utilisaient pour nettoyer les poules. À son retour, Woggle s'était débrouillé pour se retourner sur lui-même, si bien que, lorsque Jazz lui arracha son slip, ce fut son cul blanc et osseux qui s'offrit aux caméras.

Ensuite, ils lui enlevèrent sa chemise en emportant les boutons au passage, puis ils réussirent tant bien que mal à faire passer son maillot de corps crasseux par-dessus la tête. À présent, Woggle était nu, et n'était plus

132

qu'une pauvre chose qui se débattait en poussant des cris stridents, une petite créature pâle et squelettique dotée d'une grosse touffe de dreadlocks et d'une barbe qu'on entendait voleter sous le soleil d'été.

« C'est une agression ! Vous m'avez souillé ! Lâchez-moi !

— J'ai été agressé et souillé par tes puces ! riposta Hamish en porte-parole de la communauté. J'ai les aisselles en sang, bordel ! »

Il y avait un barbecue à l'arrière de la maison, que les garçons avaient allumé en prévision de l'attaque. Quand Jazz jeta les vêtements et les sandales de Woggle dans les flammes, un drôle de crépitement se fit entendre. « Putain ! cria Jazz. J'entends les puces qui explosent !

— Elles n'explosent pas, elles hurlent ! beugla Woggle.

— On lui rase la tête ! s'écria David.

— Ah non ! protesta Jazz d'une voix ferme. On peut pas déboiser la colline d'un mec comme ça, même si c'est celle de Woggle.

— Fascistes ! »

Mais ce cri dégénéra en toux, car Garry et Hamish se mirent à saupoudrer Woggle de produit antipuces. L'espace de quelques secondes, tous disparurent dans un immense nuage. Au terme de l'opération, Woggle étincelait, de la tête aux pieds, d'un blanc spectral. Même ses cheveux et sa barbe étaient blancs comme neige.

Les garçons l'abandonnèrent au milieu de la pelouse, nu et prostré. Quand il tourna brièvement la tête vers l'une des caméras installées dans le jardin, son visage, d'une pâleur mortuaire, commençait à être strié de sillons couleur chair creusés par les larmes.

« C'est sur cette image que Geraldine m'a obligé à clore l'émission, dit Fogarty. Nous n'avons rien montré de tout ça… »

Il pianota sur plusieurs boutons de la console de montage et Trisha vit apparaître sur la rangée de moniteurs les séquences enregistrées à l'intérieur de la maison, immédiatement après l'offensive.

Les colocataires ne retiraient aucun plaisir de l'incident. Il n'y avait ni exclamations de joie, ni cris de victoire. Tous étaient sincèrement désolés pour Woggle. Dervla était déjà en train de lui préparer une tisane (qu'il accepta sans un mot), et Kelly un gâteau de tofu à la mélasse pour lui remonter le moral. L'ambiance était à la concorde et à la fermeté. Selon le sentiment général, les garçons avaient agi pour résoudre un problème social urgent qui menaçait le bien-être de l'ensemble du groupe.

Dans la salle de montage, Fogarty alla de nouveau chercher du chocolat dans le frigo de la petite kitchenette. À quoi bon le conserver au frais pour le plonger ensuite dans le café ? se demanda Trisha.

« C'est triste, non ? souligna Fogarty. En fait, ils se sont imaginé, à tort, que le pays allait applaudir leur capacité à policer leur communauté. »

Sur les écrans, l'autojustification allait bon train.

« On aurait pu faire grève et demander qu'il soit éjecté, dit Hamish. Mais on aurait eu l'air de quoi ? D'une bande de gamins incapables de se débrouiller de leurs problèmes ?

— Oui, renchérit Layla. Le but de toute cette expérience, dans la maison, est de voir si on est capables de s'entendre tous ensemble. Si on avait couru se plaindre au Voyeur dès le premier petit problème, en gros, on aurait échoué. »

Incrédule, Fogarty secoua la tête. « C'est incroyable. Cette fille, Layla, elle est plutôt intelligente, et pourtant, elle est persuadée que toute cette connerie de *Résidence surveillée* est une véritable expérience sur les comportements sociaux. C'est une émission de télé, nom d'un chien! Comment peut-elle ne pas saisir que le seul et unique but de ce putain de cirque, c'est d'attirer les annonceurs?

— Eh bien, ça a dû marcher, de ce point de vue, non? demanda Trisha.

— Ah ça! Nos quotas de pub ont grimpé en flèche, et les revenus de Voyeur Prod. avec. » Fogarty dirigea son attention vers les écrans. « Regardez, il y a encore tout ça que nous n'avons pas diffusé. »

Sur les écrans, Woggle rentrait dans la maison.

Il refusa, sans un mot, le gâteau que lui proposait Kelly.

Il déclina également les diverses propositions de vêtements ou d'eau.

Layla offrit de lui lire un ou deux de ses poèmes réconfortants. « Ou alors, on pourrait se tenir la main et fredonner ensemble. »

Sans même la gratifier d'un regard, Woggle prit une couverture pour masquer sa nudité et battit silencieusement en retraite dans son coin.

« Regardez ça, là, maintenant, conseilla Bob Fogarty. La confession de Dervla. »

Effectivement, Dervla se glissait dans le confessionnal.

« Je comprends la frustration des garçons, dit-elle. Nous souffrons tous pas mal, ici. Mais je tenais à dire que la détresse de Woggle me rend horriblement triste et que j'aurais aimé qu'on trouve une autre solution à ses problèmes d'hygiène. Au tréfonds, je crois que Woogle est quelqu'un de beau. »

Fogarty arrêta la cassette. « Bon, je pensais et je continue à penser que Dervla est une gentille, très gentille fille et qu'elle était vraiment bouleversée pour Woggle. Mais vous savez ce que cette merdeuse cynique de Geraldine en a fait ?

— Non.

— Dervla, selon elle, avait deviné que Woogle serait populaire à l'extérieur et essayait de s'attirer la faveur du public en le soutenant.

— Waouh ! ça aurait supposé pas mal de perspicacité.

— Et une bonne dose de calcul, ce dont je ne la crois pas capable.

— D'un autre côté, elle était la seule à ne pas l'avoir sélectionné.

— Vous êtes pire que Geraldine ! C'est exactement ce qu'elle a dit ! Que si elle n'avait pas la preuve du contraire, elle aurait pensé que Dervla avait des informations de l'extérieur.

— Mais c'est impossible, n'est-ce pas ?

— Absolument. Laissez-moi vous dire que si quelqu'un avait triché, je l'aurais su. Je vois *tout*.

— Mais si elle avait *vraiment* eu un avantage secret, et que l'un des autres l'ait découvert… »

Trisha plongea son regard dans les yeux vert sombre de Dervla pour essayer d'y lire les pensées que la jeune femme avait nourries au moment de son passage au confessionnal. Avant que la mort ne changeât tout.


TRENTE-QUATRIÈME JOUR, 20 HEURES

Trisha regagna le commissariat sans dîner. Regarder Fogarty suçoter son chocolat pendant une heure lui avait coupé l'appétit, ce qu'elle déplorait car tout semblait indiquer que la nuit serait bien longue une fois de plus.

« Finissons-en ce soir avec Woggle, d'accord ? suggéra Coleridge. Je ne pense pas pouvoir supporter d'y revenir demain. Que s'est-il passé après l'attaque à la poudre antipuces ?

— Le public n'était pas content, monsieur, dit Hooper. Dans les heures qui ont suivi cette onzième émission, une foule s'est rassemblée devant les studios de Voyeur Prod. et a réclamé l'arrestation de Garry, Hamish, David et Jazz pour agression. Geraldine Hennessy a dû faire diffuser de la musique dans la maison pour étouffer les clameurs. »

Trisha glissa dans le magnétoscope la cassette que lui avait donnée Fogarty. « Dans la maison, ce n'était pas la joie non plus. Regardez Woggle. Il est anéanti.

— Les autres n'ont pas l'air mieux en forme.

— Ils se sentent coupables. »

Les conversations éteintes et les visages tristes trahissaient, sans l'ombre d'un doute, un malaise généralisé.

Le groupe s'était réfugié dans les activités ménagères, frénétiquement. Le porteur et principal terrain d'élevage des puces ayant été déparasité, il devenait possible de commencer à nettoyer le reste de la maison, et les neuf autres s'attelèrent d'arrache-pied à la tâche. Chaque matelas, chaque drap fut évacué dans le jardin, lavé, séché, poudré puis relavé. Idem pour chaque vêtement, chaque coussin ou serviette. Tout le monde se doucha et s'aspergea à nouveau de poudre. Dix flacons entiers furent engloutis dans l'opération, qui tous avaient dû être imputés sur le budget du shopping hebdomadaire. Non seulement les puces de Woggle les avaient dévorés tout crus, mais en plus elles allaient coûter aux colocataires l'équivalent de huit précieuses bouteilles de vin, ou de trente canettes de bière.

Tout au long de ce processus de nettoyage qui dura toute la journée, Woggle demeura sous sa couverture, dans son coin, à se balancer lentement d'avant en arrière, en fredonnant. Un troll traumatisé, comme allait le souligner un journal.

Puis, à la fin de la journée, arriva le moment de la première élimination.

« Ils diffusent deux épisodes à la suite, les soirs d'élimination, expliqua Hooper à l'intention de Coleridge. Ce qui est très bien vu, car ça laisse juste aux gens le temps de sortir boire une bière ou manger un curry entre les deux parties.

— Ne parlez pas de nourriture, dit Trisha. Je n'ai rien avalé de la journée.

— Voulez-vous la moitié de mon Mars du soir ? proposa Coleridge sans le moindre enthousiasme.

— Non, merci, monsieur. Je ne suis pas très portée sur le chocolat, en ce moment. »

Il en coûta à Coleridge un gros effort pour ne rien trahir de son immense soulagement.

« Donc, reprit Hooper, dans la première partie de l'émission du dimanche soir, ils annoncent en direct qui va être éliminé, et dans la seconde ils couvrent la sortie du candidat, en direct toujours.

— Merveilleux, opina Coleridge. C'est l'occasion de passer une soirée entière à regarder quelqu'un que vous ne connaissez pas, contraint de quitter une maison dans laquelle vous n'avez jamais mis les pieds, et ce par un groupe de gens que vous n'avez jamais rencontrés et dont vous n'entendrez plus jamais parler ensuite. Difficile d'imaginer scénario plus passionnant.

— Il faut se prendre au jeu, monsieur, c'est tout. Si vous vous prenez au jeu, c'est génial.

— Je n'en doute pas, Hooper. Je me demande si les Grecs, en posant les fondations de la civilisation occidentale, eurent le moindre soupçon qu'un tel génie puisse exister.

— Comme je dis, si vous ne vous prenez pas au jeu, vous ne pouvez pas comprendre.

— D'Homère à *Résidence surveillée* en deux mille cinq cents ans à peine, voilà un record dont on peut être fier, vous ne pensez pas ?

— Monsieur ! protesta Hooper. On consacre quatorze heures par jour minimum à essayer de débrouiller cette affaire ! Vous n'avez pas le droit de les rallonger en faisant sans arrêt des digressions ! »

Il y eut un silence embarrassé, qui s'éternisa jusqu'à ce que Coleridge eût défait l'emballage de son Mars. Hooper avait le visage empourpré. Il était fatigué, en colère, et bien embêté. Coleridge, qui ne s'était pas douté qu'il se montrait à ce point irritant, était, pour sa part, attristé.

« Bon, finit-il par dire. Continuons. »


QUATORZIÈME JOUR, 19 H 30

« Candidats de *Résidence surveillée*, ici, c'est Chloe. Vous m'entendez ? Le premier d'entre vous à quitter la maison sera… Layla », annonça-t-elle après la pause dramatique de rigueur.

Layla donnait l'impression d'avoir reçu un coup de batte de cricket dans la figure, mais elle parvint néanmoins à s'acquitter du rituel requis dans ce genre de situation.

« Ouais ! piailla-t-elle, en bourrant l'air de coups de poing, la mine ravie. Je vais enfin retrouver mon chat !

— Layla, cria la voix de Chloe, vous avez deux heures pour faire vos valises et dire au revoir à vos camarades, après quoi nous reviendrons en direct dans la maison pour assister à cette première sortie ! À tout à l'heure ! »

Layla était sonnée.

Ils étaient tous sonnés.

Y compris Woggle, sous sa couverture. Il avait supposé, comme tous ses colocataires – à l'exception de Dervla –, que sa présence dans la maison avait été régulièrement dénoncée, et, tout en considérant avoir eu une conduite exemplaire, il ne s'était pas attendu à bénéficier de la sympathie du public. Il avait essuyé durant des années, et pour quasiment chacune de ses paroles ou chacun de ses actes, ricanements et mépris de la part de presque tous ceux qu'il avait rencontrés. Aussi avait-il présumé que le public aurait envers lui la même attitude que les quatre fascistes qui l'avaient déshabillé dans le jardin et agressé sans *aucune* raison.

Mais les téléspectateurs n'avaient pas du tout la même attitude, ils l'adoraient, leur petit lutin, leur petit troll traumatisé. Woggle était leur chouchou, et, bien loin de soupçonner les sommets vertigineux atteints par sa cote de popularité, celui-ci était abasourdi et plutôt ravi d'avoir tout simplement échappé à l'élimination.

Il sortit brièvement la tête de sous la couverture. « Allez vous faire enculer », déclara-t-il à l'assemblée de ses coturnes avant de s'immerger à nouveau.

Ensuite, Layla poussa des mugissements de détresse. De véritables mugissements. Tant d'injustice semblait à la limite du supportable. Le visage strié de larmes, elle se balançait d'avant en arrière sur le canapé violet, en se torturant à force d'auto-apitoiement. Elle n'arrivait pas à croire que le public lui eût préféré Woggle. *Woggle !*

Elle se rendit au confessionnal pour évacuer sa détresse.

140

« Vous êtes des salauds ! tempêta-t-elle. Vos manœuvres crèvent les yeux ! Vous vous êtes débrouillés pour en faire une victime, c'est ça ? Vous vous marrez bien, et c'est nous les dindons de la farce, hein ? C'est moi, la dinde ! Vous savez comment est Woggle ! Vous savez ce qu'on a dû endurer avec lui ! Il nettoie rien, il aide jamais, il schlingue autant que le cul d'une charogne ! *Tout le monde* voulait qu'il parte ! Mais vous n'avez rien montré de tout ça, pas vrai ? Évidemment ! Parce que, sinon, c'est lui qui sortirait, pas moi ! »

## TRENTE-QUATRIÈME JOUR, 20 H 40

« Si elle avait fait montre plus tôt d'un tel caractère, elle n'aurait pas été sélectionnée, souligna Hooper, qui avait ri sous cape de voir Coleridge ciller en entendant certaines expressions de Layla.

— Mais elle se trompe à propos de son élimination, rétorqua Trisha. Voyeur Prod. a certes poussé le montage en faveur de Woggle, mais tout le monde avait bien vu qu'elle était sacrément plouc. Elle aurait été sélectionnée de toute façon. L'erreur des candidats, dans ce genre d'émission, c'est de croire qu'on *s'intéresse* vraiment à eux. Or, à nos yeux, ils ne sont que des gens qui passent à la télé, pour qu'on puisse se moquer d'eux. »

À l'écran, Layla craquait. « Je crois que certaines piqûres de puces vont laisser des cicatrices, bande de salauds ! Celles autour de mon cul se sont infectées ! »

« Beurk ! fit Trisha.

— Trop d'informations, » protesta Hooper.

« Si je tombe malade, j'engage des poursuites ! fulminait Layla. Je vous jure que je le ferai ! J'y vais, maintenant, mais une dernière chose : je sais bien que vous

141

ne diffuserez pas ça, Geraldine Hennessy, mais laissez-moi vous dire qu'à mes yeux, vous êtes une grosse merde finie et que je vais vous haïr à jamais ! »

« *Vous haïr à jamais*, répéta Coleridge. Voilà qui est long, et c'était il y a à peine trois semaines. Je doute que ça lui soit déjà passé. »

Sur l'écran, Layla partit récupérer son sac dans la chambre des filles, où Kelly la rejoignit. « Je suis vraiment, vraiment désolée, Layla, dit-elle. Ça doit être trop atroce.

— Mais non, ça va, je t'assure… »

Sur quoi Layla craqua à nouveau et s'effondra dans les bras de Kelly en sanglotant.

« *Kelly réconforte Layla, mais ce que cette dernière ignore, c'est que Kelly l'a sélectionnée* », dit la voix d'Andy le narrateur.

« Ils *adorent* insister sur ce genre de détails dès qu'ils en ont l'occasion, remarqua Hooper. C'est le meilleur moment de l'émission. »

« Il faut que tu sois forte, d'accord ? dit Kelly en serrant Layla contre elle. Et je sais que tu l'es.

— C'est vrai, je suis forte et courageuse.

— Vas-y. Je t'adore.

— Je t'adore aussi, Kelly. T'es une vraie copine. »

De retour dans la grande pièce, Layla serra chacun des autres colocataires dans ses bras – même Woggle y eut, très brièvement, droit.

Quand vint le tour de David, l'accolade dura presque une minute.

« Ceux qui sortent font toujours ça, souligna Hooper. Ils serrent tous les autres très fort dans leurs bras. Ils font semblant d'être tous des super amis.

— Je suis convaincu qu'au moment où ils le font, ils y croient sincèrement, dit Coleridge. Les jeunes gens vivent à la surface des choses et dans l'instant. Que voulez-vous, c'est comme ça, de nos jours.

— Vous avez entièrement raison, monsieur, intervint Trisha. J'ai vingt-cinq ans et jamais de ma vie je n'ai émis d'opinion réfléchie, ni éprouvé d'émotion authentique. »

L'espace d'un moment, Coleridge faillit insister et protester qu'il n'en croyait rien, quand, brusquement, il prit conscience du sarcasme.

« Layla, vous avez trente secondes pour quitter la maison », annonça la voix de Chloe.


## QUATORZIÈME JOUR, 21 H 30

À sa sortie, Layla se retrouva immergée dans un bain de lumière d'une intensité presque surnaturelle qui donnait l'impression que la jeune femme, à l'instar de la maison derrière elle, avait été décolorée à l'eau de Javel. Un agent de sécurité immense, au crâne rasé et vêtu d'un bomber, s'avança vers elle pour lui prendre le bras et la faire grimper sur la plate-forme élévatrice d'un camion de pompiers. Soulevée dans les airs, Layla franchit le fossé sous les acclamations de la foule. Voyeur Prod. s'enorgueillissait des sorties qu'elle organisait. La maison de production les transformait en immenses fêtes : bus affrétés pour le convoi des foules, feux d'artifice, ballets de lumières projetées dans le ciel. Tandis que Layla s'élevait au-dessus de la foule hurlante, un groupe de rock jouait depuis l'arrière d'un semi-remorque.

Vinrent ensuite le bref trajet en limousine jusqu'au studio spécialement construit pour ces occasions et l'interview en direct menée par Chloe, le « visage » Voyeur Prod. – une jolie fille dotée d'une grosse poitrine et qui affectait des comportements de garçon. Chloe, cependant, n'avait rien des jolis minois qui présentaient d'habitude les émissions les plus grand public. Non, son joli minois à elle s'assortissait d'un dragon tatoué sur le ventre et d'un petit diable sur l'épaule, ce qui le rendait évidemment bien moins éthéré, et de loin.

Chloe accueillit Layla à sa descente de la limousine. Elle avait un look renversant de rockeuse, en pantalon et soutien-gorge de cuir noir, mais l'ex-candidate, en sarong de soie *tie-and-dye* et débardeur de soie moulant, n'était pas en reste dans son style « hippie chic ». Les deux femmes s'étreignirent et s'embrassèrent, telles deux sœurs perdues de vue depuis longtemps plutôt que deux parfaites étrangères dont l'une était payée pour parler à l'autre.

La foule devint hystérique. Littéralement hystérique. Les gens hurlèrent des « ouaiiiiis », ils beuglèrent, vociférèrent, agitèrent des pancartes bricolées par leurs soins. Rien de spécial n'avait provoqué ce déchaînement, sinon la présence de caméras de télévision et l'usage qui veut que les jeunes aimant les caméras de télévision se comportent ainsi en leur présence.

Les « ouaiiiiiiiis » finirent par se calmer, assez du moins pour permettre à Chloe de se faire entendre. Ils allaient perdurer tout au long de l'interview, avec des fluctuations de volume sonore, mais Chloe profitait de l'occasion pour laisser libre cours à sa propre exubérance.

« Ouaiiiiiiiis ! Formidable ! Incroyable ! Mortel ! Ouaiiiiiiiis ! »

Le public, entièrement d'accord avec ces acclamations, se remit à crier avec une énergie renouvelée.

Chloe enlaça Layla en exhibant fièrement la musculature de son bras.

« On l'aime, cette nana, non ? N'est-elle pas une fille forte, une fille à part ? »

De nouvelles salves de « ouaiiiis » et de hurlements indiquèrent que le public aimait effectivement beaucoup Layla.

« Nous sommes telllllllllement fiers de toi, jeune fille. Tu es géniale. »

Une fois de plus, le spectacle s'embourba dans les cris et les hurlements. Chloe lutta pour se faire entendre, à moins que ce ne fût pour bien montrer qu'elle était la plus excitée et la plus fan de tous.

« Alors, comment te sens-tu ? »

L'atmosphère était contagieuse. Layla fit un immense sourire.

« Super bien !

— Parfait !

— Oui, j'ai trop la pêche ! Je m'éclate trop !

— Continue !

— Mais je ressens aussi une certaine spiritualité.

— Je vois *tellement bien* ce que tu veux dire.

— Ouais, comme si j'avais grandi.

— Mais tu as grandi ! Bravo ! » Chloé se tourna vers la foule et hurla : « N'est-ce pas que nous l'aimons, cette fille géniale ? »

Et la foule de lancer ses vivats et de vociférer avec un regain d'énergie.

« Alors, pour toi, ç'a été un choc – un vrai choc – d'être sélectionnée ?

— Tu sais, la vie est une saison et les saisons passent. J'en suis vraiment persuadée. Oui, vraiment.

— C'est tellement vrai.

— Il faut être positif dans sa tête, l'esprit est un jardin et il faut sans arrêt y semer des graines.

— Fantastique ! Parle-nous un peu de la cuisine de Jazz. C'était mortel, non ?

— Absolument mortel. »

Ayant terminé ce tir nourri de questions d'une grande profondeur psychologique, Chloe se tourna vers le grand écran pour dévoiler à Layla qui l'avait sélectionnée.

David apparut en premier. Il n'était que beauté et sincérité face à la caméra du confessionnal, en ce jour de sélections.

« Et la seconde personne que je sélectionne est Layla, parce que, bien qu'elle soit très forte et courageuse, elle ne donne pas beaucoup à l'ensemble du groupe. »

Le pays tout entier observa Layla observant l'écran. Son sourire forcé ne l'abandonna pas. « David est génial. Je l'aime vachement, mais, tu vois, quand deux personnes fortes, spirituelles, aimantes, généreuses et fortes se rencontrent, leurs univers mentaux ne sont pas toujours sur la même longueur d'onde. Mais c'est OK, je l'aime vraiment, et je sais qu'il m'aime.

— Et naturellement, toi aussi, tu l'as sélectionné, souligna Chloe.

— Ouais, c'est bizarre, non ? Ça montre bien que nous étions bien sur la même longueur d'onde. »

En qui concernait Dervla, ce fut une surprise. « Après David, je sélectionne Layla, dit la belle Irlandaise d'un air atrocement sincère et réfléchi. C'est une fille vraiment gentille, foncièrement douce et généreuse, mais il me semble que, finalement, sa gentillesse s'épanouirait bien mieux à l'extérieur de la maison. »

Ce que tout le monde, y compris Layla, sut traduire par : « C'est une emmerdeuse. »

Vint ensuite le tour de Garry. « Layla est une nana archi super bien gaulée, et, à mon avis, elle croit bien faire, mais elle est un peu trop snob à mon goût, si vous voyez ce que je veux dire. Elle se la pète un peu, quoi. »

146

Layla sourit courageusement, d'un sourire qui entendait déclarer : « Oui, les gens prennent souvent ma force d'âme pour du mépris. »

Pour finir vint Kelly : « C'est dur, vraiment trop dur, mais en fin de compte, il faut que je désigne quelqu'un, et je désigne Layla parce que je pense qu'elle se croit meilleure que moi. Elle a peut-être raison, mais c'est quand même trop dur. »

Chloe se pencha pour serrer la main de Layla, offrant simultanément du réconfort et un point de vue intéressant sur sa jolie poitrine.

« Ça va ? Tu tiens le coup ?

— Ouais, je tiens le coup.

— Tu tiens le coup, hein ? » insista Chloe.

Layla releva le défi. « Je pense que David et Garry sont des types super, dit-elle, et que Kelly et Dervla sont géniales, ce sont deux filles vraiment super fortes. La vérité, c'est qu'il fallait qu'ils choisissent tous quelqu'un et que, parfois, les gens comprennent mal ma force et ma spiritualité. Mais en fin de compte, franchement, je les adore, c'est ma bande.

— On applaudit à ça ! Bravo ! s'écria Chloe, avant de se lever brusquement pour se mêler à la foule, abandonnant Layla seule sur son siège. Donc, une candidate est partie, plus que huit autres éliminations et nous aurons un gagnant ! hurla-t-elle, face à la caméra qui la suivait depuis le fond. Qui sera le prochain ? L'homme qui pue ? La fille aux gros nénés ? David et son insupportable guitare ? Jazz et ses muscles ? Garry le porte-parole d'ENGERLAND ? Sally l'énervée ? Hamish le tristounet ? Moon, la fille rasée ? Ou Dervla, notre petite Irlandaise si sensée ? C'est à vous de décider ! Vous pouvez réduire leurs petits rêves à néant ! C'est VOUS qui décidez ! Rendez-vous sur nos lignes téléphoniques dès après les prochaines sélections ! Total respect ! On vous aime ! »

## TRENTE-QUATRIÈME JOUR, 22 H 20

Les trois policiers regardèrent Layla disparaître derrière la foule hurlante et filer droit vers l'obscurité.

« Je crois que nous devrions vraiment lui parler, dit Coleridge. Il y a beaucoup de rancœur dans tout cela, il nous faut en savoir davantage.

— En plus, observa Hooper, elle les connaît mieux que nous ne les connaîtrons jamais. Elle a peut-être une théorie.

— Tout le monde a une théorie, répliqua Coleridge d'un ton désabusé. Sauf nous. »

Sur les écrans, les candidats restants semblaient encore sous le choc.

« Eh bien, ô chasseurs, ô assassins, déclara Woggle en exhibant un sourire ébréché, les gens ont choisi la vie contre la mort, la lumière contre les ténèbres. On dirait que la révolution est en branle. »

David bondit sur ses pieds.

« Pour une fois, tu as raison, Woggle. Je vais aller dire deux mots au Voyeur. »

## QUATORZIÈME JOUR, 22 H 45

« Putain ! Je viens avec toi », dit Moon.

Ensemble, ils se précipitèrent au confessionnal, où David expliqua, en mettant les points sur les i, qu'il était parvenu aux mêmes conclusions que Layla, précédemment dans la soirée.

148

« Tu nous as trahis, le Voyeur. Tu sais qu'on fait de notre mieux avec Woggle. Mais on a vu les banderoles, là-dehors, et on a entendu tous ces gens qui hurlaient pour le soutenir. Ils nous prennent pour des salauds.

— Ce n'est pas une question de trahison, rétorqua le Voyeur. (Le Voyeur, bien entendu, n'était autre que Geraldine, qui griffonnait frénétiquement des réponses qu'elle tendait à sa « voix », une femme paisible et douce du nom de Sam, qui faisait d'ordinaire les voix off dans des publicités pour des produits de vaisselle.) Le public a tout simplement trouvé quelque chose d'attirant chez Woggle.

— Il le trouve attirant parce que c'est comme ça que vous l'avez présenté ! fulmina David. Je suis un professionnel, je suis de la partie, je connais vos trucs. Eh bien, laisse-moi te dire que j'en ai marre ! Je ne suis pas venu ici pour me faire manipuler et passer pour un con. Je veux me casser. Tu peux m'appeler un taxi, parce que je me casse.

— Moi aussi, putain ! renchérit Moon. Je pense que le reste va partir aussi, et en fin de compte, tout ce qui vous restera, c'est une baraque pestiférée et Woggle au milieu. C'est clair que vous vous foutez de notre gueule. »

## TRENTE-QUATRIÈME JOUR, 22 H 25

Hooper mit le magnétoscope en pause. « C'est très intéressant, monsieur. Rien de cela n'a jamais été diffusé. Je ne me doutais vraiment pas que les candidats étaient à ce point au fait de ce qui se passait.

— "À ce point au fait de ce qui se passait" ?

— Ça veut dire…

— Je sais ce que ça veut dire, sergent. Je ne suis pas idiot. Je me demandais juste si les sonorités disgracieuses de votre phrase ne vous chagrinaient pas.

— Non, monsieur, elles ne me chagrinent pas. Souhaitez-vous que je rende mon insigne pour usage de sonorités disgracieuses dans le cours de l'enquête ? »

## QUATORZIÈME JOUR, 22 H 46

« Partir maintenant serait parfaitement idiot. Vous sacrifieriez vos chances de remporter le prix d'un demi-million de livres », dit le Voyeur.

Sam ne manqua pas ici de distiller ses dons d'apaisement dans chaque syllabe.

« Je m'en fous, lui rétorqua David. Je l'ai dit, je connais le truc. On n'est rien d'autre qu'une bande de faire-valoir pour Woogle-le-guignol. Je suis venu ici pour avoir l'occasion de montrer au monde qui je suis, mais vous avez transformé l'émission en spectacle de monstres de foire, en test d'endurance, et je ne veux plus jouer.

— Ni moi non plus, bordel », renchérit Moon.

Il y eut une autre pause, pendant que le Voyeur réfléchissait à sa réponse. « Laissez-nous deux jours, dit enfin la voix apaisante. Et il partira.

— Deux jours ? fit David. Ne me mens pas. Il n'y a pas d'autre élimination avant une semaine.

— Laissez-nous deux jours », répéta le Voyeur.

## TRENTE-QUATRIÈME JOUR, 22 H 30

« C'est curieux, souligna Trisha. Geraldine Hennessy devait être au courant depuis le début, pour Woggle. C'est évident qu'elle le gardait prêt à servir dans sa manche.

— Quelle chienne rusée ! s'exclama Hooper. Elle a déclaré avoir reçu ces coupures de presse d'un correspondant anonyme.

— Auriez-vous l'amabilité de m'expliquer de quoi vous parlez et de ne pas traiter nos témoins de chiennes ?

— Rien de ce que nous venons de voir à l'instant n'a jamais été diffusé, monsieur. Nous ne l'avons vu que parce que nous avons confisqué les cassettes.

— Je suis étonné qu'elles n'aient pas été effacées, ajouta Hooper.

— Ce doit être un coup de Fogarty. Il *hait* Geraldine Hennessy.

— Mais de quoi parlez-vous ? répéta Coleridge.

— Vous devez être la seule personne dans ce pays à ne pas être au courant, monsieur. Woggle était recherché par la police. Mais on ne l'a appris qu'au quinzième jour. Il est évident maintenant que Geraldine Hennessy le savait depuis le début ; c'est pour ça qu'elle pouvait donner sa promesse de le faire partir. »

QUINZIÈME JOUR, 21 HEURES

« Je n'arrive tout simplement pas à croire qu'ils aient tout manigancé de A à Z à propos de Woggle », déclara Layla en conférence de presse, le lendemain matin de sa sortie. Elle avait consacré la nuit précédente à visionner les cassettes de l'émission et à feuilleter les coupures de presse rassemblées à son intention par sa famille. Ç'avait été une sinistre occupation. Elle découvrit qu'à chacune de ses apparitions à l'antenne, les images sélec-

151

tionnées l'avaient fait passer pour une écervelée snob et nombriliste. Cette impression venait en majorité des premières émissions, car de plus en plus, au cours de la seconde semaine, Woggle apparaissait comme le seul sujet digne d'un véritable intérêt dans la maison.

« Tout ne tournait pas autour de Woggle, protesta Layla. Il y avait neuf autres personnes dans la maison, des gens intéressants, forts, courageux, beaux. Le hasard a voulu que ce soit moi qui parle au nom de tous. Nous avons passé notre temps en résidence surveillée à jouer tous ensemble, à discuter, à nous aimer, à nous serrer dans nos bras, à être agacés ou inspirés les uns par les autres. Woggle, lui, a passé tout son temps à se comporter en feignasse dégueu et cinglée et à répandre des maladies, et tout ne tournait pas *à ce point* autour de lui. »

Pour le public, tout tournait bien autour de Woggle, et ce matin-là plus que jamais, car ce jour-là Geraldine changea complètement son fusil d'épaule à son égard.

L'incroyable nouvelle fut rendue publique vers le milieu de la conférence de presse de Layla et, au fur et à mesure qu'elle circulait dans l'assistance, la jeune femme vit l'intérêt suscité par sa personne et tout ce qu'elle aurait pu avoir à dire se réduire, en un clin d'œil, à néant.

Geraldine avait dû agir, et agir vite. Woggle avait été un succès colossal, mais il risquait à présent de se transformer en un échec encore plus retentissant. Si les autres candidats quittaient la maison maintenant, comme ils en avaient parfaitement le droit, la société Voyeur Prod. serait débitrice envers la chaîne des sept autres semaines d'émission quotidienne qu'elle s'était engagée, par contrat, à lui fournir. Pour la boîte, c'était la faillite assurée. Geraldine envoya donc à la police cette vieille coupure de presse où figurait la photo de Woggle en train de bourrer la fille de coups de pied.

L'incident remontait à quatre ans, et Woggle avait à l'époque une tout autre allure. L'homme de la photo était plus grassouillet et arborait une crête rose, mais, en regardant à deux fois son nez épaté, ses sourcils broussailleux et la toile d'araignée tatouée sur son cou, on constatait que c'était bien Woggle, sans l'ombre d'un doute. En fait, Geraldine s'était étonnée que les journaux n'exhument pas eux-mêmes cette photo, mais, Woggle n'ayant jamais été pris ni identifié, il aurait fallu une bonne mémoire des visages pour se souvenir que, quatre ans auparavant, elle s'était étalée sur toutes les unes de journaux avec en gros titre : « QUI SONT LES VRAIS MONSTRES ? »

L'affaire en question était une opération de sabotage à l'encontre de la chasse, qui avait dérapé. Woggle et une poignée de ses comparses Saabs avaient envahi un chenil dans le Lincolnshire, décidés à libérer les chiens. Le maître-chien et plusieurs membres du personnel s'étaient mis en travers de leur route, et une terrible bagarre avait éclaté. Les Saabs frappèrent les premiers : ils avaient essayé de forcer le barrage du maître-chien et, devant son refus de céder, ils l'avaient jeté à terre en l'assommant avec une barre à mine. La rixe était alors devenue générale, et Woggle avait attaqué à coups de botte et de chaîne de vélo. C'était là un aspect du bonhomme que ne soupçonnaient ni ses colocataires de *Résidence surveillée*, ni ses supporters parmi les téléspectateurs. Ses colocataires désapprouvaient bien des aspects du personnage (tous, plus exactement), mais jamais ils n'auraient imaginé que la propension à la violence était l'un de ses défauts.

Et pourtant, de temps à autre, elle l'était. Toutefois, ainsi que l'intéressé et ses anciens collègues prolibération des animaux le soulignaient parfois, cette violence ne s'exerçait jamais qu'envers les humains. À l'instar de la plupart des fanatiques, Woggle présentait une facette sombre et intolérante : il plaçait au sommet de l'échelle des valeurs le bien-être de créatures privées d'intelligence, voire celui des insectes, mais témoignait une singulière indifférence envers son prochain. Aussi, quand il s'était retrouvé face à une employée du chenil brandissant un râteau, il avait attaqué et lui avait asséné un grand coup. Que la jeune fille ait quinze ans à peine et soit bien plus légère que lui n'avait aucune importance. Quand il s'agissait de défendre les renards, la chevalerie était le cadet de ses soucis. Aux yeux de Woggle, tout assassin de renard, ou complice d'assassin de renard, renonçait, de facto, au droit à une quelconque considération. Qu'on soit petite, blonde et mignonne entrait peu en ligne de compte : le jeu était le jeu, et l'on récoltait ce qu'on méritait. Comme justement cette fille était petite, blonde et mignonne, la question fut vite réglée lorsque les journaux firent un choix parmi les images d'une épouvantable violence qu'avait prises l'épouse du maître-chien depuis la fenêtre de l'étage. Cette image était de celles qui laissent momentanément un pays sous le choc : l'adorable petite blonde avec sa queue-de-cheval, ses bottes en caoutchouc et son Barbour gisait sur l'antique pavage de la cour du chenil, les cheveux ensanglantés, tandis que cet affreux punk crasseux et piercé la bourrait de coups avec ses énormes bottes à coques métalliques. Du point de vue des relations publiques, l'affaire s'était avérée désastreuse pour les Saabs, et ce d'autant plus que l'adolescente en question adorait les chiens et les renards, était membre de la SPA et lançait régulièrement des pétitions demandant aux chasseurs du coin d'adopter la méthode de la herse.

Woggle avait apporté la coupure de presse pour la montrer à Geraldine, la veille du jour où les résidents devaient entrer dans la maison. Ravi d'avoir été choisi et redoutant que cela ne lui porte tort, il n'avait jusque-là pipé mot de son passé à Voyeur Prod. Il lui tardait vraiment d'entrer en résidence surveillée, et pas seulement pour se voir garantir une pension complète et un toit étanche – une perspective plutôt tentante après des mois passés dans un tunnel. Au dernier moment, cependant, Woggle avait craint que sa future notoriété ne permette de l'identifier comme l'homme de la photo et, sait-on jamais, ne le fasse arrêter.

« Pourquoi me montrer ça maintenant, Woggle ? avait demandé Geraldine.

— Je ne sais pas. Je pensais que si vous étiez au courant et que si jamais quelqu'un remarquait quelque chose, vous pourriez répondre que vous avez vérifié et que ce n'était pas moi, mais un autre type avec un tatouage de toile d'araignée. »

Woggle, à l'instar des autres occupants de la maison, s'était laissé berner par les discours de Voyeur Prod., qui affirmait se soucier avant tout du bien-être des candidats ; il avait vraiment cru que Geraldine serait prête à mentir à la presse et à la police dans son intérêt. En fait, face à cette confession, la productrice n'avait eu qu'un seul souci : avait-elle une chance de s'en tirer impunément en introduisant un individu recherché pour agression dans un environnement social confiné et sous haute pression ?

Finalement, elle avait décidé de courir le risque. L'incident se résumait à une échauffourée lors d'une manifestation pour la défense des droits des animaux, et Woggle avait l'air d'un vieux hippie bien paisible.

De surcroît, il ne restait plus que quelques heures avant le coup d'envoi du jeu, et Woggle recelait un tel potentiel télévisuel que, pour Geraldine, renoncer à lui était tout bonnement insupportable.

« Nous pourrons toujours dire qu'on n'en savait rien, si jamais ce connard devient fou et en tabasse un pour avoir mangé un sandwich au jambon, confia Geraldine à Bob Fogarty. Ni les flics ni la presse ne l'ont attrapé à l'époque. Pourquoi iraient-ils le reconnaître aujourd'hui ? »

Geraldine avait donc caché les vieilles coupures de presse dans un tiroir et les oublia. Jusqu'au quinzième jour, où, vu la situation, et Woggle étant devenu un héros, il lui fallait « virer le pauvre con, vite fait bien fait », ainsi qu'elle l'expliqua lors de la réunion de crise qui se tint aux aurores.


La photo de Woggle tabassant l'adolescente ne fut pas longue à trouver le chemin du retour jusqu'à Voyeur Prod. Geraldine l'avait expédiée à la police à 9 h 15, accompagnée d'une lettre où elle expliquait l'avoir reçue le matin à son bureau, de source anonyme.

À 9 h 30, l'un des rencardeurs de presse à Scotland Yard avait déjà alerté les journaux et, à 9 h 45, reporters et officiers de police accouraient en foule à la porte du Voyeur. Dans la maison, où rien n'avait filtré de ces derniers développements, l'humeur était des plus maussades.

Woggle avait passé la nuit sous sa couverture, dans son coin attitré. Les autres s'étaient soûlés dans le jardin jusqu'à ce que, vers 4 heures, le froid les force à se replier à l'intérieur. Tous se lamentaient sur leur sort : Woggle parce qu'il avait été agressé et déshonoré ; les autres parce que Woggle était en train de gâcher leur belle aventure excitante.

Quand sonna l'heure du soulagement pour huit d'entre eux, et celle du désastre pour le neuvième, ce fut comme un coup de tonnerre.

## QUINZIÈME JOUR, 10 HEURES

« Ici Chloe, annoncèrent les haut-parleurs. Woggle, veux-tu, s'il te plaît, rassembler tes affaires ? Tu quittes la maison dans dix minutes. »

Garry, Kelly et Jazz poussèrent des « hourras » ; les autres, qui ne perdaient jamais de vue leur jeu, masquèrent leur joie intérieure sous des mimiques pensives et sensibles.

Woggle sortit la tête de sous sa couverture. « Vous ne pouvez pas me virer, les votes ne m'ont pas désigné. Allez vous faire foutre. Je connais mes droits, et il n'est pas question que je sorte.

— Woggle, c'est Chloe qui vous parle. Nous ne vous virons pas. La police souhaite vous interroger. Prenez vos affaires. »

Il y eut un silence stupéfait.

« Putain, mais t'as fait quoi ? demanda Garry.

— Rien, c'est des conneries, je ne sors pas. Il faudra qu'ils viennent me chercher. »

Ce qu'ils firent. Ce soir-là, le public assista à l'un des coups de maître télévisuels de l'année et vit trois policiers en uniforme pénétrer dans la maison de Voyeur Prod. et arrêter Woggle pour agression. La plupart des autres résidents étaient trop choqués pour réagir, mais Dervla – dans une tentative indéniablement géniale de manipulation du public – s'attribua brusquement le rôle de l'amie de l'oppressé, de la fille énergique et prompte à la réflexion. Elle quitta d'un bond le canapé pour donner à Woggle le nom de son conseiller juridique.

« Insiste pour qu'on t'autorise à chercher le numéro dans l'annuaire, lui dit-elle avec un accent irlandais plus marqué qu'à l'ordinaire, imaginant peut-être ces intonations mieux adaptées à une protestation en faveur des libertés civiques. Si tu appelles les renseignements, ils te diront que tu as utilisé ton coup de fil. Je connais leurs trucs. »

David n'entendait pas se faire éclipser. Il s'interposa hardiment entre le policier et Woggle, lequel était encore assis par terre.

« Sachez, messieurs, que j'ai mémorisé tous vos visages et vos matricules. Je suis comédien, j'ai de l'entraînement. S'il arrive quoi que ce soit à M. Woggle, vous devrez m'en répondre. »

L'intervention ne manquait pas de panache, et elle en aurait eu davantage encore si le chef de l'escouade n'avait renvoyé David plus bas que terre en soulignant que, selon lui, l'arrestation étant enregistrée par six caméras vidéo, identifier les policiers ne poserait guère problème. Puis l'homme se tourna vers Woggle.

« Levez-vous, monsieur, s'il vous plaît.

— Non. Je ne bougerai pas. Je suis le préféré du Voyeur. Libérez le préféré du Voyeur !

— Vous ne pouvez pas l'arrêter parce qu'il a des puces, dit Dervla.

— Et pourquoi pas ? intervint Garry. Ç'aurait déjà dû être fait depuis longtemps. »

Kelly s'avança et déposa des pommes et des biscuits sur les genoux de Woggle. « Si jamais ils ne te nourrissent pas.

— Kelly ! Par pitié ! ricana David. Comme si t'en avais quelque chose à foutre.

— C'est un être humain, protesta Kelly.

158

« — Ça reste à débattre », lança Jazz depuis le coin cuisine, où il mettait la bouilloire en marche en s'efforçant d'afficher un air détendu et indifférent.

« Je suis jeune, je suis doué et je suis Black, proclamait son attitude branchée et décontractée. Les flics se pointent tous les jours à ma porte. » En fait, Jazz n'avait jamais été arrêté de sa vie, mais sa pose avait de la gueule et son classement auprès du public grimpa en flèche.

« Nous nous portons témoins de cette arrestation, dit fermement Dervla.

— Oui, absolument », renchérit Moon, assez faiblement.

Hamish sembla décider qu'il n'avait pas sa place dans cette compétition. Aussi, fidèle à son plan selon lequel seuls étaient sélectionnés ceux qui se faisaient remarquer, il partit s'allonger dans la chambre des garçons.

« Monsieur, déclara le chef de la brigade, nous ignorons votre nom et ne connaissons que votre sobriquet. En revanche, nous avons une solide preuve photographique qui laisse à penser que vous êtes la personne recherchée par la police du Lincolnshire pour l'agression caractérisée dont a été victime une certaine Lucy Brannigan, une jeune fille âgée de quinze ans à l'époque des faits. »

Les autres occupants de la maison s'arrêtèrent net, abasourdis.

« Quoi ? Une agression sexuelle ? demanda Garry.

— Suivez-nous, monsieur.

— Woggle ! J'peux pas y croire ! s'écria Jazz. J'savais que t'étais un p'tit merdeux crade et dégueu, mais jamais j'aurais pensé que t'étais un maniaque. »

Tout le monde prit ses distances envers la petite silhouette accroupie dans l'angle de la pièce. Dervla jeta l'éponge et disparut dans la chambre des filles.

Woggle n'allait pas supporter ça. « C'était une meurtrière de renards ! hurla-t-il. Une tortionnaire d'animaux ! C'était un combat loyal et je lui ai filé un coup
de pied dans la tête. Elle le méritait, cette fasciste ! Quiconque se sert de l'épée périra par l'épée. »

Comme pour illustrer cette assertion, les policiers
soulevèrent Woggle pour l'emporter manu militari.
Il se débattit tel un beau diable, et, au moment où le
convoi passait la porte, la couverture glissa, dévoilant
son corps maigrichon, encore nu et couvert de poudre
antipuces.

Il avait l'air pathétique. C'était la dernière indignité.


## TRENTE-QUATRIÈME JOUR, 23 H 50

Sur le trajet du retour, Coleridge tenta de bannir
Woggle de son esprit en écoutant Radio 4, une station
qu'il appréciait car, invariablement, n'importe lequel
des thèmes débattus à l'antenne l'intéressait. Plus d'une
fois, parvenu devant chez lui, il était resté dans la voiture pour écouter la fin d'une discussion sur les assole-
ments en Afrique de l'Ouest ou quelque autre sujet dont
il n'avait jamais entendu parler et auquel il ne repense-
rait plus jamais. Même la météo marine était agréable ;
elle faisait resurgir de curieuses émotions et ressuscitait
des souvenirs fulgurants de côtes aux rochers sombres,
de typhons déchaînés et de longues observations nocturnes en solitaire.

Le sujet abordé ce soir-là, tandis que Coleridge rentrait chez lui, concernait une récession économique
dans l'Irlande rurale. L'exode de l'argent et des jeunes
gens vers les villes, associé aux coupes dans les subven-
tions agricoles européennes, avait laissé certains villa-

ges dans une situation financière désespérée. Emprunts et hypothèques avaient acculé maints foyers au comble du désespoir. Coleridge tendit l'oreille à la mention de l'un des villages les plus touchés, Ballymagoon. Où diable avait-il entendu récemment ce nom ?

Ce n'est qu'en ouvrant sa seconde canette de bière (qu'il hésitait à accompagner d'un morceau de jambon) que l'inspecteur se souvint. Il avait lu ce nom dans le dossier de l'un des suspects. Ballymagoon était le nom du village natal de Dervla.


## TRENTE-CINQUIÈME JOUR, 9 H 30

« *C'est le quinzième jour dans la maison. Après le dîner, pour leur changer les idées après l'arrestation de Woggle, le Voyeur a proposé aux participants un thème de discussion*, entonna pompeusement Andy. *Le thème de ce soir concerne leurs sentiments les plus profonds.* »

Coleridge vida la deuxième tasse de thé de sa journée de travail. Celles qu'il avait bues chez lui ne comptaient pas.

Trisha entra en coup de vent, en ôtant son manteau.

« Vous arrivez juste à temps, Patricia. Nos suspects sont sur le point de discuter du plus important et plus sublime sujet qui soit : eux-mêmes.

— Les suspects *et* la victime, monsieur. »

Il était encore tôt, et Trisha n'était pas d'humeur à supporter le ton de supériorité de Coleridge ; d'autre part, elle trouvait que la victime méritait un minimum de respect. Coleridge esquissa un sourire las.

Sur l'écran, Garry avait pris la parole. « Je ne vais pas vous raconter des conneries. Je n'ai pas toujours été quelqu'un de bien.

— Tu l'es toujours pas », lança Jazz. Mais au lieu de rire, chacun s'en tint à l'expression sérieuse et attentive qu'il avait adoptée lorsque Garry avait commencé à parler.

Coleridge appuya sur la touche « pause ». « Vous voyez comment aucun d'eux ne partage la blague de Jazz? C'est l'heure des confessions. C'est du sérieux. C'est une question de foi. Garry est en train de célébrer le culte de sa propre importance devant l'autel, et Jazz rigole dans l'église.

— Monsieur, si nous devons nous arrêter chaque fois que ces gens vous tapent sur le système, nous n'arriverons jamais au bout de cette cassette. Sans parler des autres.

— C'est plus fort que moi, Patricia. Ils me laminent. » Mais Coleridge savait que c'était là une réaction idiote et il résolut de faire un effort.

Garry commença son histoire. « Comme je disais, j'ai été un drôle de mec, si vous voyez ce que je veux dire. Des petits trucs par-ci, des petits trucs par-là, des embrouilles pas nettes, quelques plans pourris que j'en suis pas fier, mais en fin de compte, c'est clair, je les ai faits, je suis comme ça, et je peux rien y changer. La vérité, c'est que je voulais m'éclater, et je me prenais pas trop la tête avant de m'attaquer à quelqu'un pour y arriver. Vous comprenez ce que je dis? »

Il y eut des murmures de sympathie, quoique peu enthousiastes.

« La vérité, je crois, c'est que je m'aimais pas. »

Là, le groupe unanime hocha la tête avec sincérité. Cela, ils le comprenaient. Ils n'avaient pas forcément connu, comme Garry, les bagarres, les excès dus à l'alcool ou les trafics louches, mais, quand on en arrivait au thème clé du désamour de soi, ils comprenaient tout à fait ce qu'il voulait dire.

162

« Putain, en fin de compte, je te capte cinq sur cinq, dit Moon.

— Je pense pas que je m'en donnais les moyens », reprit Garry.

La résolution de Coleridge de se tenir tranquille avait duré moins d'une minute : « Pour l'amour du ciel ! Pourquoi parlent-ils tous comme s'ils étaient en analyse ? Même *Garry*. Non mais écoutez-le ! "Je ne pense pas que je m'en donnais les moyens." Qu'est-ce que ça veut dire ? C'est un *voyou*, nom d'un chien ! Pas un diplômé de sociologie ! Où donc apprennent-ils toutes ces phrases creuses et ridicules ?

— Chez Oprah, monsieur.

— Chez qui ? »

Trisha, incapable de déterminer si Coleridge plaisantait, ne releva pas.

Dans la maison, bien loin d'imaginer l'agacement qu'ils susciteraient un jour chez un officier de police quinquagénaire, les colocataires poursuivaient leurs confessions.

« Je vois *super bien* ce que tu veux dire, vraiment, disait Moon. Et je trouve que c'est mortellement puissant de ta part de pouvoir le dire. »

Nourri de ce soutien, Garry poursuivit, plein d'un narcissisme déguisé en haine de lui-même. « Bref, à l'époque, j'étais à fond dans la coke, j'étais assez accro, je cramais cinq billets de cent par semaine, direct dans le tarin. C'était genre "oui, avec plaisir, merci beaucoup". C'était le pied. Sniffer mille livres de matos, c'était que dalle pour moi. Que dalle. J'en suis pas fier, c'est clair, mais j'étais comme ça. Je m'éclatais, et ce que je voulais, je l'avais. Vous pigez ? J'étais un sale type. J'en suis pas fier. »

Coleridge songea à faire remarquer que, pour quelqu'un qui proclamait haut et fort ne pas être fier de sa

conduite, Garry ne ménageait pas sa peine pour prouver précisément le contraire au monde entier. Mais il
renonça, car il voyait bien que Patricia commençait à
en avoir assez de lui.

Sur l'écran, le groupe gratifia Garry de hochements
de tête sincères, mais qui trahissaient leur vive impatience d'occuper à leur tour le devant de la scène.

« Mais vous savez ce qui m'a sauvé ? Ce qui m'en a
vraiment sorti ? » Un brusque sanglot étouffa le jeune
homme. Des larmes enflèrent dans ses yeux et sa voix
se fêla.

« Ne continue pas si tu ne le sens pas, mon pote, dit
David, la voix inondée d'un concentré de sympathie
et de sincérité. Fais une pause. Prends ton temps. Bon,
quand je…

— Non, non », s'empressa de protester Garry. Il
n'allait pas lâcher prise aussi facilement, surtout pas
maintenant qu'il était sur les rails. « Ça va, mon pote,
merci, mais ça aide d'en parler. »

David se renfonça dans le canapé.

Et Garry reprit le fil de son histoire. « Je vais vous
dire ce qui m'a fait changer. Mon petit bout de chou,
mon petit Ricky. Mon môme. Il est tout pour moi, tout.
Je me ferais tuer pour lui, putain, je vous jure, je me
ferais vraiment tuer. »

La remarque suscita de nombreux hochements de
tête sincèrement convaincus. Par son langage corporel, le groupe témoignait un grand soutien. Mais leurs
yeux, eux, racontaient une tout autre histoire. Et tandis que l'image sautait de l'un à l'autre des auditeurs,
un message apparaissait clairement : « Je m'ennuie à
mourir, j'en ai rien à fiche de toi et de ton môme, ma
seule envie, c'est que *tu la boucles pour me laisser la
parole*. »

« En fait, j'ai Ricky la plupart des week-ends, voyez, et il est clairement génial ; franchement, il est incroyable. Je suis super fier de lui et tout ce qu'il dit est génial. Vous voyez ? Je déconne pas, c'est mon môme à moi et c'est le meilleur truc qui m'est jamais arrivé. » Sa voix s'enroua d'émotion, mais il persévéra.

« Un week-end, j'avais passé la nuit à m'éclater, vous voyez ce que je veux dire ? J'avais fait la totale, alcool, coke, pétard, pas de quoi faire le fier. Je me sentais pas mal à côté de mes pompes, et voilà la maman de Ricky qui me l'amène en disant : "C'est ton jour." Et là je me dis : "Oh putain de merde ! Il manquait plus que ça ! J'ai le crâne prêt à exploser et il faut que je fasse la *baby-sitter*." Alors, je lui dis : "Je le prendrai demain", mais elle, elle me fait : "Non, aujourd'hui." Et elle se casse. Là, je me dis : "Fait chier, je vais l'amener chez ma mère." Mais là, mon petit Ricky me dit : "Tu veux pas jouer avec moi, alors, papa ?" Et vous savez quoi ? Il m'a guéri de ma gueule de bois direct, rien qu'en disant ça avec son petit sourire. Du coup, je l'ai collé devant *Spot le Chien* le temps de rassembler mes esprits, et puis on est allés petit-déjeuner dans une cafétéria, et après, on est descendus jusqu'au parc et on s'est gavés de glaces et de trucs comme ça. C'était clairement génial, vraiment incroyable. Je suis super fier de lui et il peut m'apprendre tant de trucs, c'est vrai non ? Et en fin de compte, je sais que je dois privilégier chaque instant passé avec lui et le chérir, parce qu'il est ce que j'ai de plus précieux. »

Garry essuya quelques larmes. Il s'était surpris lui-même. Il ne pleurait pas beaucoup, d'ordinaire, mais balancer sur le tapis tout ce truc à propos de Ricky avait été une idée géniale. Il se sentait authentiquement ému.

Le groupe prit le temps de hocher la tête, et même si, à l'évidence, tous brûlaient d'embrayer aussitôt sur leur propre histoire, ils se retinrent, récompensant Garry d'un instant de réflexion respectueuse. Aucun d'eux ne tenait à avoir l'air de prendre les émotions d'un autre à la légère, surtout pas à la télévision. Surtout pas quand un petit gamin était concerné.

Ce fut au beau milieu de cette pause hypocrite que Kelly jeta son seau d'eau froide. « Alors tu fais quoi ici, Garry ?

— Quoi ? »

La question de Kelly ne semblait pas dictée par la malveillance, mais c'est pourtant ainsi qu'elle fut perçue.

« Ben, si c'est tellement génial d'être avec lui et qu'il t'apprend tellement de trucs, tu fais quoi ici ? Tu vas peut-être rester ici pendant deux mois, en gros. Quel âge il a ?

— Presque quatre ans. »

Garry essayait de deviner où cette fille voulait en venir. Critiquait-elle sa confession venue du fond du cœur ? Ce devait être contraire à la règle du jeu, non ?

« Ben alors, à mon avis, t'es cinglé, poursuivit Kelly. À cet âge-là, il change tous les jours, et tu vas rater ça.

— Ouais, je sais bien, c'est évident. Je vais peut-être même rater son anniversaire, et ça va me faire mal…

— Alors, tu fais quoi ici ? répéta Kelly.

— Eh ben, c'est que… c'est que… »

À ce stade-là, Coleridge, incapable de contenir plus longtemps son irritation, invectiva l'écran en hurlant presque – ce qui ne lui ressemblait vraiment pas : « Eh bien, vas-y, mon gars ! Sois franc, pour une fois dans ta vie ! Bien sûr que c'est évident ! C'est parce que tu as le *droit* d'être dans cette satanée maison. Tu as le *droit*

166

de faire *exactement* ce que bon te semble. Le droit de te conduire en parfait égoïste irresponsable tout en te vautrant dans la sentimentalité larmoyante de la paternité quand tu en ressens l'envie ! Allez, mon gars ! Sois un homme ! Réponds-lui !

— Monsieur, dit Trisha, *fermez-la.* » Elle s'interrompit, estomaquée par sa propre audace, puis ajouta : « Je suis désolée.

— Je n'ai rien entendu, Patricia », dit tranquillement Coleridge, en prenant une fois de plus la résolution d'essayer de se contenir.

Sur l'écran, Garry ne trouvait toujours pas ses mots.

« Me comprends pas de travers, reprit Kelly, je t'attaque pas sur le fait d'avoir un gamin, ni rien de tout ça. Ma sœur en a eu deux avec des mecs différents et ils sont trop géniaux. Je me dis juste que, si tu as un gamin, tu devrais être avec lui et t'en occuper au lieu d'être ici. C'est tout. Je veux dire, quand on voit à quel point tu l'aimes. »

Garry, généralement si prompt à la repartie qui fait mouche, resta coi.

« Ben en fait, Kelly, finit-il par répondre, je fais ça pour lui.

— Comment ça ?

— Pour qu'il soit fier de moi.

— Oh ! Je vois. »


Le lendemain soir, lors de l'émission, le docteur Ranulf Aziz, le psychologue résident de l'émission, fit bénéficier les téléspectateurs de son avis.

« Regardez le langage corporel de Garry : là il a les épaules rentrées, les mâchoires serrées, c'est une posture classique, quasi conflictuelle, avec des nuances de méchanceté semi-larvée et des accents de violence mentale. Nous observons cela dans le règne animal, lorsqu'un grand fauve se voit refuser l'accès au meilleur morceau de la prise. Garry croise les bras avec détermination, exactement comme un lion ou un tigre peut, en déplaçant son poids sur l'arrière-train, signaler à la fois sa passivité immédiate et sa volonté d'attaquer avec une violence et une fureur extrêmes. »

Chloe, la petite nana pétillante, crâne, fofolle et nigaude de *Résidence surveillée*, arbora sa grimace intelligente : « En somme, vous voulez dire que Garry est un peu énervé.

— Tout à fait, Chloe. Garry est complètement énervé. »


Garry était plus qu'énervé. La fureur lui coupait la parole, son cœur et son esprit bouillonnaient de douleur et de rage.

Il le cachait bien, en ce sens qu'il avait juste l'air furieux. « Ouais, bon, comme tu veux, dit-il.

— Il n'y a aucun sous-entendu dans ce que je dis, insista Kelly.

— Ouais, ça va, c'est bon, répéta Garry. Quelqu'un veut du thé ? » Il tourna le dos au groupe, mais il était impossible d'échapper à l'œil du Voyeur, et une mini-caméra motorisée le traqua jusqu'à l'endroit où se trouvait la bouilloire. Le jeune homme avait les larmes aux yeux et il mordait si fort sa lèvre qu'on pouvait voir apparaître un mince filet de sang.

Comment osait-elle ? C'était invraisemblable. Ce n'était pas sa faute si lui et la mère ne s'entendaient plus. Il était supposé faire quoi ? Camper devant leur baraque vingt-quatre heures sur vingt-quatre ? Il fallait bien qu'il vive sa vie, non ?

Il aimait son môme. Vraiment. Elle n'avait pas le droit. Vraiment pas.

## DIX-SEPTIÈME JOUR, 10 HEURES

Layla n'était de retour à son travail que depuis une heure lorsqu'elle en repartit.

De retour au travail ? C'était inimaginable. Atroce. Destructeur.

De tout le temps qu'elle avait passé dans la maison – et, en fait, depuis le jour où elle avait appris la nouvelle, ô combien excitante, qu'elle avait été sélectionnée pour intégrer l'équipe de *Résidence surveillée* –, Layla avait à peine osé penser à ce qu'elle ferait trois jours après sa sortie. Évidemment, elle s'était autorisé quelques rêves et, dans ses fantasmes les plus fous, elle s'était imaginé jongler avec les propositions : dessiner de fabuleux vêtements, présenter à la télé de passionnantes émissions consacrées aux produits de beauté et à la culture alternative. Dans ses pires moments de peur et de doute, elle avait craint de faire les choux gras des tabloïds et de devoir participer à des émissions de radio pour défendre l'excentricité de son style hippie. Mais jamais de la vie elle n'avait imaginé qu'elle retournerait travailler.

Le détail cruel était qu'elle n'intéressait personne. Dans les premiers temps de *Résidence surveillée*, il n'y en avait eu que pour l'ascension et la chute spectaculaire de Woggle, et même cette histoire appartenait désormais au passé. L'émission s'était poursuivie. Layla n'avait eu d'utilité pour la presse que dans la mesure où elle pouvait parler de Woggle et, maintenant que cette unique petite source de notoriété était tarie, elle n'était plus que la hippie jolie, mais superficielle, qui s'était fait virer en premier.

Celle qui écrivait de la poésie de merde. Celle qui était si manifestement absorbée par la beauté et la magnificence de sa petite personne.

C'était ainsi que les gens de Voyeur Prod. l'avaient montrée – quand ils avaient daigné la montrer. Une idiote prétentieuse, qui devait son unique possibilité de rachat au fait d'être éminemment baisable. De toute façon, l'histoire autour de Woggle avait relégué les affaires de cœur au dernier rang des préoccupations de Voyeur Prod., et elle n'avait même pas pu exploiter cet aspect avilissant du jeu.

Par-dessus le marché, en guise d'ultime prestation dans la maison, elle était allée déclarer au monde entier qu'elle avait des essaims de piqûres de puce infectées autour de l'anus. De ses ultimes vociférations, Geraldine n'avait diffusé que cet unique fragment, et l'attirance sexuelle que la jeune femme aurait pu exercer, une fois sortie, s'en était trouvée considérablement amoindrie.

Entrée dans la maison avec une chance de briller au firmament, Layla, la fringante starlette, en était ressortie à peine deux semaines plus tard, métamorphosée en pitoyable perdante. Même ses amis la regardaient d'un œil différent.

« Tu n'aurais pas pu empêcher les autres d'être aussi vaches avec Woggle ? s'enquit le plus radical d'entre eux. Franchement, en un sens, il avait raison. Quelle différence y a-t-il entre un renard et une puce ?

— Je pense que tu aurais dû laisser David lire ton poème quand il te l'a proposé, lui dit sa mère. Je crains que ton refus ne soit passé pour de la préciosité, ma chérie. »

Layla avait l'impression que sa vie était fichue, et pour quoi ? Pour rien. Elle ne récoltait que du mépris et, de façon plus urgente, elle était fauchée. Voyeur Prod. ne rémunérait pas ses concurrents (à l'exception du gagnant). Tous bénéficiaient, le temps de leur séjour dans la maison, d'une allocation pour régler leur loyer et honorer leurs remboursements de prêts, mais rien de plus. Les ex-participants étaient censés se débrouiller par eux-mêmes, mais, pour Layla, les seules propositions d'emploi rémunéré depuis sa sortie consistaient à poser nue pour des magazines masculins. Pour finir, entre les courses hebdomadaires et les factures à payer, elle n'avait eu d'autre choix que de demander à reprendre son ancien boulot – vendeuse dans une boutique de vêtements de créateur.

« Pourquoi veux-tu revenir ? s'étonna le responsable de la boutique. Tu es célèbre, tu es passée à la télé, tu devrais continuer sur ta lancée. »

Personne n'arrivait à croire que Layla, qu'on avait pu voir tous les soirs à la télé pendant quinze jours, puisse avoir besoin de travailler dans un magasin.

C'était pourtant le cas, et son patron la réembaucha avec joie, ravi de compter une célébrité dans son personnel. Ravi, toutefois, jusqu'à ce qu'il retrouve sa boutique envahie d'abrutis désœuvrés qui venaient se planquer derrière des portants de robes pour se moquer de quelqu'un qui était passé à la télé.

« J'ai voté pour que tu sortes, la nargua un adolescent à l'air vicieux. J'ai appelé deux fois.

— J'ai vu un de tes seins pendant que tu étais sous la douche, lui déclara un autre.

— Alors, tu penses que Kelly va se faire Hamish ? »

Tous l'appelaient Layla. Ils connaissaient son prénom, ils *la* connaissaient, ou du moins le pensaient-ils.

Un homme entre deux âges lui apporta une petite bouteille d'huile de noisette – geste que Layla trouva d'abord touchant, jusqu'à ce que le bonhomme lui demande de sortir avec elle : elle réalisa alors que, dans l'esprit des gens, le genre de fille qui participait à *Résidence surveillée* (et s'en faisait éjecter au premier coup) était une fille susceptible de baiser avec le premier venu en échange de la moitié des ingrédients d'une vinaigrette.

Peu après 10 heures, un photographe du journal local se présenta. « Au jeu du "Que sont-ils devenus ?", vous devez être l'étoile filante la plus rapide de toute l'histoire du show-biz », lui dit-il en la mitraillant sans sa permission.

C'était le directeur de la boutique qui avait appelé le journal. « Je pensais te faire plaisir, Layla. Après tout, tu as bien fait ça pour la publicité, non ? »

Layla reposa le pull qu'elle essayait de replier depuis un bon moment, prit neuf livres cinquante dans le tiroir-caisse (le salaire d'une heure de travail) et rentra chez elle. Puis elle appela les Renseignements pour obtenir le numéro du magazine *Men Only*.

Ils furent enchantés de son appel. « Nous nous demandions si vous seriez partante pour des clichés érotiques lesbiens avec cette superbe fille qui a fait refaire sa cuisine dans *Changing Rooms* ? »

Layla raccrocha, en proie à une colère noire. Une colère dirigée, certes, contre Voyeur Prod., mais plus particulièrement contre ceux qui l'avaient sélectionnée pour l'élimination. Elle se tortura en visionnant la cassette en boucle. Ils étaient là, assis dans sa télé, tellement autosuffisants, tellement convaincus de leur importance. Ils avaient scellé son destin, ils l'avaient condamnée à sortir la première.

David. Dervla. Garry et *Kelly*.

C'est d'elle que venait la véritable humiliation, de cette petite garce qui jouait à la femme libérée et qui avait eu le culot de la sélectionner, *elle*.

Mais elle haïssait aussi Dervla. Ces paroles ambiguës prononcées dans le confessionnal se consumaient dans son esprit. « C'est une fille vraiment gentille, foncièrement douce et généreuse, mais il me semble que, finalement, sa gentillesse s'épanouirait bien mieux à l'extérieur de la maison. » Quelle sale garce prétentieuse et hypocrite ! La vérité, c'était qu'elle avait souhaité le départ de Layla pour éviter qu'une fille plus jolie et plus intelligente qu'elle n'accapare les suffrages masculins susceptibles de faire pencher la balance.

Dervla et Kelly. Pour une raison ou une autre, la trahison des femmes était la plus douloureuse. Sans doute parce que Layla sentait que, pour ce qui était d'*être* une femme, elle les coiffait au poteau. Elles auraient dû la soutenir, elles auraient dû reconnaître en elle leur championne contre des tocards comme David, ou des voyous tels que Garry et Jazz. Leur rejet, lui semblait-il, était presque sexiste.

Dervla et Kelly. Ces deux-là, elle les haïssait vraiment. Mais Kelly tout particulièrement. Cette même Kelly qui l'avait sélectionnée pour ensuite la serrer dans ses bras, et qui, quand le public l'avait éliminée, l'avait embrassée en lui disant qu'elle l'aimait. Kelly, qui, en feignant d'être bouleversée, n'avait fait qu'accroître son humiliation en la ridiculisant devant tout le monde.


DIX-SEPTIÈME JOUR, 20 HEURES

Deux jours s'étaient écoulés depuis le départ de Woggle, et l'expérience de *Résidence surveillée* était redevenue ce qu'elle était à la base : un concert de jérémiades, de médisances et de questions visant à déterminer vers qui allaient les désirs des uns et des autres.

« *C'est le dix-septième jour*, annonça Andy. *Après le déjeuner, un plat de pâtes aux légumes préparé par Sally, le groupe discute du premier amour.* »

« Ben, ça doit être le Chelsea Football Club, dit Garry. On n'oublie jamais la première fois qu'on voit les Bleus.

— Parce qu'ils sont nuls à chier, approuva Jazz.

— Même quand ils sont nuls à chier, ils sont magnifiques.

— On parle d'amour au sens propre, Garry, intervint Moon. Pas de ton putain de football.

— Hé, la meuf ! Mais moi aussi, je te parle d'amour au sens propre. Regarde les choses en face, l'amour qu'un mec éprouve pour son équipe est plus fort que tout. Réfléchis, quoi ! Y a des tas de nanas que j'ai envie de me taper, tous les mecs ont envie de se taper des tas de nanas… Bon, sauf les tantes. Eux, c'est clair, ils ont envie de se taper des tas de mecs. Mais bon, pédés ou hétéros, les hommes aiment bien coucher à droite à gauche, point. Mais quand il s'agit de foot, t'es supporter d'une seule équipe, non ? Tu es *fidèle*, Moon, c'est l'amour, le vrai. »

Geraldine Hennessy, qui observait la scène tapie dans les profondeurs de la salle de régie, constata que, sans Woggle, la vie à l'intérieur de la maison commençait à sembler morne. Il lui fallait trouver une idée pour redonner un peu de peps à l'ensemble, et vite. Sa solution consista à fournir plus d'alcool aux locataires.

« Quelle est la toute première raison qui pousse les gens à regarder ce type d'émission ? » demanda-t-elle à son équipe le lendemain, lors de la réunion du matin. Personne ne répondit. Tous les larbins de Geraldine apprenaient rapidement que la plupart des questions de la dame étaient purement rhétoriques.

« Voir s'il n'y a pas des locataires qui baisent. N'ai-je pas raison ? Si, évidemment. Quand vous creusez bien, il n'est question que de ça. Mais, en général, cela n'arrive jamais, n'est-ce pas ? En fait, personne ne baise. Nous continuons tous à faire comme si ça allait arriver, nous, les journaux et cette saloperie de BSC[1]. Nous faisons tous *semblant* de trouver ça totalement excitant, même si ça crève les yeux que ça ne l'est pas. Parce que, en fait, jamais personne ne passe à l'acte. Et pourquoi ? Voilà la question que je me pose. »

C'était bien à elle et à personne d'autre qu'elle la posait, car ses larbins, intimidés, demeurèrent silencieux.

« Parce que personne n'est jamais assez soûl, voilà pourquoi ! Ce qui, en deux mots, est le problème de la télé-réalité ! Jamais assez de gnôle ! Oh, on peut leur donner des Jacuzzi, et des salles de massage, et des cabanes pour s'envoyer en l'air et toutes les conneries qu'on voudra, mais à terme, personne ne va faire de cochonneries, ne va tremper le biscuit, ouvrir la moule, faire chauffer la saucisse ni embrocher le monstre à barbe sur le serpent borgne tant qu'ils ne seront pas complètement bourrés ! »

Tous piquèrent du nez dans leurs notes d'un air embarrassé. Ils avaient beau se savoir engagés dans un

---

1. Broadcasting Standards Commission : organisme britannique de contrôle des émissions de radio et de télévision, équivalent du CSA en France. *(N.d.T.)*

exercice plutôt indigne, ils déploraient ardemment que Geraldine s'y complaise aussi ouvertement.

Elle annonça ensuite qu'elle changeait les règles et séparerait désormais les budgets de nourriture et d'alcool, afin d'éliminer la sempiternelle contrainte de devoir sacrifier un repas pour une boisson.

Une fois rendue publique, la nouvelle déclencha naturellement les protestations des comités de vigilance et des évêques. Geraldine riposta par des arguments très moralisateurs, selon sa tactique coutumière pour se justifier de descendre dans le caniveau. « Nous pensons que les gens doivent être traités en adultes, répliqua-t-elle avec dédain. Si vous mettez en branle une expérience aussi valable que la nôtre pour ensuite la policer de l'extérieur, comme s'il s'agissait d'un voyage scolaire, vous n'apprenez rien sur les gens impliqués. Notre intention est de faciliter et d'encourager d'authentiques interactions sociales. »

Personne, évidemment, ne fut dupe. Les tabloïds résumèrent cela plus succinctement dans leurs gros titres : « C'est *Résidence décalquée* ! Soûlons-les et regardons-les baiser ! »

Bien entendu, même Geraldine se devait de poser une limite. Ces gens étaient bouclés, pendant des semaines entières, dans une maison sans télé, sans aucun matériel pour écrire, ils étaient privés de notion de l'heure et n'avaient presque rien à faire sinon relever quelques défis débiles. Si on leur en laissait l'occasion, la plupart des gens, dans cette même situation, commenceraient à boire dès le matin, au saut du lit, et continueraient jusqu'à tomber dans le coma, le soir. Cela, Voyeur Prod. ne pouvait pas se le permettre. Il existait tout de même des règles strictes à observer à l'antenne. En conséquence, Voyeur Prod. prohiba l'alcool dans la journée et le rationna également les soirs de semaine. Les week-ends, en revanche, c'était la fête et les colocataires pouvaient avoir autant d'alcool qu'ils le désiraient.

« Et j'ai toujours eu une règle dans la vie : le week-end commence le jeudi soir », ajouta Geraldine lors d'une conférence de presse.

Cet après-midi-là – soit le jeudi qui suivit l'élimination de Layla et l'arrestation de Woggle –, le cellier où Voyeur Prod. déposait les courses de la maison fut rempli d'alcool.

En des circonstances normales, jeudi aurait dû être synonyme de nouvelles sélections en vue de la prochaine élimination, mais, en raison du départ imprévu de Woggle, on annonça que les éliminations étaient annulées ce week-end-là et que le cours normal des choses reprendrait le jeudi suivant. Si jamais il y avait besoin d'un motif pour faire la fête, celui-ci en était un tout trouvé.

## TRENTE-SIXIÈME JOUR, 13 HEURES

Coleridge avait consacré une autre matinée infructueuse à arpenter la maquette de la maison aux Shepperton Film Studios, et à se triturer l'esprit dans l'espoir qu'en jaillirait une étincelle de perspicacité qui l'aiderait à bâtir une théorie.

Quelque chose se formait dans son esprit ; les prémices d'une idée. Mais cela demeurait une hypothèse, sans grand-chose jusque-là pour l'étayer. Toutefois, mieux valait avoir une hypothèse à se mettre sous la dent que rien, même si, au final, l'hypothèse en question se révélait une fausse piste. Il regagna le commissariat, où l'attendait un fax de la police irlandaise en réponse aux informations qu'il avait demandées concernant Ballymagoon, ce village irlandais au centre d'une récession économique dont il avait entendu parler à la radio. Le village d'où Dervla était originaire.

*La famille du suspect réside toujours dans le village*, disait le mémo. *Les deux parents et deux sœurs cadettes habitent encore la maison familiale. La famille ne semble pas avoir échappé aux effets négatifs de la récession. Considérables difficultés financières, voiture vendue, hypothèque sur la maison et la ferme, montagne de dettes. Récemment, demande de prêt refusée.*

Eh bien, songea Coleridge, si jamais une fille avait eu une raison pressante de gagner un demi-million de livres, c'était bien Dervla. D'un autre côté, des années d'expérience lui avaient appris que la plupart des gens n'avaient nul besoin de raison pressante pour convoiter un demi-million de livres.

Quoi qu'il en soit, les parents de Dervla risquaient de perdre leur ferme. Et qu'une fille comme elle se soit portée volontaire pour participer à *Résidence surveillée* relevait d'un choix plutôt curieux. De tous les résidents, elle était sans aucun doute la plus… L'inspecteur se creusa la tête… « Belle » s'imposa à lui, mais il repoussa une fois de plus ce qualificatif, et lui préféra « différente ». Dervla était différente des autres candidats.

Sans aucun doute, quand on examinait la question du mobile, l'argent arrivait toujours en bonne place. Et, pour peu que s'en mêle un imminent déshonneur familial, il devenait un excellent mobile… Sauf qu'assassiner un de ses colocataires n'offrait que de faibles chances de lui garantir la victoire. Le jeu en était seulement à sa quatrième semaine, sept autres candidats demeuraient en lice, et il semblait peu probable que Dervla ait eu l'intention de tous les assassiner.

Elle n'avait même pas pu savoir qu'elle était l'une des candidates populaires auprès du public, puisque tous les résidents ignoraient ce que les gens, à l'extérieur, pensaient d'eux.

Que tirer d'autre de ce fax, sinon le conserver en vue d'une utilisation ultérieure ? L'inspecteur le classa dans le dossier de Dervla et pria un assistant d'ajouter le mot « mobile » à côté de sa photo sur la Carte. Puis il rejoignit Trisha et Hooper à leur poste habituel, devant le magnétoscope.

Ils étaient en train de visionner la dix-huitième journée.

« Regardez tout cet alcool. Il doit y en avoir pour cent livres au bas mot, remarqua Trisha.

— C'était le seul moyen pour que l'émission continue à marcher, répliqua Hooper. Geraldine Hennessy s'en est pas mal expliquée à la presse à ce moment-là.

— Ces gens ont évidemment réalisé qu'ils se faisaient manipuler ? observa Coleridge. Les enivrer constitue une manœuvre d'une telle transparence.

— *Bien évidemment* qu'ils l'ont réalisé, monsieur, mais vous devez essayer de comprendre qu'ils ne sont pas comme vous. *Ils s'en fichent.* Et franchement, si j'étais coincé dans une maison avec David et sa guitare pendant des semaines entières, et si quelqu'un me collait cinq bouteilles d'alcool sur la table, je m'y mettrais moi aussi.

— Mais ils n'ont donc aucun sens de l'intimité ? De la dignité ? »

Hooper échoua à camoufler plus longtemps son exaspération. « Écoutez, monsieur, ils se sont tous portés volontaires pour participer à cette émission et, depuis le début, ils se baladent en slip, alors je serais enclin à penser que la réponse est non.

— Ne prenez pas ce ton-là avec moi, sergent.

— Quel ton, monsieur ?

— Vous savez parfaitement lequel, bon sang !

— Non, je l'ignore.

— Eh bien, quoi qu'il en soit, ne le prenez pas. »

Sur l'écran, pendant que les autres entamaient leur soirée éthylique, Moon s'éclipsa au confessionnal. « Je voulais juste dire un truc… J'ai repensé à la blague que j'ai faite à Sally et aux filles l'autre soir, quand j'ai raconté que j'avais été abusée et placée en institution… »

Moon se lança alors dans un interminable radotage à son sujet : oui, elle avait un petit côté gangster et elle était toujours prête à s'éclater ; oui, elle avait son franc-parler, et, quand elle avait envie de dire un truc, elle le disait ; et, en fin de compte, les gens allaient devoir la prendre comme elle était. Enfin, elle en arriva aux excuses.

« Je veux pas que les gens pensent que c'était par méchanceté, surtout qu'après, je l'ai entendue pleurer, et j'imagine que le public l'a entendue aussi. Bon, d'après moi, en fin de compte, c'était aller un peu loin, comme réaction… Si Sally s'est fait tripoter ou Dieu sait quoi d'autre, et si elle souffre d'un genre de maladie mentale ou je sais pas quoi, bon, OK, elle a eu raison, c'est clair. En fin de compte, moi non plus ça me plairait pas, si je pensais que quelqu'un se fout de ma gueule parce que je suis cinglée, surtout si je l'étais vraiment, comme elle, à ce qu'on dirait. Mais bon, attention ! J'ai pas dit qu'elle l'était. Vous me suivez ? Bon voilà, c'est tout. Vous voyez ce que je veux dire, hein ? »

Tout cela était nouveau pour Coleridge. Geraldine n'avait jamais diffusé la susdite conversation qui avait eu lieu dans la chambre des filles ; pas plus qu'elle n'avait diffusé les excuses de Moon dans le confessionnal.

« Sally a des problèmes de santé mentale ? s'enquit Coleridge.

— Il paraîtrait, répondit Trisha en éjectant la cassette. J'ai parlé avec Fogarty, le monteur. Il m'a dit que c'est

180

grosso modo ce qu'a raconté Sally un soir où les filles bavardaient. Ils n'ont jamais diffusé cette scène, mais Gégé la Geôlière a conservé la cassette pour un éventuel usage ultérieur. Voilà pourquoi nous ne l'avons pas vue lors de notre première pêche aux renseignements, c'était encore caché dans le fichier des rushes sur le disque dur. Fogarty l'a envoyée. La voilà. »

Coleridge, Hooper et Trisha prirent donc connaissance de la conversation qui s'était tenue dans la chambre des filles le soir du huitième jour, quand Moon avait menti sur son passé et que Sally s'était montrée éminemment susceptible au sujet des désordres mentaux. Et, tandis que les policiers regardaient cette scène, une phrase se détacha des autres. Une phrase que Sally, assise dans l'obscurité, avait prononcée d'une voix tremblante d'émotion.

« ... et puis, une fois tous les trente-six du mois, quand il se passe un truc, quand un pauvre schizo qu'on n'aurait jamais dû relâcher dans la communauté se retrouve coincé dans sa part d'ombre et plante un couteau dans la tête de quelqu'un, alors là, brusquement, toute personne un peu déprimée dans le pays devient un meurtrier en puissance. »

Trisha avait noté le code temporel du commentaire. Ils rembobinèrent la cassette pour la réécouter.

« *Plante un couteau dans la tête de quelqu'un.* »

« Plante *un couteau* dans la tête de quelqu'un. »

À la lumière des événements ultérieurs, c'était assurément un choix de mots malheureux.

« Coïncidence, selon vous ? questionna Coleridge.

— Probablement. Si Sally était la meurtrière, comment aurait-elle su, presque quatre semaines auparavant, de quelle façon elle allait procéder ? Nous avons déjà établi le fait que le meurtre avait été improvisé.

— Nous n'avons rien établi de tel, s'emporta Coleridge. Nous l'*avons* supposé, parce qu'il semble difficile d'imaginer comment le meurtre aurait pu être planifié. Cependant, *si* quelqu'un dans la maison était attiré par les couteaux, *si* l'un d'eux était mentalement prédisposé à blesser par arme blanche, nous *pourrions supposer* que la méthode du meurtre ressort moins du hasard que de la fatalité. »

Le silence se fit dans le bureau pendant quelques instants, avant que Coleridge n'ajoute : « Et Sally est une jeune femme dotée d'une très très grande force.

— Alors c'est Sally la meurtrière ? dit Trisha, un soupçon d'exaspération dans la voix. C'est une supposition affreusement lourde de conséquences à déduire d'une simple petite remarque.

— Je ne suppose rien, Patricia. Je rumine. »

Ruminer ? Disait-il cela par plaisanterie ? Qui ruminait ? Les gens pensaient, jaugeaient, pouvaient même à l'occasion méditer, mais personne n'avait jamais ruminé pendant cinquante-quatre ans.

« Sally a choisi une expression qui décrit très exactement le meurtre. Elle a dit : "Plante *un couteau* dans la tête de quelqu'un." Nous devons prendre en compte ce que cela implique.

— Si nous prenions en compte… » Trisha dompta la crainte qui lui nouait l'estomac : se pouvait-il qu'elle s'attache à la défense de Sally au nom d'une absurde solidarité féminine et sexuelle ? Elle était fermement convaincue qu'elle arrêterait avec joie une lesbienne tout autant que quelqu'un d'autre… D'un autre côté, elle enrageait que tout le monde soit si prompt à suspecter cette fille.

« Elle a beaucoup de force, répétait-on à l'envi. Beaucoup *beaucoup* de force. »

Était-ce sa faute si Sally était forte et musclée ? Trisha, pour sa part, aurait adoré être aussi forte. Quoiqu'un peu moins musclée, toutefois.

« Poursuivez, Patricia, dit Coleridge.

— Je me disais que Moon voulait peut-être nous rappeler les paroles de Sally. Qu'elle a peut-être raconté tout ça dans le confessionnal parce qu'elle voulait que nous ruminions ces phrases comme vous êtes en train de le faire, monsieur. »

Coleridge haussa un sourcil pensif. « C'est également une possibilité, concéda-t-il, au nombre de celles que nous devons ru… que nous devons sans doute garder présentes à l'esprit. »

Ils reportèrent leur attention sur l'écran.

## DIX-HUITIÈME JOUR, 20 H 15

Une fois terminé son petit laïus sur Sally, Moon sortit du confessionnal et annonça son intention de se « torcher la gueule » sans plus attendre.

« Je vais y aller carrément, dit-elle en décapsulant une canette de Special Brew. Je vais m'éclater. Je vais me torcher la gueule, et me mettre la tête dans le cul.

— C'est drôle, notre façon d'dire qu'on va passer une bonne soirée, non ? remarqua Jazz.

— Qu'est-ce que t'as, toi ? fit Moon.

— Drôle de façon de parler d'une chouille, Moon.

— Qu'est-ce que t'as, Jazz ? »

Toujours attentif aux opportunités d'exercer son baratin et de poursuivre ainsi ce qu'il considérait comme son audition publique permanente pour lancer sa carrière dans le spectacle comique, Jazz avait cru repérer là une ouverture prometteuse. « La langue anglaise est la plus riche du monde, mais t'as rien trouvé de mieux pour dire qu'tu vas t'amuser. Ce soir, je vais tellement m'éclater que je ne ferai plus la différence entre ma tête et mon cul! C'est donc rien d'autre?

— Hein? » aboya Moon.

Dervla tenta d'apporter son soutien. « Très drôle, Jazz, dit-elle en ouvrant une bouteille de vin. Je rirais volontiers, mais en fin de compte, je ne suis pas assez torchée. » Et elle sourit, en s'entourant de ses bras, comme si elle portait en elle un secret très particulier.


« *Kelly 1, Dervla 2*, lui avait écrit la main mystérieuse dans la condensation. *Tiens bon, mon cœur. XXX.* »

La destinataire de ce petit mot d'amour plaqua un immense sourire sur sa bouche écumante de dentifrice.

Ainsi donc, elle s'était hissée à la deuxième place dans l'affection du public. Pas mal du tout, au bout de deux semaines et demie à peine. Seule Kelly la devançait et Dervla se sentait bien mieux armée que Kelly pour rester dans la course. Après tout, la route serait encore longue, bien longue pour ceux qui allaient survivre, et Dervla avait confiance en ses réserves de force intérieure. Kelly, devinait-elle, était moins bien armée pour le combat : trop spontanée, trop gentille, trop vulnérable, moins apte, psychologiquement, à tenir la distance. Dervla sentait qu'il lui fallait seulement s'accrocher. Si elle survivait à l'ensemble du processus, elle gagnerait.

Voilà tout ce qu'elle avait à faire.

Survivre.


Jazz interrompit la rêverie de la jeune femme. « Alors, toi aussi, tu vas t'torcher, Dervla? dit-il en l'enlaçant amicalement. J'peux m'joindre à toi?

— Mais avec grand plaisir, cher monsieur. »

Le beau visage doux et parfumé de Jazz dégageait une agréable odeur près du sien, et son bras était puissant.

« J't'avais jamais entendue dire d'gros mots, remarqua-t-il en riant. Tu t'relâches, chérie.

— Ben tiens, même nous, les bonnes sœurs, nous aimons bien de temps à autre poser nos coiffes. »

Jazz avait une petite idée derrière la tête ; encouragé par l'attitude amicale de la jeune femme, il décida de tenter le coup. « Tu sais quoi ? Tu t'dévoiles tellement quand tu t'brosses les dents ! »

Dervla s'écarta presque d'un bond. En fait, elle sursauta si violemment que tous les deux renversèrent leurs boissons. Tous les regards convergèrent vers eux, surpris.

« Mais t'en sais quoi, putain, de la façon dont je me brosse les dents ? » rugit-elle. « Putain » était un mot rare dans la bouche de Dervla.

« Hou là, du calme, cocotte, dit Garry. Surveille ton langage. J'suis pas aussi grossier qu'toi, tu vois. »

Dervla semblait ébranlée. Elle essaya de se reprendre. « Qu'est-ce que tu veux dire, Jazz ? C'est quoi, cette histoire ? »

Jazz, perturbé par la réaction défensive de sa camarade, chercha ses mots. « Ben, ça concerne pas que toi, Dervla. C'est valable pour n'importe qui. J'dis juste que, quand les gens se brossent les dents, ils dévoilent beaucoup d'choses sur eux.

— Oh, tu parlais en général. Tu ne m'as donc pas espionnée pendant que je me brossais les dents ?

— Mais qu'est-ce tu racontes ? Que j'suis un pervers qui kiffe sur les dents ? J'ai jamais vu personne ici se brosser les dents, d'accord ? Pour la bonne raison que, lorsque j'fais mes ablutions, j'suis seul, c'est un truc intime, OK ? Mon corps est un temple, et j'vais dans la salle de bains pour l'adorer. »

Tout le monde éclata de rire, et Dervla présenta ses excuses. L'épisode clos, Jazz ne renonça pas pour autant à son potentiel comique.

« J'disais donc que j'ai jamais vu aucun d'entre vous s'brosser les dents, mais j'parie que j'sais à qui appartient chaque brosse à dents dans la salle de bains. »

La remarque suscita un instant d'attention plus ou moins ivre de la part de tous, excepté de Kelly et de Hamish. Kelly était déjà bien trop partie pour s'intéresser à la conversation. Quant à Hamish, venu dans la maison avec l'intention d'avoir des relations sexuelles à la télé, il était trop absorbé par Kelly, auprès de laquelle il sentait une ouverture possible. Il venait de poser sa main sur son genou et la jeune fille était en train de glousser.

Pendant ce temps, Jazz brodait autour de son thème. « À l'époque où une brosse à dents était un objet de consommation courante, elles se ressemblaient toutes, elles étaient d'couleurs différentes et point barre. Maintenant, ta brosse à dents est *un accessoire de mode* ! Là, on parle d'une marchandise de *designer* !

— Arrête ton bavardage et va droit au but, dit David. Quelle brosse à dents appartient à qui ?

— Hé, mec, j'plante le décor, OK ?

— Quelle brosse à dents appartient à qui ?

— Bon, celle de Garry, ça doit être la même qu'la mienne. Elle est à la mode, de couleur vive, assez dure et c'est tout c'qu'on lui d'mande. Elle a des amortisseurs antichocs, mec ! Elle a un gros manche aérodynamique, souple et arrondi qui tient bien en main, une suspension arrière et une tête détachable. Elle a aussi un repli élastique à l'avant, on dirait un pistolet à rayons, et elle a les couleurs d'Chelsea. J'me trompe, Garry ?

— Enculé ! Mais t'es un putain de Sherlock Holmes, Jazz !

— Hé oui, mon pote, parce que c'est é-lé-men-taire. Et la tienne, Dervla, à mon avis, c'est celle qui a une bande de poils qui pâlit à l'usure. »

Dervla s'efforça de conserver l'impassibilité d'un joueur de poker. « Qu'est-ce qui te fait penser ça, Jazz ?

— T'es une fille méticuleuse, non ? T'es douce et soignée et t'aimes pas t'fourrer des vieux machins crades et usés dans la bouche.

— Dommage ! hurla Garry, ce qui fit rougir Dervla.

— Putain, la ferme, Garry ! l'admonesta Jazz. Dervla est une dame, alors tu vas pas nous gonfler avec tes commentaires dégueu là où il est pas question d'tailler des pipes, OK ? Bref, Dervla, j'ai raison, non ? Quand t'as été à la pharmacie acheter une brosse pour tes p'tites quenottes parfaites, t'as choisi une brosse à poils normaux ou une de celles qui t'signalent qu'il est temps d'en changer ? »

Dervla s'empourpra de nouveau. « D'accord, tu as raison, espèce de salaud ! » Dervla éclata de rire, peut-être un peu trop fort.

« Bon, OK, Jason. » David s'entêtait à n'omettre aucune syllabe de son prénom. « La mienne, c'est laquelle ?

— Là, mec, c'est d'la tarte. Toi, c'est la bleue, celle qu'a rien du tout, ni p'tit machin articulé au milieu, ni bande pour aller plus vite. C'est juste la bonne brosse basique toute simple.

— Il se trouve que tu as raison, reconnut David, légèrement dépité. J'avoue être plutôt flatté que tu aies compris que je n'étais pas du genre à me faire avoir par ces conneries de marketing. Je veux une brosse qui fasse le boulot qu'on attend d'elle, un point c'est tout. Une brosse à dents est une brosse à dents, pas une paire de baskets ou une voiture de sport.

— Tu t'trompes, mec, lui rétorqua Jazz. J'ai jamais dit que t'étais pas un gars prétentieux, sûrement pas. Je t'ai bien calculé parce que t'es l'plus gros branleur de nous tous ici réunis. » Si Jazz riait, ce n'était pas le cas de David.

« Vraiment? Et en quoi, s'il te plaît? s'enquit ce dernier, tentant de retenir un peu de son air supérieur qui s'évaporait à la vitesse grand V.

— Parce que tu as choisi la brosse *classique*, mec! C'est comme ça qu'on appelle ce modèle, aujourd'hui. C'est pas une brosse de base que t'as dans ton verre à dents, David, sûrement pas. La tienne, c'est l'modèle *classique*, et il est pas facile à trouver d'nos jours, plein d'pharmacies ne l'ont en stock, il faut fouiller pour la dénicher entre celles en mousse rose et celles qui ont un manche transparent et courbé. Tu vois, David, la *norme* aujourd'hui, c'est la brosse gadget de couleur vive. C'est elle, la brosse de base, celle qu'achètent les gens ordinaires. La tienne, c'est l'article de designer, le modèle rétro classique, que tu dois chercher longtemps, ce que t'as fait apparemment. Comme t'as dû r'muer ciel et terre pour dégoter cette paire de tennis classiques que t'as aux pieds, et qui ont l'air d'époque. Celles-là, on les fabrique juste pour cette poignée de consommateurs qui trouvent qu'elles ont du *style* et de la *classe* et qui pour rien au monde ne suivraient une *tendance*. Ah ça non, eux jamais! Eux ils privilégient les *classiques*, et, en d'autres termes, David, c'est des branleurs. »

C'était une bonne performance, et tout le monde éclata de rire. David se sentit manifestement obligé de les imiter, mais il partit d'un rire peu convaincant. En fait, il avait l'air furieux. Il était blême. Et abasourdi. Jazz l'avait percé à jour. Il était évident qu'aux yeux de David Jazz n'avait jamais constitué une menace d'or-

188

dre intellectuel ; et pourtant, ce cuistot stagiaire grande gueule et vaniteux venait bel et bien de le faire passer pour un imbécile. Qui plus est, l'épisode serait probablement retransmis à la télévision nationale.

Dans un recoin de sa tête, David consignait dans un petit registre les noms des gens avec lesquels il avait l'intention d'être quitte un jour. Jazz venait tout juste de s'y réserver une page entière.


## DIX-HUITIÈME JOUR, 22 HEURES

Kelly annonça qu'il était temps d'aller au lit. Elle avait passé une soirée formidable, déclara-t-elle, mais là, la pièce commençait vraiment à tourner. En se levant, elle retomba et s'affala pile sur les cuisses d'Hamish.

« Pardon.

— Je t'en prie. Tu devrais le faire plus souvent. »

Kelly gloussa et glissa le bras autour de la nuque du jeune homme. « Je crois que je suis tombée sur un truc trop dur, dit-elle avec un rire éthylique. Embrasse-moi. »

Hamish, qui n'avait nul besoin de se l'entendre dire deux fois, s'exécuta. Kelly n'offrit d'abord que des lèvres pincées, mais Hamish se jeta sur elles à pleine bouche et, durant quelques secondes, Kelly répondit en faisant jouer sa mâchoire contre celle du jeune homme.


À la régie, on poussa des vivats. C'était le premier véritable baiser de la troisième saison de *Résidence surveillée*. L'équipe savait que Geraldine serait aux anges.

« S'il remonte la main sur sa poitrine, nous gagnons le magnum », dit Pru, l'assistante de Bob Fogarty, qui était de service ce soir-là.

Voyeur Prod. avait en effet promis un magnum de Dom Pérignon millésimé à l'équipe qui aurait la chance d'enregistrer le premier pelotage.

Moon, installée sur le canapé vert, n'était pas du tout impressionnée. « Putain, Kelly, si tu fais pas gaffe en fin de compte, tu vas lui aspirer toute la tête. Elles ont quel goût, ses amygdales ? »

Mais Kelly s'amusait bien. Elle était ivre et d'humeur coquine, et Hamish était un garçon mignon tout plein.

« Bon, super, déclara-t-elle en se relevant dans un équilibre instable. Maintenant, je vais au lit.

— Je vais t'aider, dit Hamish en se levant avec empressement sous les acclamations du groupe.

— Merci, mon bon monsieur, gloussa Kelly.

— N'oubliez pas que le Voyeur veille, les prévint Dervla.

— Je m'en fous », répliqua Kelly, qui s'en fichait sincèrement et venait de se raviser d'un coup. Finalement, elle n'était pas encore prête à aller au lit. Pourquoi ne pas fricoter encore un peu avec Hamish ? Elle pourrait peut-être même l'embrasser de nouveau... Après tout, c'était la fête, non ? Abandonnant leurs six colocataires à leur soirée éthylique, ils se dirigèrent d'un pas titubant vers la chambre des filles.

« Pas la peine de vous presser ! leur cria Jazz.

— Ouais, laissez-nous au moins le temps de vider les bouteilles », ajouta Garry.

À la régie, on croisait les doigts. C'était indiscutablement, à ce jour, le plus prometteur des événements d'ordre sexuel. En retenant leur souffle, les monteurs, les assistants monteurs et autres divers assistants observèrent le couple ivre titubant d'une caméra vers l'autre et tournoyant d'un écran à l'autre.

À mi-chemin de la porte de la chambre, ils s'immobilisèrent. L'idée venait de Kelly. Agrippant Hamish par sa chemise, elle lui fit franchir la grande porte coulissante, et l'entraîna dehors dans la nuit tiède. Ils vacillèrent ensemble vers la piscine et, pendant un moment, les observateurs se demandèrent s'ils auraient la chance de bénéficier d'un petit épisode aquatique naturiste.

« Vite, vite ! Caméra quatre, sous la piscine ! » rugit Pru dans son Interphone. En bas, dans le couloir de travelling qui encerclait la maison, une forme noire, ensachée comme un robot malfaisant, glissa le long du rail et jusqu'en bas de la rampe pour se placer en position d'espionnage sous le fond vitré de la piscine.

Mais le couple eut beau tanguer sur le bord du bassin en se dévorant de baisers entrecoupés d'éclats de rire, la chute n'eut pas lieu.

« Mon Dieu ! Je crois qu'ils se dirigent vers la cabane à coït ! s'exclama Pru, contenant à grand-peine son excitation. Que quelqu'un téléphone à Geraldine ! »

La cabane à coït était un bungalow de planches planté derrière la piscine, meublé d'une foule de coussins et de lampes aux lumières tamisées. On aurait dit que quelqu'un avait tenté de transformer un abri de jardin en tente d'amour des *Mille et Une Nuits*, ce qui était exactement le cas. La production l'avait installée dans l'espoir transparent que ce lieu, permettant de se soustraire aux regards indiscrets des autres colocataires, inciterait les gens à des ébats sexuels. On espérait également que les cinq caméras, pas une de moins, qui couvraient ce minuscule espace ne décourageraient pas les ardeurs.

Kelly entraîna Hamish à l'intérieur de la cabane et ils s'effondrèrent sur les coussins, dans un hoquet d'ivresse hilare.

Hamish avait des vues sur Kelly depuis le premier jour, et la présence de caméras produisait sur lui un effet aphrodisiaque. Non seulement la perspective de coucher avec Kelly devant les regards envieux de millions d'hommes lui procurait un extraordinaire frisson d'excitation, mais, en plus, il trouvait que ce serait là un formidable tremplin pour son projet : présenter un jour à la télévision son émission de sexe plus ou moins médicale – qu'il intitulait, dans ses fantasmes, *La Séquence du Dr Crac-Crac*.

Les baisers gagnaient en intensité, en longueur, en ardeur, en ivresse. C'étaient des baisers tape-à-l'œil, pâteux, gargouillants, plus exhibitionnistes que passionnés, car, en dépit de leur ébriété avancée, Kelly et Hamish ne doutaient pas une seule seconde que cet épisode serait diffusé le lendemain soir et qu'il en serait fait écho dans les journaux dès le lendemain matin.

Quelle perspective follement excitante ! Il leur suffisait de coller leur bouche l'une contre l'autre pour devenir des stars !

Aiguillonné par un désir authentique, doublé d'un pur orgueil exhibitionniste, Hamish aventura une main audacieuse sous l'ourlet du débardeur flottant de Kelly. Pour lui – comme pour les quatre millions de téléspectateurs à venir –, c'était un fait établi depuis le début de la soirée que la jeune fille ne portait pas de soutien-gorge.

« Oh… oh, ça, c'est la seconde étape », souffla Kelly en repoussant sa main.

À la régie, tous étaient sur des charbons ardents.

« Il lui a touché un sein ? On a gagné le magnum ?

— Je ne crois pas, elle l'a arrêté.

— La pute ! Allez, cocotte, laisse-le toucher ! Pense à l'Angleterre !

— Il me semble qu'il l'a touché. Franchement.

— Il va falloir attendre de voir l'enregistrement.

— Bon, y a pas le feu au lac, de toute façon. Regardez-les. »

Dans la cabane à coït, la déception d'Hamish après cette première tentative avortée appartenait déjà à l'histoire ancienne. Kelly semblait manifester un regain d'excitation.

« J'ai une idée, dit-elle. On dort ici, tu veux ? Comme ça on deviendra trop célèbres : Hamish et Kelly dorment ensemble dans le petit nid d'amour à côté de la piscine ! Ha ha ha ! » Sur quoi elle ôta son jean.

« Ouais ! » L'apparition du superbe derrière de Kelly, moulé (enfin… si l'on peut dire) dans un G-string, déclencha force gesticulations et cris de joie dans la salle de régie.

« Oh oui ! » Sur les consoles de contrôle, les doigts tremblaient littéralement.

« Allez, souffla Kelly, enlève ton fute. N'espère pas dormir dans mon petit nid d'amour avec un pantalon crade et puant. »

Hamish n'eut pas besoin de l'entendre deux fois et entreprit sur-le-champ d'ôter son pantalon immaculé. Tandis qu'il se démenait pour le faire passer par-dessus ses chaussures – qu'il avait négligé d'enlever –, chacun put découvrir l'érection qui se débattait dans son caleçon.

« Coquin! C'est pour moi que tu as fait ça? » dit Kelly, avant de remonter les couvertures sur eux.

« Merde! On n'aurait jamais dû leur donner de quoi se couvrir. »

Dans l'obscurité, sous la couverture, Kelly masqua son micro de la main et chuchota : « Ça va leur donner du matos, tu crois pas? »

Elle avait atteint sa limite. Hamish se hâta d'insister : « Pourquoi ne pas leur en donner *vraiment*, du matos? 

— Non, mais tu me prends pour qui? gloussa Kelly, qui, déjà, glissait dans le sommeil. Je suis trop crevée. » C'était un murmure si faible que même Hamish eut du mal à l'entendre. Et comme la main était toujours posée sur le micro, personne d'autre que lui n'avait pu l'entendre.

L'effet de l'alcool et des coussins moelleux se faisait ressentir. Kelly sombrait dans l'inconscience. Hamish pesta intérieurement et embrassa la jeune fille, en chuchotant contre son oreille dans l'espoir de ressusciter ses bonnes dispositions, sur lesquelles, à vrai dire, il s'était mépris.

« Non, murmura Kelly. Sois pas con. J'suis trop crevée. Trop soûle. Trop bien. »

Du moins étaient-ce là les mots qu'Hamish crut discerner, car Kelly était déjà si loin qu'elle n'articulait plus distinctement.

Hamish la tenait contre lui. Elle l'avait enlacé avant de s'endormir et n'avait pas retiré ses bras. Le jeune homme collait son corps contre le sien, un corps qui se consumait de désir. Il glissa de nouveau sa main sous le débardeur, cette même main éconduite un moment plus tôt. Cette fois, Kelly ne la repoussa pas. Elle dormait. Hamish posa sa main sur un sein.

À la régie, il n'y eut aucune festivité. Personne, dans l'équipe, ne réalisa qu'ils avaient gagné leur magnum.

« Qu'est-ce qu'ils fabriquent, là-dessous ? demanda Pru.

— Pas grand-chose, j'en ai bien peur, répondit un assistant. Ils sont trop beurrés. Je connais ça. »

Sous les couvertures, Hamish pressa légèrement le sein. Du bout des doigts, délicatement, avant de s'enhardir à jouer avec le petit anneau sexy qui ornait le téton. Il tira doucement dessus. Kelly ne remua pas d'un pouce.

Étant médecin, Hamish savait que Kelly n'était pas endormie mais bel et bien inconsciente. Quant à son propre esprit, il était plongé dans l'obscurité.

L'obscurité ! Il réalisa soudain à quel point celle-ci était profonde. Ils étaient entièrement dissimulés. Sous l'épaisseur de ces lourdes couvertures imprégnées d'une odeur forte, il faisait aussi sombre que dans une mine.

Lentement, attentif à ne pas faire remuer la couverture qui les recouvrait, Hamish glissa sa main tendue le long du corps de la jeune fille ; elle effleura d'abord ses côtes qui se soulevaient et s'abaissaient dans un mouvement ample et régulier, puis son ventre plat et doux, avant de finalement se faufiler sous le minuscule triangle du string.

Hamish était aveuglé à force d'excitation. La perspective de toucher un fruit aussi défendu avait achevé d'intoxiquer son esprit déjà ivre. À ce moment-là, Kelly laissa échapper un profond ronflement.

À la régie, l'équipe entendit ce ronflement et considéra la quasi-immobilité de la couverture qui dissimulait les deux colocataires : désabusé, chacun en déduisit que toute cette belle excitation était retombée.

Ce qui était loin d'être le cas : elle avait atteint son paroxysme. Hamish avait à présent la main entre les jambes de la jeune fille. Il la caressait, il l'explorait, et il découvrit, fort surpris, que Kelly possédait un petit secret… Sa lèvre était percée. Cela, elle n'en avait parlé à personne. Elle avait plusieurs fois mentionné ses anneaux aux tétons, mais cette pièce de joaillerie plus intime, elle l'avait gardée pour elle seule. Jusqu'à maintenant.

Alors qu'il poursuivait délicatement son exploration, une expression s'imposa à la conscience brouillée du jeune homme, une expression qui lui revenait de son cours de médecine médico-légale : *pénétration digitale*.

Voilà l'acte auquel il se livrait en cet instant, et en quels termes il serait évoqué si jamais quelqu'un en avait connaissance.

D'un seul coup d'un seul, Hamish prit conscience du risque effrayant qu'il prenait. Il commettait un *crime grave*. Cette folle improvisation sous l'emprise de l'alcool, cette *farce sexuelle* était une agression. Il risquait la prison.

À contrecœur – vraiment à contrecœur – il commença à retirer sa main. Mais dans le même temps, il maintint écarté pendant quelques instants le triangle de coton mince et humide du string, et là, en ce moment précis, aveuglé par une flambée de désir, il envisagea très sérieusement de libérer la douloureuse érection qui élançait son slip pour pénétrer le corps inconscient de la jeune fille.

Cette pensée ne dura que quelques secondes. Tout ivre qu'il était, Hamish avait clairement conscience qu'il venait déjà d'encourir des châtiments effroyables et propres à infléchir le cours d'une vie. Plus précisément, c'est en contemplant momentanément la perspective de cet abus sexuel plus grave encore qu'Hamish prit l'exacte mesure de ce qu'il avait déjà commis.

*Pénétration digitale.* C'était déjà assez sérieux, bon sang, arrête. Laisse tomber. D'un geste rapide, délicat, sûr et entraîné de médecin, Hamish replaça le string dans la position où il lui semblait l'avoir trouvé : il enfonça le gousset tiède et humide dans le creux du vagin, puis remonta le cordon entre les fesses, tout en veillant à ne pas faire bouger les lourdes couvertures. Les gens qui, il le savait, les observaient devaient à tout prix croire qu'il dormait, tout comme Kelly.

Quand il eut retiré sa main, Hamish fit semblant de ronfler un peu, pas trop, juste un petit bruit de temps à temps pour accompagner le profond sommeil comateux et ivre de sa camarade.

Puis, en descendant sa main pour se toucher, Hamish découvrit que son pantalon était mouillé. Peut-être, sans le faire exprès, avait-il éjaculé, ou du moins souffert de pertes considérables à force d'excitation. Avait-il taché les coussins ? Ou, bien pire, sa culotte à elle ? Si c'était le cas, pourrait-il faire croire à un accident embarrassant ? Tendu d'angoisse, il chercha à tâtons une preuve susceptible de trahir sa honte. Il n'en décela aucune. Il avait eu de la chance.

Kelly était inconsciente et il n'avait laissé aucune trace.

Les couvertures étaient épaisses et ils avaient à peine remué.

Il ne risquait rien, il en était sincèrement convaincu. Mais le risque. Le risque qu'il avait pris ! Cette seule pensée le glaçait maintenant de sueurs froides.

Il se força à tressaillir, comme s'il s'éveillait dans un léger sursaut, puis, sans que cela provoque la moindre réaction chez sa voisine, il repoussa les couvertures, se gratta la tête et se frictionna les yeux tout en regardant alentour comme pour dire : « Mais où suis-je donc ? »

Il esquissa un petit sourire et adressa un clin d'œil à la caméra. « Moins une, hein ? chuchota-t-il en direction de la minuscule lumière rouge. Je n'arrive pas à le croire ! Dire que je me suis endormi le premier ! Par pitié, ne montrez pas ça à la télé. Mes copains m'en parleraient jusqu'à la nuit des temps. »

Sur quoi il se leva, enfila son pantalon, réarrangea délicatement la couverture par-dessus la silhouette inerte de Kelly et regagna la fête.

Il y fut accueilli par un chœur d'acclamations lubriques.

« Désolé de vous décevoir, les gars, mais on a tous les deux piqué du nez. Et moi le premier, je pense. Vous y croyez, vous ? » conclut-il en espérant de toutes ses forces que ce serait bien le cas.

Puis il s'éclipsa vers son lit, où l'attendait une nuit tourmentée, taraudé qu'il était par cette question : Voyeur Prod. avait-il un moyen d'apprendre l'acte épouvantable auquel il s'était livré ?

*Pénétration digitale.*

Dans l'obscurité, en une prière muette, il remercia Dieu de l'avoir empêché de commettre bien pire.

Kelly s'éveilla en gémissant. « Qu'est-ce que c'est que ce b…? » Et puis elle se souvint. Elle était dans la cabane à coït. La hutte à culbutes. La bicoque à bricoles. Avant même le coup d'envoi de l'émission, lorsque Voyeur Prod. avait annoncé ce raffinement apporté à la structure de la maison, la presse avait déjà inventé une cinquantaine d'expressions pour désigner cette cabane. Dans laquelle elle se retrouvait, elle, Kelly, à la vue du pays tout entier. De quoi devait-elle avoir l'air?

« Ne vous inquiétez pas, dit-elle à la caméra qui pendait pile au-dessus de sa tête. Il s'est rien passé. »

Tout en repêchant son jean sous les couvertures avec un sourire penaud, elle se sentit obligée, comme Hamish avant elle, de s'adresser à la caméra.

« Qu'est-ce que j'étais *pétée*, hier soir… Faut le faire, hein? »

Elle découvrit ses jambes fuselées et enfila son jean avec une certaine élégance, compte tenu de sa gueule de bois. « Je parie qu'Hamish se sent naze, lui aussi. »

Elle adressa un nouveau sourire à l'objectif – un sourire qui masquait cependant un certain inconfort. Pourquoi se sentait-elle si sale? D'où lui venait ce sentiment d'être une Marie-couche-toi-là? Ce devait être l'effet de la gueule de bois, rien d'autre. Après tout, il ne s'était rien passé, elle le savait. S'*était*-il passé quelque chose? Avait-elle laissé Hamish aller plus loin qu'il n'aurait dû?

Non, elle en était sûre. Certaine. Elle se souvenait clairement de tout, elle lui avait fait un câlin, et puis elle avait sombré comme une masse. Elle n'avait pas dépassé la limite qu'elle s'était fixée.

Mais alors, d'où sortait cette impression? Ce malaise?

Elle sentait un truc, un truc qu'elle échouait à définir précisément, mais qui l'intriguait… S'était-il passé quelque chose? Comment cela aurait-il pu? Elle se souvenait de tout, elle se souvenait toujours, c'était là l'une de ses caractéristiques quand elle buvait, *elle se souvenait toujours de ce qu'elle avait fait. De ce qu'elle n'avait pas fait.*

Ah, elle se rappelait, maintenant! Elle l'avait embrassé, et puis elle avait sombré. Et pourtant… elle avait cette impression d'avoir été…

Tripotée? Était-ce cela? Avait-elle l'impression d'avoir été tripotée? Non, certainement pas. Jamais de la vie.

C'était une illusion. Il ne pouvait en être autrement. La maison du Voyeur était le lieu le plus sûr au monde. Des caméras y exerçaient une surveillance *permanente*. Personne ne prendrait un tel risque en de pareilles circonstances. Et Hamish moins que les autres. C'était un type gentil. Un docteur, en plus.

Quelqu'un d'autre, alors? Plus tard? Non. C'était du délire. En ce moment même, tandis qu'elle réfléchissait, n'était-elle pas observée par cinq caméras? Cinq chaperons chargés de veiller sur elle et auxquels rien n'échappait? Elle leur adressa un nouveau sourire. « Ouais, une chance que rien ne se soit passé, hein? Vous êtes mes protecteurs, n'est-ce pas? Mon papa n'a pas à s'inquiéter. Il ne peut rien m'arriver tant que vous regardez. »


Dans les locaux de la régie, Geraldine, qui était accourue, à bout de souffle, aux petites heures du matin pour ne contempler que déception, était livide.

« Ce n'est pas l'idée, espèce de sale petite conne *débile*! hurla-t-elle au visage de Kelly affiché sur les moniteurs. Ce n'est pas du tout l'idée, bordel de merde ! »

La jeune fille émergea de la cabane pour plonger directement dans la piscine, sans même ôter son jean. Un acte spontané, dicté par un besoin urgent de se nettoyer, qui coûta la vie à un micro à cinq cents livres.

Derrière les baies vitrées, la maisonnée dormait. Jazz, Moon et Sally n'avaient même pas pris la peine de se lever du canapé.

Hamish, lui aussi, avait fini par trouver le sommeil – mais un sommeil agité de rêves, troublé par la culpabilité. À son réveil, ce fut pire. Kelly était-elle au courant ? Quelqu'un était-il au courant ? La caméra avait-elle vu quelque chose ? Non, rien. Dans le cas contraire, le Voyeur serait intervenu, sinon il aurait été complice d'un crime. De l'extérieur, Hamish en aurait mis sa main à couper, nul désordre n'avait été perceptible, et si jamais il se trompait, de toute façon, aucun mot n'avait été prononcé. La découverte ne pouvait venir que de l'intérieur. Kelly se souvenait-elle de quelque chose ? Comment l'aurait-elle pu ? Elle dormait. Ça, il en était certain.


DIX-NEUVIÈME JOUR, 8 HEURES

Kelly ne regagna pas son lit. Après avoir enfilé des vêtements secs, elle se prépara du thé et s'installa sur le canapé vert en essayant de chasser de son esprit la suspicion qui la harcelait.

Ce fut là que la trouva Dervla, une heure plus tard, en allant à la salle de bains. Dervla avait veillé aussi tard que les autres, mais elle ne tenait pas à faire la grasse matinée. Elle ne la faisait jamais, elle voulait toujours être la première dans la salle de bains. Pour regarder le miroir.

« Bonjour, Kelly. Ça a été un peu chaud, à un moment donné, avec Hamish, non ?

— Qu'est-ce que tu veux dire ? On rigolait, c'est tout. »

Le ton de Kelly arracha un sourire à Dervla. Peut-être s'était-il bel et bien passé quelque chose, en définitive.

« Eh bien, vous étiez tous les deux assez soûls, n'est-ce pas ? Il était en extase devant toi toute la soirée, il avait la langue pendante, je t'assure. Si le pauvre garçon ne s'était pas endormi le premier, je pense que tu aurais dû le calmer avec un bâton.

— "Endormi le premier". Il a dit ça ? C'est ce qui s'est passé ?

— Oui, c'est ce qu'il a dit... Kelly ? Ça va ?

— Oui ! Oui, très bien ! »

Elle le répéta un peu trop énergiquement, au moins vingt fois de suite, avant de retomber dans le silence.

L'abandonnant à celui-ci, Dervla gagna la salle de bains. Elle entendit la caméra pivoter derrière la glace.

« Bonjour, monsieur le cadreur, dit-elle tout en se savonnant sous son tee-shirt. J'espère que vous vous sentez mieux que moi. » Elle faufila une main glissante et mousseuse jusque dans sa culotte.

Si l'eau n'avait pas été en train de couler, Dervla aurait entendu, derrière le miroir, le moteur électrique de la caméra émettre un léger ronronnement en faisant le point sur son geste.

Le message était déjà écrit quand Dervla approcha du lavabo pour se brosser les dents. Le ton du messager avait changé.

« *K. est ton ennemie. Putain de salope toujours en tête. Elle allume les garçons pour éviter sélection.* » Puis le doigt invisible souligna les quatre premiers mots…

« *K. est ton ennemie.* »

## TRENTE-SIXIÈME JOUR, 23 H 50

Le sergent Hooper songeait à appeler un taxi. Du point de vue de l'enquête, la journée avait été longue et infructueuse, et elle s'était poursuivie autour d'une quantité assez monumentale de bière et d'un curry. Il était temps de tirer le verrou.

La soirée avec les copains avait été sympa, mais là, Hooper commençait à s'ennuyer. Il n'avait aucune objection particulière concernant la pornographie, même si lui-même n'en était pas un grand consommateur, mais franchement, l'intérêt de regarder un film porno entre potes lui échappait. En ce qui le concernait, le but d'un film porno était de stimuler le sexe, qu'on soit seul ou avec une partenaire. Voilà à quoi servait un film porno : à se masturber, ou à élargir l'horizon de ses activités nocturnes si on le regardait avec sa petite amie. Mais mater ça sur le canapé d'un copain, les yeux injectés, un kebbab dans une main, une canette de bière dans l'autre, et baver de concert avec une bande de flics beurrés qui avaient posé l'uniforme… Non, franchement, ce n'était pas son truc.

« Vous êtes trop tristes, lança-t-il. Je finis ma bière et je vous laisse à vos occupations. Ne tachez pas le canapé.

— Tu ne comprends pas, Hoops, souligna Thorpe, un inspecteur des mœurs. C'est pas le sexe qui nous intéresse, mais la qualité. On est des critiques. Le porno est une forme d'art et nous sommes des aficionados. Tu savais qu'aux Oscars du film de cul à Cannes, ils ont une récompense pour la meilleure éjaculation ?

— Je trouve ça un peu raide à avaler, rétorqua Hooper, qui déclencha là, bien involontairement, cinq bonnes minutes de rires ivres et hystériques.

— La pornographie est un genre cinématographique en soi, intervint Blair. Le moindre détail y importe autant que, par exemple, dans un film d'aventures ou une comédie sentimentale.

— C'est bien ce que je disais, Blair, vous êtes tristes. Pourquoi ne pas être francs ? Vous matez des pornos parce que ça vous fait bander. Bon, grand bien vous fasse, je peux comprendre. Mais je ne vois pas pourquoi vous avez besoin de compagnie, c'est tout.

— Tu te trompes, Hoops, tu ne comprends pas. C'est une activité sociale. On commente les films, les jeux d'acteurs, les gémissements, on estime si oui ou non une douche de pisse a fait son effet, on cherche à déterminer si la queue qu'on voit entrer appartient bien au type qu'on a vu en train de la faire entrer. En fait, nous tenons ici un forum de critiques. À t'entendre, on croirait que tous les films porno se ressemblent.

— Ce n'est pas le cas ?

— Pas plus qu'en ce qui concerne les films d'horreur ou les westerns. Est-ce que *Butch Cassidy* ressemble à *Une poignée de dollars* ? Et *L'Exorciste*, c'est pareil que les vieux films d'horreur des années 50 ? Je ne crois pas. Dans le porno, c'est la même chose. Tiens, celui que je vais mettre, par exemple, c'est ce qu'on trouve de plus vulgaire sur le marché, de la vraie baise super hard. Un truc vraiment dégueu.

— Merci de l'avertissement, dit Hooper en vidant sa canette. Je crois que je vais faire l'impasse. Je trouverai un taxi dans la rue.

— Tu es fou. Tu vas rater un classique du genre, un symbole culturel. La série des *Partouzes sodos* est un événement important dans sa catégorie. »

Hooper se dirigeait déjà vers la porte quand une sonnette d'alarme carillonna dans sa tête. « Quelle série ? s'enquit-il en se retournant.

— *Partouzes sodos*. Un porno légendaire, sans tabous ni limites. Pas d'intrigue idiote, pas de préambule interminable, juste ce qui est annoncé sur la boîte et rien d'autre. Le contenu est conforme au titre. Celui-là, c'est le troisième, un des premiers, une œuvre uniquement pour connaisseurs. La série n'avait pas encore trouvé ses marques. Le triomphe de la collection a été *Partouzes sodos 9*, qui a gagné pas moins de…

— Il y a un numéro 12 ? s'enquit Hooper, d'une voix pressante.

— Tout à fait. Ils en ont tourné quinze à ce jour. Je peux tous te les procurer, si tu veux… Hé, pourquoi as-tu l'air aussi content de toi ? »

Effectivement, Hooper souriait, car il venait peut-être de découvrir ce que Kelly, dans le Jacuzzi, avait murmuré à David.


TRENTE-HUITIÈME JOUR, 9 HEURES

Alors qu'il se débarrassait de son manteau au vestiaire, l'inspecteur-chef Coleridge, surpris, entendit des cris et des exclamations enjoués dans le bureau. En y entrant, il découvrit qu'une poignée de ses officiers, hommes comme femmes, s'étaient agglutinés en cercle autour de l'écran vidéo, d'où émanaient d'étranges gémissements.

« Elle n'arrivera jamais à mettre ça dans sa bouche ! était en train de dire un officier.

« — Ce n'est pas une vraie, c'est pas possible ! piailla une des filles. Ils l'ont grossie par manipulation numérique. »

À ce stade, Coleridge comprit à quel genre appartenait la cassette vidéo, et il s'apprêtait à morigéner tout le monde quand Hooper fit un arrêt sur image et se tourna vers lui.

« Ah, monsieur, navré pour le bruit, mais nous sommes assez contents de nous ce matin. Je pense que nous savons maintenant où Kelly a rencontré David. »

Sur l'image immobile de l'écran, une jeune femme se livrait à une performance de sexe oral sur un homme qu'on aurait cru croisé avec un âne. La jeune femme ne ressemblait en rien à Kelly.

« Ce n'est pas Kelly, souligna Coleridge avec irritation. Et je ne vois pas davantage David. Où voulez-vous en venir ?

— Regardez derrière l'actrice principale, monsieur. Vous voyez les deux filles qui tendent les mains vers ses nich… ses seins. Celle de droite est en partie cachée par la qu… le pénis du type, mais c'est Kelly, sans l'ombre d'un doute.

— Doux Jésus ! laissa tomber Coleridge. Alors, c'est ça.

— Elle a dit avoir été figurante. Nous savons maintenant de quel genre de film il était question. Pas étonnant qu'elle n'estime guère la profession. Ce film est le "par douze seaux d'eau douce" de Kelly, au fait.

— Curieux titre.

— Pas si on sait qu'en réalité, elle a dit *Partouzes sodos 12*.

— Oh, je vois. Bon, je n'aurais jamais… Et le propriétaire de ce… euh… appendice… C'est David ?

— Non, monsieur, ce n'est qu'un des innombrables pénis dissociés de la distribution. Voilà David. »

Hooper fit défiler la bande en accéléré jusqu'à l'entrée en scène de la star du film : un personnage scandaleux de bisexuel, affublé d'une longue perruque violette, d'un maquillage de travesti – lèvres roses et ombre à paupières pailletée – et d'un précieux petit sac orné de fourrure et de plumes dont il s'apprêtait à se débarrasser.

« David, monsieur, annonça Hooper. Alias Boris Pecker, nom sous lequel il est connu dans la série des *Partouzes sodos*. Il apparaît aussi épisodiquement sous d'autres pseudonymes : Olivia Newton Dong, Ivor Whopper, ou encore il est l'une des moitiés d'un duo comique de faux Écossais, Ben Doon et Phil Mc Cavity, dans un porno gay.

— Dieu du ciel !

— J'ai parlé à son agent ce matin. Il a d'abord essayé de m'éconduire, mais finalement, il n'avait pas très envie de se faire pincer pour obstruction à une enquête de police. Notre David a une double vie secrète de porno star. Apparemment, il est très demandé.

— Voilà donc comment il se débrouille pour vivre alors qu'il semble ne pas travailler.

— Oui, monsieur, c'est bien lui, l'acteur pontifiant qui n'acceptera jamais un travail de figuration et qui croit qu'il vaut mieux être au chômage plutôt que de prostituer son talent.

— Quel vilain petit hypocrite !

— N'est-ce pas ? Vous vous souvenez combien il s'est montré odieux envers Kelly, ce jour-là ? Comment il lui conseillait de se trouver un autre rêve parce qu'elle avait déjà compromis tous ses espoirs de devenir un jour une actrice ?

— Oui, parfaitement.

— Eh bien, regardez-le. »

Il enclencha la touche « lecture » et David, alias Boris Pecker, quasi méconnaissable sous son maquillage outrancier, se fraya un chemin parmi les corps frétillants en train de coïter. Il était nu comme un ver, à l'exception de sa perruque et du nœud papillon rose qui ornait son pénis.

« Je m'appelle lord Laqueue. Prosternez-vous devant la puissance de mon impressionnante bite ! » Aussitôt dit, l'ensemble des figurants nus cessèrent de caracoler pour lui obéir.

« Je suis étonné qu'aucun journal n'ait relevé ça, observa Coleridge.

— Regardez-le bien, monsieur. Vous l'auriez reconnu, si vous ne l'aviez pas su ?

— Je suppose que non.

— Comme tout le monde. Sauf si, évidemment, on reconnaît très clairement un trait particulier. Regardez Kelly. »

Kelly se tenait tout près de David, couchée à ses pieds, les yeux à quelques centimètres à peine de sa cheville gauche.

« Être ou ne pas être, monsieur », dit Hooper avec un sourire.

## TRENTE-HUITIÈME JOUR, 10 H 15

Tandis que Hooper et Coleridge contemplaient le rôle vedette tenu par David dans *Par douze seaux d'eau douce*, Trisha s'était une fois de plus déplacée jusqu'au complexe de Voyeur Prod. pour s'entretenir avec Bob Fogarty.

« C'est à propos du fricotage entre Kelly et Hamish dans la hutte à culbutes, avait-elle précisé au téléphone avant d'entreprendre le déplacement. Le lendemain, Kelly est allée au confessionnal, mais nous n'avons ici que la version montée. Auriez-vous encore la bande originale ?

— On n'efface jamais rien du disque dur, lui avait répondu Fogarty, ravi de discuter informatique. Excepté les cas où l'on décide de réenregistrer par-dessus, tout reste à jamais en mémoire quelque part. Appuyer sur la touche "supprimer" ou glisser un fichier dans la corbeille n'aboutit qu'à le cacher. C'est comme ça que les gens du porno se font pincer.

— En ce cas, essayez de me repêcher la confession de Kelly, le dix-neuvième jour. Je vous apporterai une tablette de chocolat. »


« *Il est 19 h 15 en ce dix-neuvième jour*, dit Andy, *et Kelly se rend au confessionnal car les événements de la nuit précédente la tracassent.* »

« Salut, le Voyeur.

— Salut, Kelly, fit Sam, la voix réconfortante du Voyeur.

— Euh… je voulais juste te demander, à propos de la fête, hier soir, euh… quand je suis partie dans la, euh… petite cabane avec Hamish…

— Oui, Kelly ?

— Bon, j'étais un peu soûle, tu comprends… En fait, j'étais trop soûle, alors, je voulais te demander… s'il s'était passé quelque chose. Enfin, je sais bien qu'il ne s'est rien passé, j'en suis sûre. J'adore Hamish, il est trop génial, mais bon… Comme je n'arrive pas à me souvenir exactement, je voulais juste savoir.

— Pourquoi ne pas demander directement à Hamish ?

— Ben, il était soûl lui aussi, et puis c'est un peu embarrassant de demander à un garçon : "On a fait quelque chose, toi et moi, hier soir?"

— Le Voyeur te rappelle les règles, Kelly : les locataires ne peuvent être soumis à aucune influence, ni recevoir aucune information de l'extérieur. Cela inclut toute discussion rétrospective au sujet des comportements de chacun. Le Voyeur attend de vous tous que vous sachiez ce que vous faites.

— Mais je sais ce que je fais, je voulais juste savoir ce que… »

Elle s'interrompit, et, pendant les quelques instants où elle demeura silencieuse, ses yeux semblèrent implorer la caméra.

Trisha fixait intensément la jeune candidate. Qu'avait-elle été sur le point de demander? S'apprêtait-elle à dire : « Ce qu'il a fait? »

« S'il te plaît, reprit Kelly, je n'exige pas des détails, je voudrais juste savoir si, oui ou non, il s'est passé quelque chose dans la cabane. »

Il y eut un silence. « Nous en reparlerons, Kelly.

— Quoi! Mais dis-moi juste oui ou non! Tu n'as pas besoin de réfléchir, non? Vous étiez tous en train d'observer. *Est-ce qu'il s'est passé quelque chose?* »

Sa voix tremblait. « C'est une blague? Vous vous foutez de ma gueule? Comme quand on s'endort dans une fête et qu'on se réveille, le lendemain matin, le crâne rasé et le corps tartiné de dentifrice? Vas-y, le Voyeur, je suis capable d'encaisser une blague. Est-ce que je me suis ridiculisée? Est-ce que quelqu'un m'a ridiculisée? »

— Je n'étais pas de service, la nuit dernière, Kelly, dit Sam. Je dois consulter les monteurs concernés. Tu peux attendre là si tu veux. »

Kelly resta assise et attendit.

Trisha et Fogarty la regardèrent attendre.

« Elle n'a pas l'air dans son assiette, hein ? remarqua Fogarty. Elle pense qu'elle s'est soûlée et qu'elle a fait des bêtises. Ce qui n'est pas le cas, évidemment. Vous avez vu les rushes. À périr d'ennui. »

Enfin, la voix de Voyeur Prod. revint. « Le Voyeur a parlé au monteur concerné, Kelly, et nous avons décidé que nous pouvions t'assurer qu'Hamish et toi vous vous êtes embrassés et câlinés, et qu'ensuite, vous vous êtes endormis tous les deux sous la couverture et qu'aucun autre mouvement n'a été observé par la suite. »

Kelly parut soulagée. Elle avait juste besoin qu'on la rassure. « Merci, le Voyeur. Merci beaucoup. Et, s'il te plaît, ne montre pas ça, d'accord ? Je me suis trop conduite comme une conne et je ne voudrais rien dire contre Hamish parce qu'il est trop génial et que je l'adore… Tu ne vas pas le montrer, hein ?

— Le Voyeur ne peut rien te promettre, mais il prend note de ta requête.

— Merci. »


« Bien évidemment, comme vous avez pu le voir, nous l'avons diffusé, dit Fogarty. Ou du moins dans sa version montée. Geraldine a *adoré*. Elle a déclaré que c'était de la télé *d'enfer*. "Une sale petite pute soûle qui nous implore de lui dire si elle a fait des cochonneries la nuit précédente", voilà comment Geraldine l'a présentée. On raconte que ça lui arrivait sans arrêt, à elle, de tomber dans des fêtes sur des types qui prétendaient ferme l'avoir baisée le mardi précédent, et qu'elle ne reconnaissait pas.

— Un drôle de personnage, votre Geraldine, hein ?

— Une traînée, rien de plus.

— C'est bizarre que Kelly ait cru pouvoir raconter tout cela devant la caméra, et vous demander ensuite de ne pas le diffuser.

— Je sais, ils font tous ça. C'est vraiment curieux. Ils s'imaginent que, dans l'échelle de nos priorités, leurs désirs passent avant la perspective d'un peu de bonne télé. Ils débarquent complètement défaits au confessionnal en disant : « Oh, s'il vous plaît, ne montrez pas ça. » Franchement, s'ils s'accordaient une seule seconde de réflexion, ils se demanderaient peut-être pourquoi nous avons investi plus de deux millions et demi de livres dans l'installation de la maison. À mon avis, ce n'est pas pour leur offrir un joli petit bout d'essai dans le show-biz, vous ne croyez pas ?

— Certes, mais prendre le temps de réfléchir ne leur ressemble pas vraiment, non ? Ils sont trop occupés à prendre le temps de sentir. » Trisha eut conscience que, l'espace d'une seconde, on aurait cru entendre parler Coleridge. Elle avait vingt-cinq ans, et elle commençait à parler comme un homme de cinquante ans, qui en aurait bientôt soixante-dix. Il fallait à l'avenir qu'elle sorte s'aérer plus souvent.

« C'est pathétique, tout de même, reprit Fogarty. Ils nous remercient même quand nous leur offrons un petit cadeau, généralement conçu pour les faire se déshabiller. C'est le syndrome de Stockholm, vous savez.

— Quand les otages se prennent d'affection pour leurs tortionnaires ?

— Exactement, et qu'ils commencent à leur faire confiance, à croire en eux. Enfin quoi ! Comment cette fille peut-elle n'avoir pas pigé qu'à nos yeux elle n'est qu'un accessoire, une figurante qu'on a placée là pour en user, en abuser, et pour déformer complètement son image si besoin est !

— Je suppose que c'est assez évident, maintenant que vous le dites. Et les colocataires ne sont pas les seuls à tomber dans le panneau. Le public y tombe aussi.

— Le public ! Mais il est pire que nous, le public ! Nous, au moins, nous sommes payés pour persécuter ces gens. Le public, lui, le fait pour s'amuser. Les gens savent qu'ils observent des fourmis qui se font brûler sous une cloche de verre qui magnifie le spectacle, mais ils s'en fichent. Ils se fichent pas mal de ce que nous leur faisons subir et des méthodes par lesquelles nous les titillons, du moment que nous obtenons une réaction. Les gens, dans cette baraque, s'imaginent être dans un cocon. En fait, ils sont dans une place forte. Ils sont encerclés d'ennemis. »

VINGTIÈME JOUR, 18 H 15

« *Il est 14 h 15*, dit Andy, *et, après le déjeuner – un plat de poulet au riz et aux légumes préparé par Jazz –, Sally demande à Kelly de l'aider à se teindre les cheveux.* »

Geraldine fixait sur l'écran une mosaïque d'images montrant, sous divers angles, Kelly qui appliquait du shampooing sur la crête de Sally avant de procéder à la teinture.

« Nous revoilà au point le plus bas, commenta la productrice d'un ton songeur. Je croyais que nous avions atteint notre nadir avec l'épisode du fromage de Layla, mais je pense qu'en regardant ces deux balourdes se laver les cheveux, nous allons sonder des profondeurs inédites en matière de télé de merde, vous ne croyez pas ? Putain, aux débuts de la télé, ils nous collaient un tour de potier entre les émissions. Maintenant, c'est cette émission à la con qui remplace le tour du potier ! »

Fogarty serra les dents et poursuivit son travail. « Quel angle veux-tu, Geraldine ? demanda-t-il. Les mains de Kelly sur la tête, ou un plan large ?

— Tu mets Sally sur le moniteur central : un gros plan de son visage, à travers le miroir, et tu fais défiler toute la séquence, depuis le moment où elle se penche sur le lavabo. »

Fogarty manipula ses boutons tandis que Geraldine poursuivait sa rêverie. « Sale temps pour nous, ça. Demain, c'est normalement le soir des éliminations, mais il n'y aura pas d'élimination. Ce connard de Woggle nous a privés de notre point culminant hebdomadaire. On est en pause. Marée basse. Cale sèche. Le vent boude nos putains de voiles, Bob. Le pot de Viagra est vide, et notre bite télévisuelle est molle. »

Andy le narrateur émergea de la cabine d'enregistrement des voix off pour boire une infusion. « Je pourrais peut-être leur dire ce que tout le monde a eu comme dessert. David a préparé un soufflé, mais il n'a pas vraiment gonflé. C'est assez intéressant, non ?

— Retourne dans ta cage, lui répondit Geraldine.

— Oui, mais Garry n'a pas fini sa part et je pense que David s'est senti un peu offensé.

— *J'ai dit* : retourne dans ta putain de cage. »

Andy battit en retraite avec sa camomille.

« Quelle crapule, celui-là ! Toujours à essayer de grappiller quelques lignes de plus. Je l'ai prévenu, s'il fait encore une voix off dans une pub de bière, ce connard est viré. La prochaine fois, de toute façon, je prends une nana… Arrête là ! »

Fogarty immobilisa l'image sur le visage de Sally : de la mousse ruisselait le long de ses tempes, et, en haut de l'écran, on distinguait l'extrémité des doigts de Kelly. Sally, la main à portée de la bouche, s'apprêtait à y glisser un quartier de mandarine.

« Fais défiler, mais sans le son », indiqua Geraldine.

Ils observèrent quelques instants les expressions muettes du visage de Sally : la mâchoire avança, la bouche s'arrondit, les joues se creusèrent dans un léger mouvement de succion, puis les lèvres s'écartèrent brièvement et le bout de la langue vint les lécher.

« Très joli, remarqua Geraldine. J'adore ça, un peu de mastication muette. C'est l'amie du monteur. Bon, tu me fais disparaître la mandarine du premier plan, tu vires le son et tu colles à la place le speech de Kelly sur la sensualité des massages de la tête. »

Fogarty déglutit avant de répondre. Cette fois, il semblait vraiment en avoir assez. « Mais… mais Kelly disait ça à David pendant qu'ils mangeaient le poulet préparé par Jazz. Si on colle ces paroles sur le visage de Sally, on va croire que… que…

— Que quoi ? s'enquit Geraldine d'un ton mielleux.

— Qu'elle prend son pied à masser la tête de Sally !

— Et que Sally, avec sa mâchoire qui s'active et ses joues tendues, ses lèvres qui suçotent et sa petite langue humide, est carrément en train, pendant ce temps, de se crémer la culotte. Et *nous*, mon chéri, nous obtenons ce qu'on peut appeler une scène à moitié décente de brouteuses. »

Le silence qui tomba dans la salle de régie en dit long sur la gêne qu'éprouvaient les employés de Geraldine. Qui, pour sa part, se contenta d'un immense sourire triomphant, tel un grognement d'aise.

« Nous sommes dans un creux d'Audimat, bande de glands ! hurla-t-elle. N'oubliez pas que c'est moi qui vous paie ! »

215

« C'est tellement dommage qu'il n'y ait pas eu d'élimination, hier soir, disait la jeune femme. J'ai adoré la dernière, même si j'étais triste de voir partir Layla. Bon, je sais, elle est assez prétentieuse, mais j'admire l'intégrité de son régime végétarien.

— Chérie, c'était une *poseuse*, c'était du cinéma de A à Z, je la *détestais* », répliqua l'homme, un individu assez perspicace d'une trentaine d'années.

L'inspecteur-chef Coleridge les écoutait bavarder depuis cinq minutes sans avoir la moindre idée du sujet de leur conversation. Ils semblaient discuter d'un groupe de gens qu'ils connaissaient bien, des amis peut-être, mais, en même temps, ils paraissaient tenir ces gens dans ce qui approchait le mépris le plus total.

« Qu'en pensez-vous, vous, du départ de Layla ? demanda l'homme, qui s'appelait Glyn, en se tournant finalement vers Coleridge.

— J'ai bien peur de ne pas la connaître, répondit Coleridge. C'est une de vos amies ?

— Mon Dieu ! s'exclama Glyn. Vous voulez dire que vous ne connaissez pas Layla ? Vous ne regardez pas *Résidence surveillée* ?

— Je plaide coupable, Votre Honneur, rétorqua Coleridge, histoire de plaisanter, puisqu'il savait que tous savaient qu'il était policier.

— Franchement, vous ignorez ce que vous ratez.

— Puisse cela rester longtemps le cas. »

C'était soir d'audition à la société dramatique amateur de la commune. Coleridge en était membre depuis vingt-cinq ans, il comptait à son actif trente-trois soirées identiques à celle-ci, mais jamais encore on ne lui avait offert le rôle principal. Son plus beau triomphe avait été de décrocher le rôle du colonel Pickering dans

*My Fair Lady*, mais ce uniquement parce le comédien amateur pressenti pour le rôle avait déménagé à Bansingstoke, et que son remplaçant avait contracté la rougeole. La production suivante de la société serait *Macbeth*, et Coleridge voulait, de toute son âme, incarner le roi meurtrier.

*Macbeth* était, toutes époques littéraires confondues, sa pièce favorite. Une tragédie grouillante de passion, de meurtre et de revanche. Mais un coup d'œil à l'expression hautaine et condescendante de Glyn suffit à indiquer à l'inspecteur qu'il avait autant de chances de jouer Macbeth que de représenter la Grande-Bretagne au prochain concours de l'Eurovision. Il devrait s'estimer heureux s'il décrochait le rôle de Macduff.

« Oui, j'envisage une production très juvénile, dit Glyn. Une de celles qui remettront les jeunes à l'honneur au théâtre. Vous avez vu le *Roméo et Juliette* de Baz Luhrman ? »

Coleridge ne l'avait pas vu.

« C'est de lui que je me suis inspiré. Je veux un *Macbeth* contemporain, et sexy. Vous êtes d'accord avec moi ? »

Coleridge n'était évidemment pas d'accord. La mise en scène de Glyn serait jouée trois soirs dans la salle municipale, devant un public qui, dans sa majorité, attendait une armure, des épées et de longs manteaux noirs.

« Puis-je lire, maintenant ? demanda Coleridge. J'ai préparé un passage.

— Ciel, non ! répliqua Glyn. Ceci n'est pas une audition, mais une discussion préliminaire. Une occasion pour vous de m'influencer. De me faire part de vos réactions. »

Il y eut un long blanc, pendant lequel Coleridge tenta de trouver quelque chose à répondre. La table qui

le séparait de Glyn et de Val ressemblait à un abîme.
« Quand la vraie audition aura-t-elle lieu, alors ? finit-il
par demander.

— La semaine prochaine, à la même heure.

— En ce cas, puis-je revenir la semaine prochaine ?

— Je vous en prie. »


## VINGT-TROISIÈME JOUR, 15 HEURES

Sally n'était pas encore satisfaite de sa nouvelle crête
rouge vif.

« Je veux juste une touffe, dit-elle. Comme un blai-
reau de rasage.

— Bon, écoute, tu la laisses comme ça, répliqua
Moon. En fin de compte, c'est moi, la rasée, dans cette
maison. On peut pas être deux, sinon on va avoir l'air
d'un jeu de billard à la con. »

Sally ne répondit rien. Elle répondait rarement aux
propos de Moon, et évitait aussi de la regarder.

Dervla était soulagée que Kelly ait élu domicile
dans le salon pour procéder à la coupe de cheveux. Le
samedi, quand Sally avait fait sa teinture dans la salle
de bains, elle avait été au supplice. Elle effaçait toujours ses messages, bien sûr, et ceux-ci n'étaient jamais
de toute façon que des lettres tracées dans la condensation. Cependant, voir Sally coller son visage si près de
l'endroit précis où apparaissaient les messages avait été
pour le moins gênant. Et, tandis que Kelly shampoui-
nait les cheveux de Sally, une peur irrationnelle s'était
emparée de Dervla à la vue du miroir qui se couvrait de
buée : la peur qu'un message apparaisse brusquement,
là, pile sous les yeux de sa colocataire. Dervla savait
que c'était improbable, sauf si l'homme avait décidé de
se mettre à écrire à Sally.

« Fini ! claironna Kelly.

— Ça me plaît, approuva Sally, après inspection de la petite houppe rouge, unique vestige de sa chevelure. Quand je sors, je me fais un tatouage sur le crâne.

— Et ce sera quoi ? s'enquit Kelly.

— Je pensais à mon signe astrologique, peut-être. C'est le Bélier, sauf qu'évidemment je vais pas me mettre un animal mâle sur la tête, alors il faudrait que je fasse faire une brebis.

— C'est pas très flatteur, observa Dervla.

— Allez, Sal, sois une putain d'lionne, lança Jazz. Hé, de toute façon, leurs dessins des signes, c'est n'importe quoi. Trois ronds à la con, et on t'dessine un taureau autour, ou un centaure. C'est ridicule. Si tu veux vraiment relier les ronds entre eux, t'obtiens jamais qu'une tache, genre une amibe ou une flaque. Né sous le signe de la flaque.

— Ouais, mais en fait, Jazz, rétorqua Moon, c'est pas juste une histoire de formes à la con. En fin de compte, c'est la question de la personnalité, et des traits caractéristiques des gens qui sont nés sous tel ou tel signe.

— C'est des conneries ! s'entêta Jazz. Les gens disent : Oh, la Vierge, elle est super courageuse, ou Ah, le Capricorne, il est grave intelligent et porté sur l'introspection. Mais c'est quoi les signes pour tous les gens cons et chiants, hein ? Parce que les rues en sont pleines, de ceux-là. Ils sont pas représentés astralement ? Les Taureau, par exemple… on est assez ombrageux et on paie pas souvent not' tournée. J'aurais pu t'dire que t'étais Balance. Elles arrêtent pas d'péter.

— T'es un putain de Monsieur-je-sais-tout, toi, hein ? » riposta Moon.

« C'est quoi, une étuve à vapeur, quand c'est à la maison ? demanda Garry.

— Ils expliquent ici que c'est une tradition ancestrale des peuplades amérindiennes, répliqua Hamish.

— Amérinquoi ?

— Les Peaux-Rouges, pour toi, Garry, sans doute », souligna Dervla.

Les colocataires venaient de recevoir les instructions concernant leur défi du week-end, et jusque-là, Garry n'était guère impressionné.

« Mais c'est quoi, ce bordel ?

— Rien d'autre que ce que c'est censé être, précisa Hamish, qui lisait les instructions. Une étuve dans laquelle tu transpires. D'après ce qu'ils expliquent là, ça ressemble à un sauna, mais en plus convivial. Ils disent que c'est un défi historique, car ces étuves étaient utilisées par les guerriers amérindiens.

— Et par les guerrières amérindiennes, intervint Sally.

— Ça existait ? demanda Kelly. Je pensais trop que les femmes étaient juste des squaws.

— Parce que l'histoire est écrite par des hommes, assura Sally. On n'a jamais reconnu la place des femmes guerrières dans les chroniques historiques. Et c'est pareil dans les arts et dans les sciences : les femmes ont une incroyable quantité d'œuvres et de découvertes à leur actif, mais ce sont leurs maris qui en ont tiré les bénéfices.

— Waouh ! Je savais pas, dit Kelly, sincèrement surprise.

— Eh bien, réfléchis-y.

— Et si on revenait à cette putain d'étuve ? protesta Garry. On est supposés en faire quoi ? »

Hamish se replongea dans la notice de Voyeur Prod. « Bon, pour commencer, nous devons la construire. Ils vont nous fournir les instructions et le matériel nécessaires, et quand nous l'aurons construite, nous devrons l'utiliser.

— L'utiliser ? répéta Dervla.

— Eh bien, apparemment, après un combat ou une journée de sport ou ce que tu veux, ces Amérindiens attendaient que la nuit tombe puis s'enfermaient tous ensemble dans un espace chaud et confiné, ils s'entassaient les uns contre les autres et ils transpiraient.

— C'est un rituel érotique homosexuel, ce truc, observa Sally. Comme la plupart des rituels militaires, au cas où vous ne le sauriez pas. »


## TRENTE-QUATRIÈME JOUR, 16 H 45

« "Un rituel érotique homosexuel". Pour l'amour du ciel ! se lamenta Coleridge.

— Ça ne me semble pas dénué de sens, répliqua Hooper.

— Mais naturellement, sergent ! C'est tellement facile à dire, tellement impossible à contredire ! Pourquoi aujourd'hui tout le monde s'acharne-t-il à voir de prétendus motifs sexuels derrière tout et n'importe quoi ? Les rituels militaires relèvent d'un érotisme homosexuel ? Mais au nom de quoi, pour l'amour du ciel ! »

Fallait-il blâmer Freud ? Coleridge avait tendance à penser que oui. Freud, ou Jung, ou peut-être encore un de ces crétins des années 60, comme Andy Warhol.

« Comme vous voudrez, monsieur », s'inclina Hooper.

Coleridge préféra laisser tomber. Ces derniers temps, il préférait abandonner nombre de sujets susceptibles de le contrarier. *En fin de compte*, pour reprendre l'expression favorite des habitants de cette maison, rien de tout cela ne valait la peine de s'énerver.

« J'ai encore du mal à croire que ces gens ont vraiment accepté de faire ce qui leur était demandé. Passer quatre heures là-dedans, tout nus !

— Dervla a essayé de protester, non ? »

Exact, songea l'inspecteur. Dervla, celle qu'en secret il appréciait, avait protesté. Il en retira un bref contentement, avant de se maudire. Apprécier tel ou tel pensionnaire ou se réjouir de ce qu'ils faisaient ou ne faisaient pas, ce n'était pas ses affaires.

TRENTE-CINQUIÈME JOUR, 20 HEURES

Les colocataires avaient entrepris de construire l'étuve dans la chambre des garçons, conformément aux ordres reçus, et leur travail était presque achevé : ils avaient posé le faux plancher sous lequel prendraient place les éléments de chauffage, mis en place les piliers de soutènement du toit et commencé à tapisser les murs d'un épais revêtement de plastique. L'ensemble paraissait, jusque-là, assez exigu et peu convivial, et avait toutes les chances de le rester une fois la construction terminée.

« Je ne vais pas m'asseoir toute nue dans ce machin avec une bande de garçons à poil, objecta Dervla.

— Pendant quatre heures, ils ont dit, déclara Jazz.

— Hors de question.

— Pourquoi ? Personne d'autre ne proteste, remarqua Moon.

222

— Et alors ?

— Et alors, t'as quoi de si spécial, toi ? Et puis, t'as pas envie de paraître sexy à la télé ? »

Évidemment que Dervla voulait paraître sexy à la télé, sinon elle n'aurait jamais envoyé sa candidature à Voyeur Prod., mais elle comprenait aussi qu'il n'y avait pas de véritable allure sans un brin de mystère. Elle avait un joli corps, elle le savait, et, comme tous les corps, elle savait également que le sien gagnait à laisser place à un peu d'imagination. De plus, elle pouvait déjà compter sur ses yeux verts rêveurs et son sourire étincelant, et elle n'avait nul besoin d'aller balader ses nichons dans toute la maison.

Dervla se rendit au confessionnal pour demander l'autorisation de participer au défi hebdomadaire en maillot de bain. « Il est décolleté haut sur les cuisses et l'imprimé est joli », précisa-t-elle.

La réponse, lorsqu'elle arriva, fut diffusée dans l'ensemble de la maison.

« Ici le Voyeur, annonça une voix bien plus sévère qu'à l'ordinaire, une voix qui, en général, faisait les voix off de pubs pour BMW et des lotions après-rasage. L'expérience de l'étuve, dans la tradition amérindienne, se faisait nu, et Voyeur Prod. vous demande de relever le défi dans ces mêmes conditions. Comme pour chaque autre défi de groupe, tous les résidents doivent se soumettre aux règles. Si un seul y déroge, c'est l'ensemble du groupe qui sera déclaré perdant et verra, en conséquence, diminuer son budget courses la semaine prochaine. »

Tant de cynisme ne pouvait que laisser pantois, et Geraldine, qui le savait pertinemment, n'avait nulle intention de diffuser ces révoltantes instructions à l'antenne. Elle faisait clairement du chantage à Dervla pour que celle-ci se déshabille, mais le public, lui, devait avoir l'impression que tous les colocataires, sans exception, grillaient d'impatience d'ôter leurs vêtements.

« Je n'arrive pas à croire qu'ils essaient de s'en tirer comme ça, fulmina Dervla.

— Écoute, Dervla, intervint Sally, nous devons accepter, sinon j'ai peur qu'on passe pour des racistes. On aurait l'air de penser qu'on est trop bien pour s'abaisser à l'expérience d'une coutume ethnique – surtout que celle-là possède des connotations érotiques homosexuelles évidentes. »

Sally n'était pas mécontente que le Voyeur lui ait procuré l'occasion de pérorer dans le seul domaine qui lui inspirait une authentique passion.

« En tant que lesbienne métisse, je sais ce que c'est de voir mes coutumes et mes rituels inspirer de la crainte et du mépris à la communauté majoritaire. Le Voyeur nous offre l'opportunité d'expérimenter un rituel qui cimente un groupe indigène victime d'oppression. Je crois que nous devrions essayer d'en tirer une leçon. »


VINGT-SIXIÈME JOUR, 9 H 15


Bob Fogarty patienta jusqu'à la réunion de production du lendemain matin pour exprimer ses doléances. Il souhaitait que ses objections fassent l'objet d'une attention publique. Mais le moment fut difficile à trouver, car Geraldine riait à n'en plus finir en rappelant l'invraisemblable plaidoyer de Sally en faveur du défi hebdomadaire.

« Tout ce que j'essaie de faire, c'est les persuader de se tripoter les uns les autres, et il s'avère au final que je suis la championne des droits des minorités. Quoi qu'il en soit, mis à part toutes ces conneries ethniques et sexuelles, Dervla va devoir en mettre plein la vue aux mecs, sinon personne n'aura à boire la semaine prochaine. »

Fogarty dut se lever pour attirer son attention. « Geraldine, nous faisons pression sur cette fille pour l'obliger à se déshabiller contre son gré.

— Oui, Bob, nous le savons tous. Pourquoi te lèves-tu ?

— Parce que je pense que c'est du chantage.

— Oh, va te faire foutre ! »

Pour Fogarty, la coupe était pleine. « Mademoiselle Hennessy, je ne peux pas vous empêcher de ponctuer vos phrases d'insanités, mais je suis un homme adulte et un employé hautement qualifié, et, à ce titre, je suis en droit d'insister pour que vous n'employiez pas un tel langage en vous adressant à moi ou à mes subordonnés.

— Non, pauvre gland, t'as aucun putain de droit. Maintenant, tu te rassois, ou tu dégages. »

Fogarty ne fit ni l'un l'autre. Il resta debout, tout tremblant.

« Tu crois que tu peux me griller pour mes écarts de langage ? demanda Geraldine. Pour mes jurons ? Allons, Bob, grandis un peu. Même ce foutu pays n'est pas à ce point pathétique. Si tu sors d'ici, c'est une démission pure et simple, et tu pourras te toucher. Bon, alors, tu restes ou tu te casses ? »

Fogarty se rassit.

« Bien. Tu es peut-être un enfoiré, mais un enfoiré talentueux, et je ne veux pas te perdre. Et en plus, poursuivit-elle, Dervla est libre de quitter la maison si elle le souhaite. Elle aurait pu partir avant, elle peut partir maintenant. Mais elle ne l'a pas fait. Pourquoi donc ? Parce qu'elle veut passer à la télé, voilà pourquoi ! Et en fin de compte, si la condition sine qua non est de se déshabiller, tu peux parier ton dernier billet de dix qu'elle va se persuader de la remplir. »

Bob fixait le fond de sa tasse de café. Il avait l'air d'un homme en manque d'une barre de chocolat.

« C'est du chantage, marmonna-t-il.

— Quoi ? aboya Geraldine.

— J'ai dit : c'est du chantage, répéta-t-il plus doucement encore.

— *Écoute !* hurla Geraldine. Je ne demande pas à cette petite garce bêcheuse et coincée de nous faire un strip-tease pile devant les yeux, d'accord ? Il y a un cahier des charges à respecter, tu sais. Nous avons, dans ce pays, un Comité de surveillance de l'audiovisuel qui veille au grain. Les murs en polyéthylène de cette étuve seront translucides, et la lumière sera éteinte. L'idée, c'est que l'obscurité soit telle que l'anonymat incite quelques-uns d'entre eux à s'envoyer en l'air, ce qui, je vous assure, sera bien plus intéressant que les nichons sacrés de notre précieuse petite Dervla. Je veux qu'il fasse aussi noir qu'en enfer dans cette étuve. »

# Élimination

## VINGT-HUITIÈME JOUR, 18 HEURES

Coleridge enclencha la touche « enregistrement » de son magnétophone.

« Déposition du témoin Geraldine Hennessy », indiqua-t-il avant de pousser l'appareil de l'autre côté du bureau et de prendre place en face de la productrice.

« C'est un peu une inversion des rôles, non, mademoiselle Hennessy ?

— Madame.

— Excusez-moi, madame. C'est donc un peu une inversion des rôles. C'est vous qui allez être enregistrée, cette fois. »

Geraldine daigna à peine sourire.

« Bien, parlez-moi de la nuit où cela s'est passé.

— Vous en savez autant que moi. Tout a été enregistré du début à la fin. Vous avez vu les cassettes.

— Je veux l'entendre de votre bouche. Du Voyeur en personne. Commençons avec l'étuve. Pourquoi diable leur avoir demandé ça ?

— C'était un défi. Chaque semaine, nous proposons aux résidents de relever un défi, pour les tenir occupés et pour voir comment ils réagissent dans les activités de groupe. Ils engagent une partie de leur quota d'alcool hebdomadaire et de leur budget de nourriture contre leur succès. Nous leur avons donné des planches, des outils et du polyéthylène, quelques éléments de chauffage et toutes les instructions. Et ils ont fait du très bon boulot.

— Vous leur avez indiqué comment procéder ?

— Bien sûr. Comment y seraient-ils arrivés, sinon ? Si je vous donnais des morceaux de bois et de plastique et que je vous dise de construire une étuve amérindienne, vous sauriez comment vous y prendre, vous ?

— Probablement non.

— Eh bien, eux non plus. On leur a fourni les plans, le matériel, et on leur a indiqué où l'installer précisément pour que ça convienne à notre minicaméra motorisée. Ils l'ont fait, ça leur a pris trois jours. Et le samedi soir, au coucher du soleil, on leur a apporté une cargaison d'alcool et on leur a dit de se lâcher.

— Pourquoi les avez-vous laissés se soûler ?

— C'est évident, non ? Pour les inciter à coucher ensemble. L'émission avait commencé depuis trois semaines et, à part une tentative qui a failli aboutir entre Kelly et Hamish dans la hutte à culbutes, on n'avait pas eu la moindre scène de cul. Je voulais qu'ils se laissent un peu aller.

— Ça, fit Coleridge, incisif, on peut dire que vous avez réussi.

— Putain, mais c'est tout de même pas ma faute si quelqu'un s'est fait tuer, inspecteur !

— Non ?

— Non, bordel de merde ! »

Coleridge détestait souverainement entendre des obscénités dans la bouche d'une femme, mais il savait qu'il ne pouvait rien objecter.

« Écoutez, inspecteur, je ne suis pas une assistante sociale. Je fais de la télé ! Et je suis désolée si cela vous choque, mais à la télé, il faut du sexe ! »

Geraldine disait ça comme si elle s'adressait à un octogénaire sénile. Coleridge n'avait en réalité que deux ans de plus qu'elle, mais un fossé abyssal les séparait. La productrice était allée au-devant de chaque nouvelle génération émergente pour l'accueillir à bras ouverts, demeurant, à ses propres yeux du moins, éternellement jeune. Coleridge, à l'inverse, était né vieux.

« Pourquoi fallait-il que ce soit obscur à ce point ?

— Je pensais que leurs inhibitions se relâcheraient s'ils ne pouvaient pas se voir les uns les autres. Je voulais qu'ils soient complètement anonymes.

— Vous avez on ne peut mieux réussi, madame, car c'est le facteur principal qui inhibe mon enquête.

— Écoutez ! Comment pouvais-je savoir que l'un d'eux allait déconner et en assassiner un autre ? Pardonnez-moi, mais pendant toutes ces années où j'ai fait de la télévision, jamais il ne m'a traversé l'esprit de devoir organiser mon travail pour le cas où vous, les flics, souhaiteriez le regarder plus tard à la lumière d'une enquête pour homicide. »

C'était bien vu. Coleridge haussa les épaules et fit signe à Geraldine de poursuivre.


VINGT-SEPTIÈME JOUR, 20 HEURES

L'étuve attendait dans la chambre des garçons, mais pour l'heure, les colocataires étaient toujours dans la grande pièce, en train d'essayer de se soûler suffisamment pour se donner du cœur à l'ouvrage.

« Bon, on va devoir se taper quatre heures là-dedans, dit Garry. Alors, si on se veut pas se faire pécho à poil quand le soleil va se lever, faut qu'on commence à une heure, dernier délai.

— J'espère en avoir fini bien avant ça, fit Dervla, en avalant une gorgée de son cidre fort.

— Hé, Dervla, fit Jazz, te torche pas trop, on va être serrés comme des sardines dans cette cabane, je pense pas qu'ça soit un super environnement pour gerber. »

Voyeur Prod. leur avait alloué tous les luxes dont ils avaient besoin pour atteindre l'humeur idoine : des litres et des litres d'alcool, bien sûr, mais aussi des chapeaux de cotillons, des nourritures festives et quelques joujoux érotiques.

« Alors c'est quoi, ces machins ? demanda Garry.

— Des boules de geisha, expliqua Moon. Tu te les coinces dans la chatte.

— Putain !

— J'en ai une paire à la maison. C'est génial, ça te maintient excitée, sauf qu'en fin de compte, ça peut devenir embarrassant à mort. Je porte pas souvent de culotte, et une fois, j'avais mis mes boules pour aller faire les courses, et elles ont dégringolé en plein dans le supermarché pour aller rouler contre un étalage de légumes à la con. Y a un vieux qui me les a ramassées, il avait pas la moindre idée de ce que c'était. "Mon petit, qu'il a fait, je crois que vous avez laissé tomber ça." »

Jazz farfouilla dans la boîte d'accessoires de fête et en sortit un tube en plastique. « Et ça, c'est quoi ?

— Un masseur à bite, expliqua Moon, qui paraissait plutôt experte sur le sujet. Tu y enfonces ta bite et ça te branle.

— Ah, ben, tu vois, moi, j'suis plutôt branché tradition, objecta Jazz. Pourquoi s'encombrer d'une machine quand l'boulot est mieux fait à la main ? »

Tous se soûlaient assez méthodiquement et réussissaient peu à peu à se convaincre qu'ils étaient en train de faire la fête. Qu'ils étaient entre amis, et non pas entre rivaux.

« Franchement, reprit Moon, en fin de compte, quatre-vingt-quinze pour cent des accessoires sexuels n'approchent jamais d'une bite ou d'une chatte. Les gens les achètent pour se marrer ou pour faire un cadeau d'anniversaire embarrassant. C'est genre : "Qu'est-ce qu'on pourrait bien offrir à Sue pour ses dix-huit ans ? – Oh, je sais, offrons-lui un putain de gode géant avec un bout pivotant. Ça va être tordant quand elle l'ouvrira devant sa mémé." En fin de compte, personne les utilise, ces merdes. Franchement, moi, j'ai une paire de pinces à seins à la maison et je m'en sers pour accrocher mes factures. »

En même temps que les accessoires de sexe, Voyeur Prod. avait fourni une pleine glacière de crèmes glacées dernier cri – des versions glacées (et chères) de célèbres barres chocolatées. Tous s'étaient jetés sur la glacière avec excitation.

« J'me souviens, quand il y avait soit des glaces, soit des KitKat, observa Jazz. Qu'un des deux puisse marcher sur les plates-bandes de l'autre c'était même pas pensable. C'était inimaginable. Aujourd'hui, les mômes pensent que c'est ça la norme.

— C'est avec les Mars que ça a commencé, ces âneries, remarqua Dervla. Je suis assez vieille pour me souvenir de l'excitation que ça a provoqué, un Mars glacé, l'idée semblait tellement incroyable à l'époque. Quelle idiotie ! Aujourd'hui, ils font de la glace Opal Fruit.

— Ça s'appelle Starbursts maint'nant, dit Jazz avec un feint mépris. Sors un peu, ma fille. Tu crois encore qu'un Snickers, c'est la même chose qu'un Marathon ? C'est cette putain d'globalisation qui d'vient folle, voilà ce que c'est. On doit donner aux bonbecs le même nom que les Amerloques. Il devrait y avoir des protestations.

— D'ailleurs, qu'est-ce qui clochait, avec les Mivvis et les Rockets, j'aimerais bien le savoir ? renchérit Dervla. On les aimait.

— On est la dernière génération, souligna Jazz avec solennité, qui aura connu les joies des bonbecs faits à cent pour cent en cochonnerie. Jamais plus on d'mandera à un gosse d'sucer les trucs rouge et orange sur un morceau de glace en lui f'sant croire que c'est cadeau. »

À la régie, Geraldine était déjà en proie à l'exaspération. Elle leur avait fourni des glaces dans l'espoir qu'ils auraient l'idée de les manger à même le corps de l'autre, pas d'en faire un sujet de discussion.

« Tu es un philosophe, Jazz, commenta Dervla.

— C'est quoi, ça ? L'Irlandaise est pour le branleur ? fit Garry.

— Cela signifie, dit David, que le ciel et la terre recèlent plus que tu ne pourras jamais rêver.

— T'as pas la moindre idée de ce dont je rêve, mon pote.

— De femmes à poil ?

— Enculé ! Mais t'es un putain de voyant, toi ! T'as un don. »

Mais Jazz ne se laissait pas distraire aussi facilement. Ses connaissances en matière de spectacle comique lui soufflaient qu'il venait de tomber sur un sujet de choix pour exécuter un bon numéro.

« C'est comme, d'nos jours, tous les trucs qui prétendent être aut'chose que c'qu'ils sont. Y en a aucun qui est heureux de ce qu'il est. Prenez les Smarties, c'est fini, ils sont plus heureux comme ils sont. Maintenant, y en a des minis, des géants…

234

— Ouais, et des normaux aussi, intervint Moon.

— Oui, des Smarties classiques. C'est comme l'histoire des brosses à dents, David. Tout doit faire semblant d'être quelque chose d'autre, et ça va pas s'arrêter là. Tout c'qu'on aime va changer, s'ra mis dans un nouvel emballage et on nous refourguera ça comme un progrès… T'nez, les bâtonnets de poisson. Je vous parie qu'un d'ces quatre ils vont s'mettre à faire des mini-bâtonnets, des bâtonnets géants…

— Des bâtonnets de glace au poisson, compléta Dervla.

— Ils arrivent. J'te jure qu'ils sont en route. »

Dervla riait. « C'est de la sauce pour les salades, mais en bâtonnets.

— T'as tout pigé, ma grande.

— Toutes vos céréales préférées du petit déjeuner en une série de soupes qu'on avale en une gorgée !

— Ouais, c'est bon, c'est bon. »

Jazz n'en revenait pas de s'être fait couper l'herbe sous le pied aussi facilement. Normalement, le comique de la bande, c'était lui. Pas Dervla. Elle, elle était trauma-thérapeute.

Dans la salle de régie, Geraldine bouillait d'impatience : « Allez ! hurla-t-elle. Enlevez-moi ces fringues et partez dans l'étuve, bande de glandeurs ! »

Le message fut-il entendu à l'intérieur de la maison ? Ou étaient-ils à présent assez ivres ? Toujours est-il que la conversation s'orienta à ce moment précis vers le défi à venir.

« Bon, alors, on fait comment ? s'enquit Sally. Pas question que je me déshabille ici avec toutes les lumières allumées.

— Va dans la chambre, dit David. Il fait noir, là-bas.

— Hors de question, protesta Dervla. Ils ont des caméras infrarouges. On aurait l'air de porno stars au rabais !

— Cool ! » approuva Garry.

Kelly coula un regard en direction de David, un simple regard, accompagné d'un petit sourire. S'il le remarqua, il se garda bien d'y répondre.

« J'en ai rien à cirer, moi, décréta Moon en ôtant ses chaussures.

— Eh bien, moi, si, répliqua Sally. C'est pas parce que l'étuve représente une expérience ethnique intéressante que nous devons faire un strip-tease.

— Pourquoi ? rétorqua Moon. En fin de compte, c'est juste pour ça qu'ils nous ont demandé de faire ce truc à la con, non ?

— Pas sûr, Moon, intervint Hamish. Ils nous ont donné des draps pour nous couvrir, au cas où nous aurions besoin d'aller aux chiottes.

— Ah, mais ça, c'est juste pour la galerie, c'est pour masquer leurs véritables intentions, souligna Dervla.

— Tout à fait, approuva Moon. Tout ce qu'ils attendent, c'est qu'on se mette à poil, et si possible qu'on s'envoie en l'air, en fin de compte.

— Toi, alors, ce que tu peux être cynique !

— Bon sang, Hamish ! Ils nous ont filé des capotes parfumées au chocolat !

— Moi, j'ai rien à cacher, ricana Garry. Si quelqu'un veut voir ma bite, y a qu'à demander. Et franchement, des fois, y a même pas besoin de demander.

— Oui, eh bien, je n'ai vraiment aucun désir de voir ton pénis, rétorqua David. Nous devons relever ce défi si nous ne voulons pas être réduits à des demi-rations la semaine prochaine, mais ce n'est pas une raison pour nous sentir obligés de les laisser exploiter nos corps.

— Ouais, David, c'est ça ! riposta Moon. Tu passes ton temps à te balader en slip dans la baraque en prenant des poses pour montrer ton corps – qui est top, je dois reconnaître, même si en fin de compte t'as l'air d'un parfait pédé tellement tu l'aimes –, et maintenant tu fais des histoires pour enlever ton calbute ?

— Un homme en sous-vêtements, Moon, répliqua David, n'est pas plus nu qu'un homme en maillot de bain. »

Geraldine broya sa tasse de polystyrène. « Oh, bordel de Dieu, mais quelle bande de chochottes prétentieuses ! À POIL ! »

Il fallait bien commencer à un moment ou à un autre. Tout le monde se dirigea donc vers la chambre obscure et entreprit de se déshabiller, chacun faisant montre de degrés de bravoure différents. Dervla était de loin la plus précautionneuse : elle garda ses sous-vêtements jusqu'au dernier moment, avant de les jeter en rafale et d'entrer comme une fusée dans l'étuve.

Geraldine était assez satisfaite. « Il me semble qu'on a eu un de ses seins, non ? s'enquit-elle. Son cul, oui, j'en suis sûre. On va coller ça dans les bandes-annonces. Tout le pays attend d'en voir un peu plus de la douce et pure Dervla. »

À l'intérieur de l'étuve, l'obscurité était totale. Il y faisait aussi sombre que dans une tombe, comme le relèveraient les journaux le lendemain.

Et il y faisait chaud. Très, très chaud.

Conformément aux instructions, Jazz et Garry avaient posé un faux plancher de pin odorant, sous lequel étaient dissimulées les unités de chauffage qui avaient fonctionné tout l'après-midi.

« Oh, ça sent super bon, remarqua Moon.

— Hou là là ! Ce plancher me brûle trop le cul ! brama Kelly.

— Tu vas t'y habituer, la rassura Dervla. Donne-toi une minute pour t'acclimater. »

Le plancher était effectivement brûlant sous leur peau nue, mais cela restait supportable. C'était même plutôt agréable. Excitant, presque.

« Sainte mère de Dieu ! poursuivit la voix de Dervla dans l'obscurité. Je comprends maintenant pourquoi ils appellent ça une étuve. » Au bout de quelques minutes à peine, elle se sentait déjà ruisselante de transpiration. Des gouttes avaient instantanément commencé à tomber de son front et de ses aisselles.

« Ben, c'qui est sûr, c'est que ma tirelire aussi est transformée en étuve ! piailla Moon, ce qui fit rire tout le monde avec elle. Oh, mon Dieu ! C'est à qui, ces fesses ?

— À moi ! » répondirent simultanément trois ou quatre voix.

Tous sentaient leur chair glisser contre d'autres chairs, mais l'obscurité était telle que plus personne ne savait à qui appartenait tel ou tel derrière.

« Quatre heures là-dedans, lâcha Hamish. Il faut qu'on boive un autre verre. »

Tant bien que mal et à grand renfort de tripotages, on fit circuler des bouteilles de plastique remplies de Bacardi tiède et très vaguement allongé de Coca.

« Je pourrais finir par kiffer ce truc », remarqua Garry, exprimant là, à quelques nuances près, l'avis général.

Ça commençait à chauffer, dans tous les sens du terme.

## VINGT-NEUVIÈME JOUR, 20 HEURES

Après une journée consacrée à visionner une fois de plus les séquences depuis le premier jour, Coleridge et Hooper en revinrent à la cassette de la nuit du meurtre, à ces images que Geraldine, l'équipe de Voyeur Prod. et quarante-sept mille abonnés à la connexion Internet avaient vues en direct, moins de quarante-huit heures auparavant. Ces mêmes images bleu-gris, étranges et floues, transmises par les caméras infrarouges depuis la chambre des garçons. Une chambre qui paraissait respirer l'innocence, qui semblait inhabitée et aurait paru parfaitement normale sans cette curieuse boîte de plastique posée en plein milieu. Cette boîte qui renfermait huit personnes ivres et nues, dont seules les étranges bosses qui ondulaient de temps à autre sur les parois de polyéthylène attestaient la présence. Pour les deux policiers qui savaient que l'une de ces bosses vivantes allait bientôt mourir, le spectacle était inquiétant, déprimant.

« Pourquoi ne l'a-t-il pas fait à l'intérieur de l'étuve ? remarqua Hooper, songeur. Il aurait pu.

— Ou elle, rappela Coleridge. Nous parlons du meurtrier au masculin par commodité, mais nous devons garder à l'esprit que le coupable peut être une femme.

— Oui, très bien, monsieur, je sais. Mais ce que je veux dire, c'est que personne n'en aurait rien su, si il ou elle avait agi à l'intérieur de l'étuve. Personne n'aurait rien vu si, dans l'obscurité, une main s'était tendue en brandissant un petit couteau, que le meurtrier aurait facilement pu introduire en cachette. Il aurait été relativement simple de se contenter de trancher une gorge dans le noir et d'attendre que les autres détectent l'odeur du sang ou le sentent coller à leur peau. Le temps que quelqu'un réalise que le truc chaud dans lequel ils macéraient n'était pas de la transpiration mais du sang, ils y auraient tous baigné. C'est peut-être ce qu'il avait prévu.

— Lors de la fouille, il n'y avait pas de petit couteau dans l'étuve ni dans la chambre.

— Oui, monsieur, mais le meurtrier aurait pu brusquement changer d'avis et décider de suivre la victime aux toilettes, et replacer le petit couteau dans le tiroir de la cuisine au moment où il a pris le gros.

— Je ne pense pas, sergent. Comment aurait-il pu être certain de son coup dans cette obscurité? Comment aurait-il pu savoir s'il avait poignardé la bonne personne et s'il avait achevé correctement son travail? Ç'aurait sans doute été terriblement hasardeux. Il aurait pu juste taillader un nez, et pas forcément celui de la bonne personne, ou s'entailler lui-même les doigts.

— Oui, mais il allait bien falloir qu'il passe à l'acte à un moment donné. Comment aurait-il pu savoir qu'une meilleure occasion allait se présenter?

— Il ne le savait pas, mais il attendait. Si l'occasion ne s'était pas présentée, à mon avis, il aurait continué à attendre.

— Pendant combien de temps? Jusqu'à ce que sa proie soit sélectionnée puis éliminée et qu'elle lui échappe par la même occasion?

— Mais sa proie n'avait pas été sélectionnée cette semaine-là, ce qui lui laissait au moins huit jours devant lui.

— Ce que je veux dire, insista le sergent, c'est que, si je cherchais par tous les moyens à tuer quelqu'un dans cette maison, j'aurais trouvé qu'une étuve obscure et remplie de gens ivres était la meilleure des opportunités.

240

— La boisson est un facteur, c'est certain. Le meurtrier devait se douter qu'à un moment donné les gens auraient besoin d'aller aux toilettes.

— Il ne pouvait pas en être certain.

— Non, il ne pouvait être certain de rien. De quelque façon et à quelque moment qu'il choisisse d'agir, il prenait des risques en commettant ce meurtre. »

Coleridge regarda le code horaire. Ils avaient mis la bande en pause au repère 23 : 38. Lorsqu'ils enclencheraient la touche « lecture », le repère 23 : 39 apparaîtrait, et Kelly Simpson émergerait de l'étuve pour entreprendre l'ultime promenade de sa vie.

Kelly Simpson, cette fille dans la fleur de l'âge, si exubérante, si convaincue que son splendide destin ne lui réservait qu'amusements, et qui était entrée dans cette stupide maison sans intérêt pour y mourir... S'imposa alors à l'esprit de l'inspecteur l'image de Kelly le tout premier jour lorsque, excitée comme une puce, elle avait sauté dans la piscine en hurlant combien tout cela était « mortel ». Mortel, c'était indéniablement le mot. Il était 23 h 38, en ce dernier jour qu'elle devait passer dans la maison, et, dans quelques minutes, elle se trouverait une fois de plus dans une piscine. Une piscine remplie de son propre sang.

« Le point que je cherche à souligner, monsieur, insista Hooper, c'est que, s'il prévoyait de la tuer, ainsi que nous l'avons présumé, il avait dû étudier la possibilité de le faire à l'intérieur de l'étuve. Il ne pouvait pas être certain à cent pour cent qu'elle aurait envie d'aller aux toilettes. Ou qu'il aurait la possibilité de dissimuler son identité en la suivant. »

Coleridge contempla l'écran. Difficile de croire qu'ils étaient huit dans cette invraisemblable petite construction en plastique.

« Sauf si le catalyseur du meurtre n'est apparu qu'une fois qu'ils sont entrés dans l'étuve. Sauf si, quelle que soit la raison pour laquelle notre meurtrier voulait tuer Kelly, celle-ci n'est apparue que quelques instants avant son départ aux toilettes, et qu'il s'est lancé à ses trousses dans un accès de fureur spontanée.

— Ou de terreur, nuança Hooper.

— Ou de terreur, c'est exact. Après tout, puisqu'aucun d'eux ne se connaissait avant d'entrer dans la maison…

— C'est du moins ce qu'on nous a dit, monsieur. » La remarque émanait de Trisha, qui revenait à l'instant avec des tasses de thé.

« Oui, tout à fait, c'est du moins ce qu'on nous a dit. Selon notre théorie, l'élément catalyseur qui a provoqué le meurtre a dû se manifester entre le moment où les colocataires sont arrivés dans la maison et celui où ils sont entrés dans l'étuve. Mais évidemment, un événement terrible a pu se produire une fois qu'ils étaient dans l'étuve.

— Ce qui expliquerait sans doute pourquoi les gens de Voyeur Prod. n'ont pas la moindre idée concernant le mobile, concéda Trisha en versant du sucre dans le thé de l'inspecteur.

— Parfaitement. Et cette situation était après tout en train d'évoluer en orgie, ce qui, j'imagine, constitue un environnement assez explosif…

— Songez-vous à un viol, monsieur ? demanda Trisha. Quelqu'un aurait abusé de Kelly et l'aurait ensuite tuée pour échapper aux conséquences ?

— Ce ne serait pas la première fois qu'un viol dégénère en meurtre.

— Mais les autres ? Nous les avons tous interrogés. Ils n'ont rien remarqué. Un viol ne passe pas inaperçu.

— Croyez-vous ? Dans un tel environnement ? Par ailleurs, considérez qu'il pourrait s'agir d'une conspiration générale. Ils se seraient couverts les uns les autres et l'un d'eux se serait chargé du sale boulot.

— Vous voulez dire qu'ils souhaitaient peut-être tous la mort de Kelly ?

— Oui, peut-être, confirma Coleridge. Cela expliquerait l'absence surprenante de preuves pour étayer leurs affirmations.

— Vous pensez qu'elle savait quelque chose sur eux tous ? »

Coleridge accepta la tasse que lui tendait Trisha sans un regard, les yeux rivés sur l'écran. Il était en train d'imaginer un scénario bien plus monstrueux. « Ou qu'ils lui avaient tous fait quelque chose, lâcha-t-il.

— Une histoire de viol collectif ? s'étonna Hooper. Une tournante ? »

Coleridge aurait volontiers prié le sergent de choisir un terme plus adapté, mais il savait bien qu'il n'en existait pas. Pour la énième fois, il appuya sur la touche « lecture ». Le repère bascula de 23 : 38 à 23 : 39 et Kelly sortit de l'étuve.

## VINGT-SEPTIÈME JOUR, 23 H 39

Geraldine était aux anges, excitée comme une puce.

Quand la police les pria par la suite de décrire la scène, tous ceux qui s'étaient trouvés avec elle ce soir-là dans la salle de régie mentionnèrent son excellente humeur. Qui frisait l'hystérie, avaient précisé une ou deux des personnes interrogées.

Heureuse, Geraldine avait des raisons de l'être. Au vu de la boîte de plastique gris translucide qui commençait littéralement à *vibrer*, l'équipe ne pouvait que constater que le plan de leur patronne avait fonctionné, et que c'était du vrai sexe qui était à l'œuvre là-dedans. Les colocataires n'étaient dans l'étuve que depuis deux des quatre heures imposées et, manifestement, ils s'étaient déjà livrés à quelques activités spécifiquement érotiques ; et il semblait assuré qu'il y en aurait d'autres.

Les cris, les piaillements et les commentaires frimeurs suscités par l'excitation et l'embarras des premiers moments s'étaient calmés, et l'on ne distinguait plus à présent que murmures et chuchotements. Les candidats enfermés dans l'étuve semblaient ivres et fort désorientés après ces deux heures passées à transpirer et à se tortiller dans l'obscurité totale de leur petite cabane.

À l'évidence, n'importe quoi pouvait se produire. Ce qui ne manqua pas d'arriver.

Environ dix minutes après qu'on eut entendu Jazz proposer un jeu où chacun devrait identifier les autres en les palpant, le volet en plastique à l'entrée de l'étuve s'écarta pour livrer passage à Kelly.

« Tiens donc, fit Geraldine. Pause pipi. »

Bob Fogarty cilla et se concentra sur ses moniteurs.

On y voyait Kelly se redresser, son corps nu ruisselant et étincelant de transpiration.

« Très joli, murmura Geraldine, toute tendue d'excitation. Très très très joli. »

Kelly semblait pressée. Elle ne prit pas la peine de se couvrir de l'un des immenses draps que le Voyeur avait fournis pour de pareilles éventualités, et elle se contenta, en tenue d'Ève, de traverser en courant la chambre des garçons et le salon pour gagner les toilettes qui servaient aux besoins de tout le groupe.

« Magnifique ! s'exclama Geraldine. Je savais bien qu'ils n'utiliseraient pas ces draps pour se couvrir une fois qu'ils seraient chauffés à bloc. Sauf peut-être cette petite garce de Dervla. Moon avait vu juste. Si j'ai mis ces draps à leur disposition, c'est juste pour leur donner l'impression que je ne suis pas une perverse finie – ce qui est faux, évidemment, mais je dois ajouter que tout le reste de la population est aussi pervers que moi. »

La cavalcade de Kelly avait naturellement enchanté tous les observateurs réunis dans la salle de régie. Depuis le début de l'émission, c'était le premier moment de nudité absolue, nette, frontale.

« Avec la chatte et tout et tout, comme le souligna la productrice avec délectation. Maintenant, nous n'en serons plus réduits à diffuser sans arrêt la séquence archi-usée de ses nichons qui dépassent de la piscine.

— Et la qualité du matos est excellente, commenta Fogarty.

— La qualité du corps ou des images ? s'enquit Geraldine.

— Je suis un technicien, je ne fais pas dans l'esthétique », répliqua-t-il avec hargne et embarras.

Il avait cependant raison à propos de la qualité de l'image. Celle-ci différait totalement des images bleu-gris et grenues que les caméras infrarouges dérobaient de temps à autre dans les chambres. Kelly avait traversé la grande pièce, en permanence éclairée aux néons, et, même si on avait baissé l'intensité de la lumière pour éviter qu'elle ne pénètre dans la chambre des garçons, quand la porte s'était ouverte, le spectacle avait offert une image superbe.

« Elle est belle, Larry, lança Geraldine dans son micro à l'intention d'un des cadreurs de service. Une chance qu'on ait décidé de te garder. »

Geraldine faisait allusion à la conversation qui, pas plus tard que la veille, avait eu pour thème de dispenser tous les cadreurs du service de nuit. Il ne se passait jamais grand-chose dans la maison au cours de la nuit, et de toute façon le site était entièrement couvert par les minicaméras motorisées. Cependant, Geraldine avait insisté pour qu'une personne au moins reste postée dans le couloir de travelling, au cas où… Une fille nue traversant une pièce en courant devait bénéficier d'une approche personnalisée. Or, en plus de ne procurer que des images en plongée, les minicaméras motorisées possédaient chacune un champ propre, ce qui aurait posé des problèmes de raccord au montage. Enfin, Larry, le cadreur, avait réussi une longue prise frontale qui capturait le balancement des seins, le tremblement des cuisses et le plat du ventre, sans jamais perdre la mise au point sur les poils pubiens. Au ralenti, le plan serait absolument fantastique.

« Improvisation d'enfer, poursuivit Geraldine en dispensant ses félicitations à qui de droit. Il semblerait que vous autres, êtres humains, pouvez encore être utiles à la télé. Reste devant la porte des toilettes, Larry, et reprends-la quand elle en sort. »

L'intérieur des toilettes n'était couvert que par une seule caméra télécommandée, haut perchée au-dessus de la porte. En cet instant, elle plongeait sur Kelly, assise sur les toilettes, la tête dans les mains.

Un silence embarrassé gagna la salle de régie. Personne, dans l'équipe, n'avait jamais pu s'habituer à cet aspect du travail. Écouter les gens pisser et chier. Dans la journée, au moins, il y avait d'autres choses à regarder et à écouter. Mais la nuit, c'était différent. Quand un des colocataires se rendait aux toilettes, il n'y avait que lui et les six personnes qui le regardaient et l'écoutaient depuis la salle de régie : pour ces dernières, c'était toujours une expérience étrangement intense et assez dégradante, qui leur donnait l'impression d'être des pervers de la pire espèce.

246

En cette occasion précise, évidemment, la boîte de plastique translucide aurait dû leur fournir de nombreuses sources de distraction, mais, brusquement, la fête semblait traverser une accalmie. Aux sommets d'hilarité, aux grognements et gloussements qui avaient accompagné le jeu de tâtonnement avait succédé, sans grande transition, une sorte d'hébétude ivre. On arrivait à discerner des murmures et des ricanements, mais ils demeuraient confus, et nullement assez distrayants pour détourner l'attention générale de la fille assise sur la lunette des toilettes. « Allez, ma chérie ! l'encouragea Geraldine. Tu ne vas pas me dire que tu as le trac, après trois semaines. Nous t'avons déjà tous entendue pisser.

— Peut-être qu'elle pleure, dit Fogarty. En général, elle ne met pas sa tête dans les mains quand elle pisse.

— Tu crois que quelqu'un dans l'étuve a poussé le bouchon un peu loin ? demanda Geraldine avec fébrilité. En ce cas, on en entendra très certainement parler demain au confessionnal.

— Elle se tient comme ça parce qu'elle est ivre, souligna Pru, l'assistante monteuse.

— Sans doute. »

Tous ensemble, ils continuèrent à observer la fille assise sur le siège des toilettes. Après tout, c'était leur boulot.

« Tiens, ça me fait penser que je vais éclater, dit Geraldine, qui venait de passer plusieurs heures dans la salle de régie à boire café sur café. Je parie que je suis de retour avant qu'elle ait fini. » La productrice tirait une certaine fierté de l'efficacité de ses fonctions physiques.

« Et moi, je vais chier », précisa-t-elle par-dessus son épaule en sortant. N'ignorant pas à quel point son équipe la jugeait déplaisante, elle se délectait d'aggraver cette antipathie, et s'appliquait à les surprendre en dépassant leurs pires appréhensions.

« Trop, beaucoup trop de détails », commenta tristement Fogarty une fois qu'elle eut quitté la pièce.

Ils attendirent en silence.

« Je pense qu'elle n'est pas dans son assiette, dit Pru.

— Qui ? Geraldine ? Ça m'étonnerait.

— Non, Kelly. Elle n'avait pas besoin de pisser, elle avait juste envie de prendre le large, vous ne croyez pas ?

— C'est possible.

— Elle n'est pas en train de faire pipi, là. Elle est assise, c'est tout. Elle voulait juste s'échapper de cette étuve, mais elle sait que, si elle se dérobe au défi, Geraldine pénalisera tout le groupe en réduisant leur budget de moitié. Donc la seule façon de s'offrir une pause est de faire semblant d'avoir envie de faire pipi. »

Peu après, Geraldine revint et en arriva à la même conclusion que Pru. « Elle tire au flanc, ricana-t-elle. Elle fait l'école buissonnière. Elle n'est pas en train de pisser, mais de se foutre de notre gueule, et je ne vais pas laisser passer ça. Je vais faire une annonce pour lui dire de se décider à pisser ou de vider les lieux. Où est ma voix ? Où est Sam ? Je vais dire à cette petite pétasse de ramener son joli corps dans l'étuve ou de payer le prix.

— Attendez ! s'écria Pru. Il se passe quelque chose. »


VINGT-NEUVIÈME JOUR, 20 H 10

La ligne de chiffres, au bas de l'écran du téléviseur de la police, indiquait 23 : 44. 23 : 44 et vingt et une secondes, vingt-deux secondes, vingt-trois secondes.

Même après de nombreux visionnages, Coleridge trouvait cette scène toujours aussi pénible à regarder. Il avait entendu dire que toute la séquence était déjà disponible sur Internet et avait été téléchargée plusieurs dizaines de milliers de fois. Aussi longtemps qu'il vivrait, l'inspecteur ne pensait pas parvenir à comprendre un jour comment une seule et unique race d'êtres humains pouvait inclure à la fois Jésus-Christ et des gens capables de télécharger la vidéo du meurtre d'une jeune femme. Il supposait plus ou moins que tel avait été le but du Messie, mais cela ne rendait l'histoire ni plus compréhensible, ni plus acceptable.

Avec Hooper et Trisha, il observa le moment où (tandis que Kelly, loin de se douter de quoi que ce soit, était toujours assise nue sur les toilettes), à l'autre bout de la maison, dans la chambre des garçons, le rideau de l'étuve remua. Il y eut une sorte de brève effervescence : une silhouette indiscernable s'empara avec agilité de l'un des draps mis à disposition par Voyeur Prod., le déplia pour masquer l'entrée et s'en enveloppa tout en sortant de l'étuve. En dépit de tous leurs efforts, et malgré la contribution des techniques les plus pointues d'amélioration de l'image, la police avait échoué à tirer la moindre information de quelque nature que ce soit à partir de cette image floue et bleutée. L'espace de quelques secondes, on distinguait une main, mais il était impossible de déterminer si elle appartenait à un homme ou à une femme, ou même de distinguer si une bague était glissée à l'un des doigts.

Ensuite, prudemment, recouverte de la tête aux pieds par le drap, la silhouette masquée sortit de la chambre des garçons pour pénétrer sous les néons de la grande pièce. Là, elle se dirigea vers les éléments de la cuisine, où elle provoqua à nouveau les policiers en offrant l'image de sa main qui plongeait dans l'un des tiroirs

pour en retirer le plus gros couteau, un splendide Saba-
tier. Enfin, tandis que les micros continuaient à diffuser les murmures et les gloussements en provenance
de l'étuve, la silhouette voilée acheva de traverser le
salon, pénétra dans la buanderie et approcha de la porte
des toilettes.

## VINGT-SEPTIÈME JOUR, 23 H 44

« C'est quoi, ce bordel ? demanda Geraldine en observant la silhouette drapée qui sortait de la chambre des
garçons.

— Aucune idée, répondirent en chœur Pru et Fogarty. Quelqu'un qui a envie de faire une blague et de
flanquer la frousse à Kelly ? » suggéra ce dernier.

À présent, la silhouette traversait le salon en direction du coin cuisine et s'emparait d'un couteau dans
le tiroir.

« Je n'aime pas ça, dit Geraldine. Ce n'est pas
drôle. »

Puis la silhouette s'achemina vers les toilettes.

« Ils sont tous bien trop soûls pour ce genre d'âneries, décréta Geraldine. Il faut faire une annonce. Dire à
ce débile, qui qu'il soit, d'arrêter de déconner et d'aller
ranger ce putain de couteau là où il l'a pris avant qu'on
se fasse censurer par le Comité de surveillance. Sam
n'est pas là. Pru, c'est toi qui vas passer l'annonce.
Vite, branche l'Interphone. »

Mais il était trop tard.

La silhouette ouvrit brusquement la porte des toilettes et entra.

Kelly avait dû voir le visage de son assassin, mais
elle était la seule. Tous les colocataires savaient que

l'unique caméra installée dans les toilettes se trouvait au-dessus de la porte. En entrant, sans lâcher le couteau, la silhouette souleva des deux mains le drap par-dessus sa tête. Kelly avait dû relever la sienne, surprise, mais nul ne put voir son expression en cet ultime instant : le drap qui flottait au-dessus et dans le dos du meurtrier les dérobait, lui et sa victime, à l'œil de la caméra.

Geraldine et son équipe virent ensuite ce drap comme basculer vers l'avant, sur Kelly. C'était, apprendrait-on plus tard, le premier coup de couteau. Celui qui embrocha le cou de la jeune fille.

Dans la salle de régie, tous croyaient encore à une blague. Pourquoi seraient-ils allés s'imaginer autre chose ?

« Mais à quoi il *joue*, ce con ? » demanda Geraldine tandis que le drap se relevait en flottant avant de plonger une nouvelle fois.

## VINGT-NEUVIÈME JOUR, 20 H 30

« À mon avis, il avait prévu de ne porter qu'un seul coup, dit Coleridge. Après tout, il ne pouvait pas se permettre d'avoir du sang sur lui.

— Tactique imparable, ça, si jamais vous devez planter un couteau dans le corps de quelqu'un.

— Un seul coup, très violent, directement dans le cerveau. Mort instantanée.

— Et sans geyser de sang.

— Exactement, mais la fille a dû bouger la tête et la lame s'est plantée dans le cou.

— Et non pas dans une jugulaire, heureusement pour lui.

— Oui, il s'en est sorti sans laisser de traces.

— Un foutu veinard. »

Coleridge ne pouvait qu'en convenir : le meurtrier avait effectivement été un foutu veinard.

« Je continue à dire que seul un homme, et un homme fort, peut assener un coup pareil, poursuivit Hooper.

— Non, nous l'avons prouvé », s'impatienta quelque peu Trisha, qui avait passé un après-midi fort déplaisant à enfoncer des couteaux dans des crânes de cochons, dans une boucherie du coin.

« Je sais bien qu'une femme aurait pu le faire, mais c'était risqué, insista Hooper. Si le couteau s'était coincé dans l'os du crâne, par exemple... ce qui s'est passé avec les cochons, Trisha, une fois sur deux quand vous avez essayé. De plus, cela demande une force énorme, et un couteau de cuisine n'a pas de garde. Vous portiez des gants, mais de temps en temps, votre main glissait. Comment une femme se serait-elle débrouillée si sa main avait glissé ? Elle se serait tranché les doigts. Kelly se serait agrippée au drap. Tout aurait capoté. Les probabilités qu'une femme puisse réussir à porter un coup pareil sont bien minces.

— Sauf en ce qui concerne Sally, dit Coleridge. La grande et costaude Sally. La coupable désignée sur Internet.

— Mais pourquoi diable Sally aurait-elle tué Kelly ? interrogea Trisha avec un peu trop d'empressement.

— Pourquoi les autres l'auraient-ils fait ? répliqua Coleridge. Tout ce que nous pouvons affirmer avec certitude, c'est que n'importe lequel d'entre eux aurait pu le faire. Le meurtrier était droitier, comme tous les colocataires restant dans la maison. Cependant, je vous le concède, il est plus probable que le coupable soit l'un des plus forts, et qu'il s'agisse d'un homme. »

Ils reportèrent leur attention sur l'écran. La silhouette avait ouvert la porte à 23 : 44 et vingt-neuf secondes, avait porté le premier coup deux secondes et demie plus tard, et le second et dernier coup, encore deux secondes après. Le meurtrier n'avait même pas passé au total dix secondes dans les toilettes.

« Si tout n'était pas à ce point clinique, observa Coleridge, j'aurais dit que l'attaque était le fruit d'un délire. »

La cassette défilait. Il s'avérait que le meurtrier avait pris non pas un, mais deux draps dans la pile en sortant de l'étuve car, en même temps qu'il se redressait, une fois porté le second coup, il en étalait un sur sa victime. L'autre le recouvrait toujours tandis qu'il sortait des toilettes.

« Patricia, avez-vous parlé avec le cadreur de service ce soir-là ?

— Oui, monsieur. En long et en large. Il s'appelle Larry Carlisle. Il a vu la silhouette masquée entrer dans les toilettes, et en ressortir quelques instants plus tard. » Trisha rassembla ses notes et lut la transcription du témoignage du cadreur :

« J'ai vu la silhouette suivre la victime dans les toilettes aux environs de minuit moins vingt. Elle est ressortie peu après, elle a regagné le salon pour se diriger vers la chambre des garçons. Je ne l'ai pas couverte avec ma caméra puisque j'avais reçu l'ordre de surveiller les toilettes pour obtenir d'autres bonnes séquences de nu. Je suis resté là, à regarder la porte, jusqu'au déclenchement de l'alarme. Je me souviens de m'être dit que la fille restait vraiment longtemps, là-dedans. Je n'avais plus que vingt minutes de service à accomplir, et je commençais à penser que j'allais devoir abandonner la fille à mon remplaçant. Bref, quatre ou cinq minutes après que la silhouette est sortie des toilettes, ils ont tous déboulé de la salle de régie, et vous connaissez la suite. »

« Quatre ou cinq minutes ? releva Coleridge quand Trisha eut terminé sa lecture.

— C'est ce qu'il a dit.

— D'après les gens présents à la régie et les codes horaires, ça n'a pas excédé deux minutes.

— Je suppose que, lorsqu'on ne fait rien d'autre que de surveiller une porte, il est facile de mal évaluer les minutes qui passent.

— Quel laps de temps a-t-il indiqué, entre l'instant où Kelly est sortie pour aller aux toilettes et celui où son meurtrier l'a suivie ?

— Il a dit deux minutes, mais là aussi, il s'est trompé. C'était plutôt cinq. »

Coleridge prit le grand registre rouge dans lequel il conservait ses commentaires sur l'enquête pour y noter le nom de Carlisle et les écarts dans son minutage. L'inspecteur écrivait à la main, et achever une phrase semblait toujours lui prendre des semaines.

## VINGT-HUITIÈME JOUR, 19 HEURES

Le témoin Geraldine Hennessy en était arrivé, dans sa déposition, au moment du meurtre. Sa version des faits corrobora celle des autres témoins. « J'ai vu le type sous son drap sortir de l'étuve, traverser le salon, filer aux toilettes et tuer Kelly.

— Selon vous, depuis combien de temps Kelly était-elle aux toilettes quand le meurtrier est sorti de l'étuve ?

— Quatre ou cinq minutes, je pense.

— Avez-vous *vu* le meurtre ?

— Non, pas de mes yeux, évidemment. Le drap faisait obstacle. On l'a juste vu se gonfler comme une voile, se soulever et redescendre deux fois, et on s'est

254

demandé ce qui se passait. Puis le mec s'est tiré fissa pour repartir dans l'étuve, en laissant Kelly recouverte de son second drap.

— Vous avez donc vu la silhouette drapée regagner l'étuve et y rentrer ?

— Oui, nous l'avons tous vue.

— Que s'est-il passé ensuite ?

— On est resté assis, à observer. Kelly était toujours assise sur les chiottes, mais recouverte de ce drap.

— Vous n'avez pas trouvé cela bizarre ?

— Eh bien, si, bien sûr, mais tout ce putain de truc était bizarre, non ? Nous ignorions ce qui se passait. À ce stade-là, on savait qu'ils avaient un peu déconné avec les draps, et rien d'autre. Franchement, inspecteur ! Nous ne nous attendions pas à un meurtre. On la croyait endormie. Ils étaient tous complètement ivres morts. La bizarrerie aurait été que rien de bizarre n'ait lieu.

— Et puis ?

— Eh bien, après, on a vu la mare.

— Combien de temps après que la silhouette masquée eut quitté les toilettes, selon vous ?

— Je ne sais pas. Cinq minutes, maxi.

— Oui, c'est ce qu'a indiqué le cadreur en poste dans le couloir de travelling.

— C'est important ?

— Le monteur et ses assistants pensent que c'était plutôt deux.

— Peut-être, j'en sais rien. Moi, j'aurais dit cinq. Le temps devient un peu élastique quand vous regardez une nana recouverte d'un drap assise sur des chiottes. Que disent les codes horaires ?

— Deux minutes et huit secondes.

— Puisque vous avez la réponse, pourquoi me posez-vous la question ?

— Donc c'est à ce moment-là que vous avez vu la flaque ?

— Ouais, brusquement, on a vu un genre de liquide noir et brillant qui se répandait à partir des toilettes.

— Du sang ?

— Maintenant, on sait qu'il s'agissait de sang.

— Mais à ce moment-là, l'idée que c'en était vous a sans doute traversé l'esprit, non ?

— Oui, bien sûr, mais ça semblait tout bonnement impossible.

— Le drap en était déjà imbibé. Pourquoi ne l'avez-vous pas remarqué ?

— Comme vous le savez, le drap était bleu foncé. La tache ne se remarquait pas à la caméra infrarouge. Tous les draps de la maison sont de couleur sombre. Notre psy pense que ça incite aux relations sexuelles.

— Bon, et ensuite ?

— Ensuite, inspecteur, je dois avouer, à ma grande honte, que j'ai hurlé. »


VINGT-SEPTIÈME JOUR, 22 HEURES

Ils étaient maintenant dans l'étuve depuis quelques minutes et ils attendaient que leurs yeux s'accoutument à l'obscurité. De toute façon, il était vain de chercher à y voir quelque chose. L'obscurité était totale.

« Jouons à vérité ou défi, lança la voix de Moon.

— Défi ? dit Dervla. Doux Jésus, quel défi on pourrait imaginer après ça ? On a déjà dû se mettre à poil.

— Oh, moi, j'ai bien une ou deux idées, grommela Garry.

— Eh bien, garde-les pour toi, répliqua Dervla en réussissant à prendre une voix guindée – un vrai tour de force, compte tenu des circonstances. Parce que je n'ai pas l'intention de baiser avec qui que ce soit. »

Plus elle parlait, plus elle retrouvait ses intonations dublinoises. Chaque fois qu'elle se sentait vulnérable, elle se réfugiait dans le confort protecteur de l'accent rugueux et puissamment crédible de son enfance. « Doux Jésus, ma mère me tuerait, c'est sûr.

— Bon, d'accord, concéda Moon. On joue juste à dire la vérité, alors. Quelqu'un doit poser une question. »

Une autre voix, grinçante et amère, transperça alors l'obscurité. « Tu peux me dire quel est l'intérêt de jouer au jeu de la vérité avec toi, Moon ? » La voix de Sally jeta un froid. Son intensité dure et désagréable coupa court au badinage éthylique.

« Hé, Sally ! C'est bon, c'était pour déconner. Tu veux pas laisser pisser ? se défendit Moon avec colère.

— Oh, c'est quoi, ça ? demanda Garry. Qu'est-ce qui vous prend, les cocottes ?

— Demande à Sally, répliqua Moon. C'est elle qui supporte pas la plaisanterie. »

Sally demeura silencieuse. Elle ne laisserait pas pisser, surtout pas. Elle n'en avait pas l'intention. Quoi qu'il arrive. Moon avait fait un truc méprisable. Elle s'était approprié l'atroce souffrance de ceux qui avaient été abusés ou souffraient de troubles mentaux pour marquer quelques malheureux points. Un jour, Sally était fermement décidée à faire prendre conscience à Moon de l'horreur de son acte.

« Putain, on s'en fout, poursuivit Moon. Et va te faire foutre, Sally. »

Il y eut du mouvement. Quelqu'un sortait de l'étuve.

« C'est qui ? demanda Hamish.

— C'est qui, qui sort ? » renchérit Jazz.

Sally était déjà dehors. « Je vais pisser.

« — T'as intérêt à revenir, dit Jazz. Si on fait pas c'qu'ils nous ont d'mandé, on est tous perdants.

— Je sais. »

À la régie, ils regardèrent Sally sortir de la chambre des garçons et traverser la vaste pièce pour gagner les toilettes. La jeune fille avait omis de se recouvrir d'un drap, mais Geraldine n'en sautait pas de joie pour autant.

« Bon, pas mal, mais ce n'est pas vraiment la plus canon, marmonna-t-elle. En plus, on a déjà vu ses putains de gros nénés des centaines de fois. Ce qu'il nous faut, ce sont des images de face de Kelly ou de Dervla. »

Elle considéra l'écran avec lassitude. « Et j'aurais vraiment aimé qu'elle se fasse épiler le maillot. Franchement, regardez-moi ça ! J'ai connu des lesbiennes avec des hamburgers à fourrure très stylés. »

Bob Fogarty attrapa une ou deux livres de chocolat de consolation.

Pendant l'absence de Sally, Moon poursuivit sur le même thème. « Bon alors, on joue, oui ou non ? Qui a une question bien juteuse ? »

Bien entendu, Garry posa la question inévitable : « Bon, on va tous dire avec qui on baiserait dans cette maison si c'était une question de vie ou de mort.

— Dervla », lança Jazz, pour réaliser aussitôt que tant de précipitation était embarrassante. Un chœur de « Hou ! » le récompensa.

« Jazz veut se taper Dervla, Jazz veut se taper Dervla, chantonna Kelly d'une voix ivre.

— Je suis très flattée, Jazz, dit Dervla, mais, comme je l'ai déjà dit, je ne cherche pas à baiser, donc la réponse est non.

— Mais si tu devais le faire, insista Garry, tu choisirais qui?

— Tu dois répondre, renchérit Moon. En fin de compte, on doit tous répondre.

— Bon, d'accord. Je suppose que je choisirais Jazz, mais uniquement parce qu'il s'est comporté en gentleman en me désignant.

— Moi aussi, je me le ferai quand t'auras fini avec lui, dit Moon, parce que je pense que t'es un super bon coup, Jazz. Je peux le dire ici, parce qu'il fait noir, que je suis ivre morte et que vous pouvez pas me voir rougir, mais en fin de compte, si je pouvais, c'est avec ton cerveau que je m'enverrais en l'air tellement je trouve que t'es génial.

— Avec son cerveau? explosa Garry. Ben, ma vieille, tu vas pas planer haut!

— T'es jaloux, Garry! riposta Jazz. Parce que ça me fait un score de deux à zéro. Deux-zéro! Deux-zéro! Deux-zéro! »

Sally revint des toilettes. Grognements et ricanements s'intensifièrent lorsqu'elle palpa les corps nus pour se frayer un passage.

« Je vais te dire un truc, Jazz, lança-t-elle. En vous entendant parler, Garry et toi, je suis bien contente d'être lesbienne.

— Oui, tu devrais faire attention, Jazz. J'ai envie de changer d'avis, ajouta Dervla.

— Bon alors, moi, ce sera Hamish, cria Kelly. Parce que c'est un docteur et que ça, ça se respecte trop, hein? »

En fait, à l'instar des autres filles – Sally exceptée –, Kelly fantasmait sur Jazz, mais avait désigné Hamish par gentillesse. Elle s'était sentie coupable d'avoir nourri, après leur nuit d'ivresse, cette étrange suspicion à demi formulée ; coupable, surtout, de s'en être ouverte au Voyeur. Pas en termes explicites, bien sûr, mais elle était allée au confessionnal demander s'il s'était passé quelque chose, ce qui indiquait assez clairement ce qu'elle avait derrière la tête. Ce n'était vraiment pas sympa de sa part. Tout le monde avait dû penser qu'elle craignait qu'Hamish ait essayé de profiter de son état. Et avoir de tels soupçons à propos de quelqu'un, Kelly savait que ça n'avait rien d'anodin, surtout si le quelqu'un en question était docteur ; surtout qu'elle avait finalement décrété, une fois pour toutes, que rien d'inconvenant n'avait eu lieu dans la cabane cette nuit-là. Elle voulait faire amende honorable et, pensait-elle, désigner Hamish comme son partenaire de prédilection prouverait qu'elle n'entretenait plus aucune suspicion.

Le jeune homme était ravi. La visite impromptue de Kelly au confessionnal ne lui avait pas échappé et l'avait affreusement inquiété. Au moins savait-il maintenant qu'il ne risquait rien. Si Kelly avait entretenu le moindre soupçon envers sa conduite, elle n'aurait certainement pas agi ainsi, non ?

« En plus, poursuivit Kelly, les docteurs ont des mains trop sensuelles, et les filles adorent les caresses tendres. »

Garry et Jazz portèrent un toast de soûlards. Hamish avala une gorgée d'air chaud et salé. *Des mains sensuelles* ?… Des *caresses tendres* ? Était-ce une coïncidence ? Savait-elle ? Avait-elle été consciente tout du long et avait-elle aimé ses… ses explorations, sa… *pénétration digitale* ? Rien d'impossible à cela, car, après tout, Kelly n'avait rien d'une enfant de chœur. Hamish sourit, d'un immense sourire réjoui que personne ne pouvait voir. Peut-être allait-il même avoir droit à une seconde chance ?.

« À la tienne, Kelly ! s'écria-t-il. Je suis profondément flatté, et il va de soi que je te choisis également.

— Et je vais faire comme toi, cria Garry. Sans vouloir vous vexer, les filles, y a pas photo, hein ? Rien que pour les nichons…

— Laisse tomber, Garry, répliqua Hamish. Les plans à trois, ce n'est pas mon truc.

— Non mais écoutez-les, ces deux-là, piailla Kelly. Ils se disputent pour moi, les filles. C'est trop romantique. » Comme elle était assise nue dans une étuve commune, la réflexion témoignait de son état d'ébriété avancé.

« Et toi, Sally ? s'enquit Jazz. Tu choisirais qui ?

— Dervla, merci beaucoup, répliqua paisiblement Sally. Je trouve qu'on formerait un beau couple à la prochaine Gay Pride.

— Je suis enchantée et flattée, répondit Dervla, quelque part dans l'obscurité. C'est incroyablement gentil de ta part, Sally, et si j'étais dans ton camp, je pourrais répondre à ta proposition sans plus d'hésitation que ça.

— Cool ! beugla Garry. Je pourrais mater ?

— T'as été choisie deux fois, Dervla, dit Jazz. Joli score, ma p'tite. À égalité avec maître Jazz.

— Les votes des gousses comptent, alors ? s'informa Garry. Bon, je suis pas anti-homo ni rien, mais j'aurais cru qu'ils entraient dans une autre catégorie.

— Tu racontes n'importe quoi, Garry, riposta Dervla, et tu es anti-homo.

— Sûrement pas. Je suis un grand défenseur de l'amour lesbien. Je pourrais mater ça toute la journée.

J'ai même quelques cassettes excellentes, si ça inté-resse quelqu'un, quand on sortira d'ici. »

En entendant cette réflexion, Kelly repensa à David et au petit secret qu'elle connaissait à son sujet. Ainsi, Garry collectionnait les films porno. Possédait-il des films de la série des *Partouzes sodos* ? « Et toi, David, tu choisis qui ? demanda-t-elle.

— Pour partenaire sexuel dans notre petit groupe ? répondit David, dont on entendait la voix dans l'étuve obscure pour la première fois. Eh bien, qui d'autre, sinon moi-même ? Pour moi, le sexe n'est rien sans amour ou engagement, et vous savez tous que je n'aime personne autant que *moi*[1] sur cette terre. »

Ainsi qu'il l'avait espéré, tout le monde éclata de rire. Il était tout à fait conscient de passer pour quel-qu'un d'extrêmement vaniteux aux yeux du public. Il passait toujours pour quelqu'un d'extrêmement vani-teux, pour la bonne raison qu'il l'était. Mais, curieuse-ment, cette vanité était à la fois le trait le plus irritant et le plus séduisant de sa personnalité. Il y avait quel-que chose d'attachant, ou, du moins, de drôle, dans son narcissisme démesuré, et les gens finissaient par s'en amuser, quand ils commençaient à mieux connaître le personnage. David espérait qu'il en irait de même dans la maison. Toute sa vie, il avait été celui qu'on haïssait purement et simplement, avant de devenir celui qu'on adorait haïr, et finir par être la personne qu'on se haïs-sait d'aimer. L'équation était complexe, mais comme c'était plus ou moins ainsi que marchaient les relations entre lui et la société, David se disait que ça pourrait fonctionner selon le même schéma avec le public. Il s'imagina que sa petite plaisanterie (si seulement elle était diffusée) pourrait considérablement améliorer son

---

1. En français dans le texte. *(N.d.T.)*

image auprès du public qui votait. David était comme un goût auquel on apprend à s'habituer, et il était persuadé qu'une fois que ça aurait fait tilt dans la tête des gens et qu'ils *sauraient* à quel point il était vaniteux, ils commenceraient à mieux l'apprécier.

« Pas mal. Pas mal du tout, dit Geraldine, vautrée sur les écrans de contrôle. Au moins ils parlent de sexe. On a quelques bonnes séquences, là. J'adore la plaisanterie de David sur la branlette. Il est vraiment dans son rôle. On pourrait parier quelques billets de dix qu'il termine dans les trois derniers. Ce serait une surprise, non ?

— J'espère qu'ils vont continuer à parler fort, dit le monteur du son. N'oublions pas qu'ils n'ont pas leurs micros et que nous comptons sur ceux fixés au plafond.

— Je sais bien, mais qu'est-ce qu'on y peut ? C'est impossible de fixer des putains de batteries sur des gens à poil. Elles les gêneraient. En plus, à quoi on les pendrait ? »

« Allez, on continue à jouer, dit Moon. Une autre question. Qui en a une ? Bon, moi, j'en ai une. Est-ce que quelqu'un ici a déjà payé pour du sexe ?

— Putain de bordel de merde, Moon ! rigola Garry. J'ai raqué pour ça le lendemain du jour où j'ai raconté à ma petite amie que je venais de niquer sa frangine, ou sa meilleure amie, je sais plus.

— Non, je voulais dire : payer en échange de sexe. Aller voir une pute ou un gigolo. »

La raison pour laquelle Moon posait cette question s'éclaira sitôt qu'elle poursuivit : « Alors, en fin de compte, qui s'est déjà fait payer pour du sexe ? Parce que moi, je l'ai fait. »

La révélation causa un indéniable regain d'intérêt.

« J'en suis pas fière, mais en fin de compte, j'avais besoin de fric, d'accord ? J'étais étudiante en art et socio à la fac de Preston, quand c'était un institut polytechnique ; j'avais pas de quoi payer les droits de scolarité, et c'était hors de question que je passe la nuit derrière un comptoir de bar pour gagner le fric que je pouvais me faire en vingt minutes en m'allongeant sur le dos. »

Tous se régalaient, à l'exception de Sally, qui vouait à Moon, à ses perpétuelles fanfaronnades et à ses récits une véritable haine. Elle s'était prostituée ? Et après ? Qui en avait quelque chose à fiche ? D'ailleurs, Sally n'en croyait pas un mot. Elle ne croyait plus – et ne croirait jamais plus – un seul mot sortant de la bouche de Moon.

« Moi, j'ai joué dans un porno, annonça Kelly. Ça compte comme du sexe payant ? »

Silencieux dans l'obscurité, David se crispa. Où voulait-elle en venir en racontant ça ?

« Eh bien, ça dépend si tu l'as vraiment fait devant la caméra ou pas, répondit Garry. J'ai un film, ça s'appelle *L.A. 100* et c'est que ça, juré, vous allez jamais me croire, mais c'est vrai. C'est rien qu'une nana qui se tape *cent* mecs, les uns à la suite des autres. T'y crois pas ! Moi, je pouvais pas y croire avant de le voir. L'un après l'autre. Vas-y mon coco, entre, cogne, merci beaucoup, super, j'adore ! Suivant !

— C'est incroyable, dit Dervla. Tu peux pas baiser cent fois à la suite, c'est impossible.

— Si, si, je te jure. C'était réglo, ils avaient un vrai jury avec des blocs-notes et tout le binz. La fille l'a vraiment fait à fond les galtouzes. Et en fin de compte, moi, je dis : chapeau !

264

— Ouais, bon, je n'ai pas vraiment eu de relation sexuelle dans le film où j'ai joué, concéda Kelly. Je ferais pas ça, pas question, c'est tous des sales types, ces acteurs porno. T'as pas envie de t'y risquer. J'étais juste figurante, une paire de nichons à l'arrière-plan. Je devais embrasser les seins des autres filles, c'était tout. Ça nous a fait trop marrer. Mais autour, il y en a plein qui le faisaient vraiment et, vous pouvez me croire, c'était dégueulasse, tous ces gens en train de baiser, de sucer, de baver. La star du film baisait et se faisait baiser en même temps. Je pouvais pas le croire ! *En même temps*, vous vous rendez compte ?

— Question rythme, ça doit êt' coton, commenta Jazz. À mon avis, t'as besoin d'un métronome, sinon bonjour le carambolage.

— Et tu sais pas si tu vas ou si tu viens ! » explosa Garry, imité par tous les autres.

David excepté. Où voulait-elle en venir avec ça ? songeait-il, les poings serrés. *Où voulait-elle en venir ?*

« Il s'appelait Boris Pecker, et il tronchait ces filles devant lui pendant qu'il se faisait mettre par ces types derrière lui. C'était incroyable. »

David, qui transpirait déjà à grosses gouttes, se mit – si cela était possible – à transpirer encore plus. Était-elle sur le point de tout révéler ? Cette connasse si vulgaire allait-elle le trahir ? David mourait d'envie de tendre le bras dans l'obscurité pour museler cette grosse bouche charnue avant qu'elle n'en dise davantage. Il mourait d'envie de la bâillonner, de la cadenasser, de la réduire au silence une bonne fois pour toutes.

Pour lui, sans l'ombre d'un doute, Kelly le visait, et c'était un coup dur. Il avait même commencé à se détendre, à moins s'inquiéter de ces mots murmurés dans le Jacuzzi, qui prouvaient qu'elle l'avait reconnu. Ce jour-là, le choc avait été violent, mais, les jours passant, voyant qu'elle n'en parlait plus, il avait fini par se dire qu'il pouvait avoir mal compris, ou, à la limite, que son secret était en lieu sûr avec elle.

Et maintenant…

Maintenant, elle le provoquait, ou plutôt, non, elle le narguait avec ce qu'elle savait de lui – ce secret qui pouvait irrévocablement détruire ses rêves.

Car, dans la vie, une seule chose importait vraiment à David : son travail d'acteur. Il avait toujours voulu, il voudrait toujours être comédien – un comédien reconnu, naturellement, une star. À un moment donné, juste après avoir quitté le Conservatoire, son rêve avait failli devenir réalité. Il avait gagné des prix, décroché des premiers rôles corrects, des agents influents avaient vanté son talent. Mais cela n'avait pas duré. Tandis que ses anciens camarades du Conservatoire se frayaient un chemin vers le Théâtre national, la Royal Shakespeare Company ou même Hollywood, sa flamme s'était mise à crachoter et à faiblir.

Pourtant, au tréfonds de son âme, David continuait à se croire toujours dans la course. Il était bon acteur, il possédait, sans l'ombre d'un doute, un talent trop rare pour passer éternellement inaperçu. De plus, il était beau, douloureusement beau. Tout ce dont il avait besoin, c'était d'une petite pause, d'où sa candidature pour participer à *Résidence surveillée*. C'était là, certes, une dernière manœuvre plutôt désespérée, mais lui-même était assez désespéré, pour ne pas dire *complètement* désespéré.

Après *Résidence surveillée*, David aurait un nom à la télé, et il était impensable que cela ne le mène pas *quelque part*. Un beau petit premier rôle dans une pièce de Shakespeare au Glasgow Citizen, ou peut-être à la West Yorshire Playhouse… Ensuite, si les critiques étaient bonnes, un transfert à Londres suivrait sans tarder… Et ensuite… ensuite, il serait de nouveau en piste !

En piste pour rattraper tous ces petits salauds de sa promotion qui s'en sortaient tellement mieux que lui. En piste pour pouvoir rouvrir les pages culturelles des journaux sans se répandre en insultes à chaque putain de portrait encensant n'importe quel salaud de dix ans son cadet pour avoir soi-disant renouvelé l'art de jouer Shakespeare dans une production minable donnée dans un abri de jardin de l'île des Chiens.

Or rien de tout cela n'arriverait si les gens apprenaient que David Dalgleish, l'acteur, l'artiste, le jeune homme qui n'acceptait aucun travail indigne de son talent, n'était autre que Boris Pecker ! Olivia Newton Dong ! Ivor Biggun !

Là, il deviendrait la risée générale. « Porno star » était une étiquette qui vous collait définitivement à la peau, surtout quand, comme lui, on avait enculé et sucé. Ah, naturellement, une petite apparition dans un Polanski ou un Ken Russell en début de carrière n'avait rien de nuisible, et n'importe qui pouvait, en toute impunité, dénuder un derrière dans la fleur de l'âge pour un cinéaste de renom ; en fait, cela avait plutôt de la classe aux yeux des gens. Même un film érotique gentillet pouvait lancer sans grand dommage quelqu'un dans le métier, surtout une fille. Une *Lady Chatterley* osée ou une *Fanny Hill* dénudée causait rarement du tort.

Mais ce n'était pas le cas de *Partouzes sodos 12*.

Ni du *Baiseur*.

Ni de *Pique-nique de chattes*.

Où exactement Kelly était-elle assise ? se demanda-t-il. Difficile à déterminer, dans cette obscurité puante, suffocante. Une idée lui traversa l'esprit : s'il arrivait à tendre le bras jusqu'à elle, il pourrait l'étrangler à l'insu de tous.

Voilà qui lui fermerait le clapet, à cette garce.

Mais Kelly n'avait pas besoin qu'on lui ferme son clapet, du moins dans l'immédiat : les minutes défilèrent sans qu'elle fasse d'autre allusion au secret de David. Elle avait juste voulu rigoler et le provoquer. Ce garçon méritait bien qu'on lui flanque un peu la frousse. Toutefois, l'information qu'elle détenait n'avait pas la même signification pour elle que pour lui. Elle ne soupçonnait rien de la tempête d'émotions qu'elle avait soulevée, et bientôt la conversation prit une autre orientation.

L'heure était à présent aux amusements éthyliques, tout en gestes tâtonnants et trébuchants. Les bouteilles de plastique circulaient dans l'obscurité, et si beaucoup d'alcool fut absorbé, plus encore en fut renversé. Ruisselant entre les planches brûlantes, dégoulinant sur les appareils de chauffage, il émettait des sifflements et dégageait des vapeurs qui transformaient l'étuve en un sauna fonctionnant non pas à l'eau, mais à l'alcool.

David commença à se détendre un peu, rien qu'un peu. Kelly, croyait-il, lui avait délivré un avertissement : elle tenait son avenir entre ses mains et pouvait dégainer son arme quand bon lui semblerait ; à lui d'être gentil avec elle et de ne pas la sélectionner. Si tel était le cas, songea le jeune homme, elle jouait un jeu dangereux. Il avait sa fierté. En aucun cas il ne supporterait d'être victime d'un chantage, surtout exercé par une moins-que-rien. Mais il lui faudrait attendre son heure.

Les libations se poursuivirent, accompagnées de chansons et de blagues, des blagues rigolotes, ou cochonnes, ou trop cochonnes parfois pour que Geraldine, même elle, puisse les diffuser.

L'ambiance était en train de retomber. De retomber tout en grimpant de quelques degrés. Les effets conjugués de la chaleur, de l'alcool et la totale désorientation provoquée par l'obscurité commençaient à se faire ressentir : tout en se montrant plus indolents, les colocataires devenaient plus hardis, et leurs défenses s'évaporaient comme l'alcool qui dégoulinait sur les radiateurs.

« Bon, jusqu'où on s'connaît, dit Jazz d'une voix rauque et pâteuse. On est tous emmêlés et grave torchés, d'accord ? Alors, chacun va tendre sa main gauche, et quand elle touchera quelqu'un, il faudra dire qui c'est, d'accord ? Mais rien qu'en touchant. Faut pas parler avant d'avoir deviné. »

De puissantes acclamations éthyliques accueillirent cette suggestion, mais Dervla, tout ivre qu'elle était, ne savait pas trop si l'idée lui plaisait. Cependant, les autres semblaient si enthousiastes qu'elle se sentit obligée de ne pas faire bande à part. Elle n'avait pas envie de finir sur toutes les listes de sélection pour avoir joué les prudes et les rabat-joie.

« OK, dit Jazz. Comme j'ai parlé, tout le monde sait où j'suis, et vu que j'suis monté comme un vainqueur du Derby, j'compte bien qu'on m'identifie à ma queue, pas à ma voix. Donc, j'vais m'déplacer un peu, on va tous bien se mélanger, d'accord ? Et après, on laisse faire les mains. Bon, c'est parti, c'est les derniers mots que j'prononce… »

Quand Jazz commença à mouvoir son corps ferme, doux et ruisselant dans l'enchevêtrement dense et glissant de chairs nues, le groupe poussa des exclamations ivres, des cris et des grognements.

À la régie, les observateurs peinaient à contenir leur fébrilité à la vue des bosses qui déformaient ou soulevaient les parois translucides. Même l'inquiétante lumière bleutée des caméras infrarouges permettait de distinguer clairement les fragments de corps, qui, régulièrement, apparaissaient et disparaissaient derrière le plastique. Des coudes, des têtes, des derrières – des derrières sexy, excitants. L'éventualité d'une partouze semblait se dessiner.

« On aurait dû mettre du plastique entièrement transparent, pesta Geraldine. Ces abrutis l'auraient accepté tout pareil, sauf bien sûr cette putain de sainte Dervla.

— Je ne suis pas d'accord, répliqua Fogarty. Primo, on n'aurait pas pu diffuser les images. Deuxio, les parois auraient été recouvertes de buée, de toute façon, et tertio, ç'aurait été bien moins excitant de voir vraiment : là, c'est l'anonymat qui est grisant. Nous ne savons pas qui est qui, pas plus qu'ils ne le savent eux-mêmes.

— Bob, quand j'aurai besoin de ton avis, je te le demanderai. »


Dans l'étuve, obscurité et excitation rivalisaient d'intensité. Dervla sentit Jazz se glisser le long de son corps, sentit contre sa chair sa peau ferme et ses magnifiques muscles d'acier.

« Mon Dieu, songea-t-elle, il ne sait pas qu'il se met à côté de moi. »

Jazz jouait au serpent ; il sifflait, se tortillait, frétillait contre elle en pouffant. Dervla perçut la caresse de son ventre musclé sur ses cuisses et puis… et puis celle de son pénis, gros et lourd, manifestement déjà en érection. Elle fut incapable de résister. Tendant la main dans le noir, elle la plaça, paume ouverte, sur sa route pour l'accueillir.

Très doucement, elle referma et serra la main sur sa prise. C'était fabuleux de pouvoir s'autoriser, grâce à l'anonymat, grâce à cette obscurité digne d'une mine de charbon, un geste à ce point scandaleux. Dervla sentit sa transpiration redoubler lorsque Jazz cessa un instant de gigoter pour permettre à l'objet de toutes ses attentions de grossir et de durcir dans le creux de sa main. En cet instant, pour elle, Jazz n'était plus un diable à ressorts dont l'haleine empestait la bière et qui se prenait pour le roi des petits malins : il était un dieu de l'Antiquité, une incarnation de toutes ces magnifiques œuvres d'art qu'elle avait admirées lors de ses grandes vacances en Europe. Le fantastique songe d'une nuit d'amour.

Puis elle entendit sa voix, et Jazz redevint tel qu'en lui-même. « Kelly, c'est toi, p'tite cochonne ?

— Quoi ? fit la voix de Kelly, à ses pieds.

— Ah. Donc c'est pas Kelly. »

Choquée par sa propre audace, Dervla lâcha sa prise en même temps qu'un discret hoquet.

Elle avait tenu le pénis de Jazz dans sa main ! Quelle horreur ! C'était affreux ! Comment pourrait-elle soutenir son regard le lendemain matin, au petit déjeuner ? Elle, l'objecteur en chef contre la vulgarité. Madame-collet-monté. La fille sage du groupe. Et si jamais il apprenait que c'était elle ?

Il le savait déjà.

Son petit hoquet l'avait démasquée. Même dans tout ce ramdam de grognements et de gloussements, Jazz avait identifié son ton de voix.

« Tiens, tiens, mais c'est qui d'autre, alors… » reprit-il avant de chantonner *Quand des yeux irlandais sourient*.

Dervla se sentit virer à l'écarlate. Et s'il allait le raconter au Voyeur ? S'il allait raconter au confessionnal, devant le pays tout entier, qu'elle avait attrapé son pénis dans le noir et l'avait serré jusqu'à ce qu'il durcisse ? Ses pensées furent interrompues par une brusque hilarité générale :

« Putain ! Je suis bien content que Woggle soit plus là ! »

La remarque de Garry déclencha un tollé de rires aigus. S'imaginer coincé dans cette boîte à sardines avec Woggle, imaginer devoir frôler son corps et respirer son odeur, c'était à la fois atroce et follement drôle.

Dervla rit, elle aussi, et brusquement, cela lui fut égal d'avoir tripoté Jazz. Elle en était même fière. Elle espérait même qu'il l'avait reconnue. Ses concurrents, elle le savait, la prenaient pour une prude, et sans doute le public partageait-il cette opinion. Pimenter son image de quelques touches de bonne humeur rigolarde et se conduire en jeune femme libérée ne pouvait pas nuire à ses chances de gagner. Jazz la trouvait belle, il le lui avait fait comprendre assez souvent, et elle *était* belle. Pourquoi donc s'abstenir de lui toucher le sexe ? Il avait aimé, ça l'avait fait bander. Et la vérité, c'est qu'elle avait aimé, elle aussi, elle avait trouvé ça génial. Tenir ce gros morceau veineux de chair mâle et puissante dans sa petite main douce avait libéré en elle des flots d'excitation, comme si elle avait ouvert un robinet. Couvrant les vagues de rires qui commençaient à refluer, elle lança avec jubilation dans l'obscurité :

« Hé, Jazz, je viens de toucher ton zizi !

— Pas d'problème, ma douce, pas l'moindre problème ! » répondit-il, et tous éclatèrent de rire.


Dans le couloir de travelling, l'unique cadreur de service recula d'un bond, comme sous l'effet d'une décharge électrique.

Larry Carlisle était en train de filmer l'entrée de l'étuve à travers le salon et la porte entrouverte de la chambre des garçons ; emporté par ce mouvement brusque et involontaire, l'objectif de la caméra bascula d'un coup et, pendant quelques secondes, ne filma rien de plus palpitant que le plafond. Heureusement pour Carlisle, personne, à la régie, ne prêta attention au moniteur correspondant à sa caméra, car, à cet instant précis, les caméras de la chambre offraient une bien meilleure image de l'étuve. D'un mouvement rapide, Carlisle reprit le contrôle de sa machine et rétablit le point.

Mais il eut du mal à empêcher sa main de trembler sur les manettes de contrôle. C'est à peine s'il pouvait contenir sa rage et son amertume. *Sa préférée*, cette fille splendide, mais pudique, derrière le miroir, qui veillait toujours à ne rien lui montrer, venait d'attraper la queue du Noir ! C'était scandaleux, répugnant. C'était trahir la pureté de leur relation.

Dans l'étuve, il y eut des cris aigus et des rires qui dégénérèrent en quintes de toux. Personne n'arrivait à croire que Dervla ait été la première à montrer autant de lubricité. Du coup, tous s'enhardirent, et l'ensemble du jeu commença à prendre vraiment tournure.

Les plus intelligents et les plus manipulateurs du groupe comprirent que leur camarade avait finement joué en offrant au public l'occasion de la découvrir sous un jour sexy. Rien n'entretenait mieux l'intérêt du public que les surprises, tout particulièrement celles d'ordre sexuel ; or il allait sans dire que le geste de Dervla entrait dans cette catégorie. Moon, David, Hamish et Garry réalisèrent que Dervla avait haussé la barre d'un cran et qu'ils allaient devoir adapter leur jeu en conséquence.

Moon décida aussitôt d'aller confesser plus tard au Voyeur qu'elle avait eu une relation dans l'étuve, mais qu'elle ignorait totalement avec qui. Que cela se produise ou non, elle le raconterait, mais, songea-t-elle, elle n'aurait sans doute pas à mentir, car les tripotages s'intensifiaient dans un esprit revanchard.

« Bon, alors, on joue à qui est qui, oui ou merde ? cria Jazz.

— Oui ! lui répondit un chœur unanime.

— OK, alors on y va ! Tout le monde change de place sans parler, d'accord ? Et quand vous vous êtes bien tortillés, vous chopez que'que chose à toucher et vous d'vinez qui c'est. »

Brusquement, ce ne furent plus que corps rampant à l'aveuglette, cris perçants, gloussements ivres et lubriques.

Hamish était quasiment hors de lui, à force d'excitation. N'était-ce pas là la raison pour laquelle il avait souhaité participer à l'émission ? À l'instar de Moon, il voulait coucher avec quelqu'un, et il voulait qu'ensuite tout le monde le sache. Ses préférences le portaient vers Kelly, mais franchement n'importe quelle partenaire ferait l'affaire. Il sentit une main lui caresser le dos et chatouiller sa colonne vertébrale moite de transpiration, puis descendre lentement jusqu'à la naissance des fesses. Était-ce le bon numéro ? Devait-il se retourner et essayer de faire l'amour à cette personne ?

« Sally ? » lui murmura une voix dans l'oreille.

La voix de David.

« Tu es depuis trop longtemps dans cette maison, mon pote.

— Merde ! »

Hamish aurait été un fourneau brûlant que David n'aurait pas retiré sa main plus vivement. Sa méprise le contrariait et l'emplissait d'un sentiment de vulnérabilité. Kelly avait-elle entendu ? Tous ses doutes affluèrent une nouvelle fois. Était-elle en train de se moquer de lui dans l'obscurité ? De songer que Boris

Pecker, lui, aurait tripoté indifféremment un homme ou une femme sans faire d'histoires ? Allait-elle parler ? Se décider brusquement à cracher le morceau, à tout raconter ? David n'avait qu'une envie : sortir de cette étuve sur-le-champ et filer en courant. Mais cette réaction pourrait agir comme une provocation sur Kelly.

« C'est trop marrant qu'il soit effrayé par un peu de sexe, dirait-elle. J'aurais pensé que c'était pile son truc.

— Son trouduc, plutôt », corrigerait Garry une fois que Kelly se serait expliquée. Et de là, David deviendrait le dindon de la farce, la risée nationale. Mieux valait donc se tenir tranquille, décida-t-il. Il attrapa une des bouteilles en plastique de Geraldine, si judicieusement placées à portée de main, et but une généreuse gorgée d'alcool chaud et fort.

Hamish n'allait pas commettre la même erreur que David. La cuisse sous sa main était bien une cuisse de femme, aucun doute. Une cuisse douce, souple, mais pas trop musclée. Celle de Kelly ? Possible… Mais aussi bien appartenait-elle à Dervla ou à Moon ? Certainement pas à Sally, conclut-il avec satisfaction, et finalement sans doute pas à Dervla – cette cuisse-là n'était pas assez menue… Encore que… En tout cas, quelle qu'en soit la propriétaire, c'était amusant de la caresser et de la pétrir. Hamish se sentait beaucoup mieux, à présent. La gentille attention de Kelly, peu auparavant, l'avait vraiment apaisé. Il se sentait en sécurité, gorgé de puissance et prêt à tout.

Il fit glisser sa main de l'extérieur vers l'intérieur de cette cuisse. La chair était brûlante, un peu moite ; elle poissait légèrement sous la caresse des doigts. La fille à qui appartenait cette cuisse (et Hamish savait que ce n'était pas Dervla) semblait apprécier : elle remua l'autre jambe et vint la frotter contre la première pour prendre doucement la main en étau. Hamish effleura des lèvres une épaule douce et y déposa un baiser.

Des mains se posèrent sur lui. Quelqu'un se mit à lui caresser les fesses, mais il l'ignora. La fille qu'il tenait était celle qu'il voulait.

Kelly était à présent tout à fait ivre. Aussi ivre que la semaine précédente, lorsqu'elle avait sombré dans l'inconscience. Elle avait dû se soûler pour être capable d'entrer dans l'étuve, car elle n'ignorait pas que, si elle se dérobait, elle perdrait le jeu. Maintenant qu'elle y était, que cette main la caressait, elle avait l'impression d'être dissociée de son corps, de planer au-dessus de lui pendant qu'une autre Kelly subissait les attouchements et les caresses. L'impression n'était pas désagréable, elle s'accompagnait juste d'un léger détachement, d'une absence d'implication. Kelly éprouvait invariablement cela lors d'un acte sexuel, peut-être parce qu'elle était toujours ivre dans ces moments-là. Elle aimait le sexe – ça, elle en était plutôt certaine – mais, sans savoir pourquoi, elle finissait immanquablement par regretter de ne pas l'aimer davantage. En son for intérieur, elle se doutait bien que l'ingrédient manquant n'était autre que l'amour, tout comme elle prévoyait qu'il lui faudrait patienter pour le trouver. L'amour était imprévisible.

La main s'enhardissait, se frayant un passage jusqu'à la naissance des cuisses. Kelly ne pensait pas que cela l'embêtait mais, en même temps, elle sentait que bientôt elle dirait certainement au garçon d'arrêter. D'un autre côté, pourquoi ne pas le laisser s'amuser? On était bien en train de s'amuser, non? Et quand on était comme elle une nana super canon, une fille qui adore s'éclater et s'envoyer en l'air, on ne se dégonflait pas, non? Ce n'était pas du tout le truc à faire, n'est-ce pas? Quand on adorait ça, il fallait s'éclater. On n'avait rien d'une rabat-joie.

La main commença à effleurer ses chairs les plus intimes. Là, elle allait l'arrêter, la repousser. Mais elle n'en fit rien. Quelque chose venait de la distraire. Un quelque chose qui s'agitait dans sa mémoire.

Hamish déplaça sa main, effleura le petit anneau métallique dissimulé dans les plis secrets. Maintenant, il savait. C'était génial : il était tombé pile sur la fille qu'il espérait, sur celle qui l'excitait le plus et qui l'avait choisi pour partenaire de prédilection dans le cas où le sexe serait à l'ordre du jour. Eh bien, justement, il était à l'ordre du jour. Et lui, il tenait sa chance.

Il trouva l'oreille de la jeune femme, et, tout en titillant l'anneau de métal, il murmura avec un grand sourire :

« Kelly. »

En cet instant, en cet instant précis, ils étaient deux à savoir.

Kelly était bien certaine de n'avoir parlé à âme qui vive, pas même aux filles, de son piercing aux lèvres. Elle avait gardé cette information dans sa manche pour en faire une révélation triomphale et coquine, plus tard, à un point stratégique du jeu, quand elle ressentirait le besoin de briller.

Mais la voix qui murmurait à son oreille, elle, connaissait l'existence de ce petit anneau. La voix d'Hamish. Oui, il en connaissait l'existence, car à peine l'avait-il touché qu'il avait chuchoté son nom. Maintenant, Kelly savait la vérité. Ce salaud l'avait déjà tripotée. Les vagues suspicions qui avaient semé la pagaille dans sa tête douloureuse, le matin où elle s'était éveillée dans cette horrible petite cabane à sexe, venaient de se transformer en évidence d'acier.

« Mon Dieu ! souffla-t-elle, d'abord plus surprise qu'en colère. Tu m'as tripotée quand j'étais dans les vapes. Tu m'as mis ton doigt, là. Tu savais que j'avais un piercing. » Sa voix n'était qu'un murmure. L'onde de choc poursuivait son chemin.

Tous les autres, dans l'étuve, étaient absorbés par leurs petites affaires. Personne ne l'entendit. *Personne*.

Hamish avait immédiatement compris son épouvantable erreur en prononçant ces deux syllabes accusatrices. Jusque-là, cependant, le secret demeurait sauf. Eux seuls étaient au courant. Les autres étaient bien trop occupés à tâtonner et glousser.

« S'il te plaît, la supplia-t-il dans le creux de l'oreille, ne le leur dis pas. »

Mais, à la brusquerie avec laquelle elle s'écarta de lui, il comprit qu'elle parlerait. Qu'est-ce qui pourrait l'en empêcher ? Pourquoi s'abstiendrait-elle ? Elle le dirait aux autres, elle le dirait au monde entier, et pour lui ce serait la fin de tout. Bien sûr, il nierait, c'était la parole de Kelly contre la sienne, mais les gens aimaient Kelly et c'était elle qu'ils croiraient. Au minimum, il écoperait d'un déshonneur à l'échelle nationale, et au pire… il serait poursuivi pour agression sexuelle. Pour *pénétration digitale*. Sa carrière était fichue, ça, c'était certain. Un médecin ne pouvait pas se permettre ce genre de scandale. Quelle femme irait lui confier son corps après une telle histoire ?

Il eut presque envie de rire. Ils étaient là, tous, à se peloter comme des animaux vautrés dans la boue, et des menaces de poursuites pour agression sexuelle planaient sur lui ! Tout aveuglé par l'obscurité qu'il était, Hamish vit rouge. La salope ! L'ignoble putain de salope ! Elle avait bien aimé qu'il la tripote, jusque-là, elle l'avait laissé faire. Et maintenant, elle était prête à bousiller sa vie pour lui avoir fait exactement la même chose avant.

À la flambée de terreur mêlée de fureur qui prenait possession d'Hamish faisaient écho des sentiments identiques chez Kelly. Elle était scandalisée, révulsée. Elle avait envie de vomir. Ce salaud avait profité de son inconscience pour la tripoter! Pour mettre sa main *en elle*! L'avait-il violée? Il aurait pu. Son cerveau enfiévré lui souffla que ce n'était sans doute pas le cas. S'il l'avait violée, elle l'aurait su, c'était évident. Quoique... Et s'il en avait une petite? Et s'il avait fait très attention? La jeune fille se souvint de la sensation d'inconfort qu'elle avait éprouvée à son réveil, de ce besoin pressant de plonger dans la piscine qui s'était emparé d'elle. *La lui avait-il mise?* Comment pourrait-elle jamais le savoir?

« S'il te plaît, ne le dis pas », lui chuchota une fois de plus Hamish, en appliquant brusquement la main sur sa bouche.

Kelly se mit à batailler pour sortir de l'étuve, pour se frayer une voie dans le rempart de corps secoués de rires et de grognements, et tenter d'atteindre la sortie.

« Elle s'en va! songea Hamish. Que va-t-elle faire, cette garce? »

David devina que c'était Kelly qui se précipitait vers la sortie. Kelly, qui, avec ce qu'elle savait sur lui, tenait son destin entre ses mains... Kelly la garce, celle qui l'avait provoqué. « Qu'a-t-elle derrière la tête? songeat-il. Que va-t-elle faire, cette pétasse? »

Pantelante, ruisselante, Kelly se démenait pour gagner la sortie. Quand elle passa à côté de Dervla, celleci la reconnut à sa respiration saccadée, un halètement excité, presque triomphant, jugea-t-elle. Pour quelle raison était-elle à ce point excitée? Dervla se souvint du message qu'elle avait lu le matin même dans le miroir. *Cette garce de Kelly toujours en tête.*

Kelly savait-elle qu'elle menait le jeu? Qu'elle était en train de gagner? Était-ce là la raison de son excitation? Dervla éprouva une intense bouffée d'irritation envers cette jeune idiote qui se tortillait pour l'enjamber. Qu'avait-elle de si particulier, cette fille ? Ce n'était pas à franchement parler une lumière, sa moralité ne volait pas très haut, ses goûts vestimentaires étaient discutables, et pourtant elle était apparemment indéboulonnable de la première place. Dervla, qui s'était dit jusque-là qu'elle ferait plus long feu que sa rivale dans le jeu, sentit s'évanouir toute sa belle assurance. Kelly allait gagner.

Cette fille allait rafler la célébrité et le demi-million de livres avec. Ce demi-million dont Dervla rêvait en secret depuis l'instant où elle avait appris que sa candidature avait été acceptée. Ce demi-million qui pourrait sauver sa famille… Sauver du désastre sa mère adorée, son père et ses petites sœurs chéries.

Pourquoi Kelly s'échappait-elle avec tant de hâte ? Pourquoi était-elle à ce point essoufflée ? s'interrogea Dervla. Que mijotait-elle ?

Sally se ratatina dans le coin de l'étuve où elle se planquait depuis le début. Et, tout comme elle repoussait chaque main ou membre qui tentait d'envahir son espace, elle repoussa Kelly lorsque celle-ci passa à sa hauteur, et songea : « Cette fille est pressée de sortir de là. » Aussitôt, à cette pensée, et en dépit de la chaleur, Sally sentit son sang se glacer. Un souvenir venait de surgir, de la rattraper : l'image de sa mère, la seule fois de sa vie où Sally avait eu l'occasion de lui parler, à travers un Interphone et derrière un écran de verre.

« Je ne sais pas pourquoi quelqu'un comme moi fait des choses comme ça, avait crachoté la voix maternelle. C'est comme si t'étais enfermée dans un cachot, et puis ça arrive. » Brusquement, Sally crut savoir ce qu'avait éprouvé sa mère. Elle aussi, elle était enfermée dans un cachot. Le cachot était réel.

280

Quant à Garry, les pensées qu'il nourrissait à l'égard de Kelly n'avaient pas changé d'un iota. Il n'en montrait rien, mais un jour, c'était sa ferme intention, il réglerait ses comptes avec cette garce. Que ce soit dans cette baraque ou une fois à l'extérieur, elle paierait pour ses insinuations à propos de son petit bout de chou, son merveilleux Ricky. Elle paierait pour l'avoir traité devant le pays tout entier d'égoïste, de profiteur, de père absent qui n'en avait rien à foutre. Grosso modo, c'était ce qu'elle avait dit. Eh bien, il allait lui faire voir de quel bois il se chauffait. Tôt ou tard. Le plus tôt possible.

Kelly avait réussi à tous les enjamber et à sortir. Elle avala une gorgée de l'air frais qui la saisit sitôt qu'elle écarta les lamelles de plastique de l'étuve, et, tandis que la bile continuait à monter dans sa gorge, elle traversa en courant la chambre des garçons pour se précipiter aux toilettes.

Quelques minutes plus tard, sur les écrans des moniteurs, Geraldine et son équipe virent apparaître quelqu'un à l'entrée de l'étuve. Ils virent cette personne s'envelopper dans un drap, emboîter le pas à Kelly, ne s'arrêter que pour prendre un couteau.

Et tuer la jeune fille.

## VINGT-SEPTIÈME JOUR, 23 H 46

« Oh mon Dieu ! S'il vous plaît, mon Dieu, non ! »

Cela ne ressemblait guère à Geraldine d'implorer l'aide de qui que ce soit, et encore moins du Tout-Puissant, mais assurément les circonstances étaient ici pour le moins particulières. La flaque était apparue tout d'un coup, par terre, autour de Kelly, et s'étalait rapidement.

« Fogarty, Pru, venez avec moi. Et toi aussi ! aboya Geraldine à l'un des grouillots. Les autres, vous restez là. »

Productrice et assistants quittèrent la salle en trombe, dévalèrent l'escalier et se précipitèrent dans le tunnel souterrain qui reliait la régie à la maison. De là, ils eurent accès au couloir de travelling, qui communiquait avec chaque pièce de la maison.

Larry Carlisle entendit du bruit dans son dos. Il expliquerait plus tard à la police qu'il s'était attendu à voir apparaître son remplaçant, venu le délivrer plus tôt que prévu, mais qu'au moment où il allait se retourner pour dire au type de ne pas courir et de faire moins de boucan, il avait vu débouler Geraldine et la moitié de l'équipe de montage.

« Par la buanderie ! » hurla-t-elle. Quelques secondes après, l'équipe et elle se retrouvèrent à cligner des yeux, aveuglés par les néons blafards qui éclairaient la maison. Plus tard, tous se souviendraient du sentiment étrange qu'ils avaient éprouvé, même au plus fort de la panique, en pénétrant dans la maison. Aucun d'eux n'y avait remis les pieds depuis le jour où les résidents en avaient pris possession, et, tout d'un coup, ils se retrouvaient eux-mêmes dans cette boîte de Pétri avec ces blattes qu'ils étaient en train d'observer quelques minutes auparavant.

Geraldine prit une profonde inspiration et ouvrit la porte des toilettes.

## VINGT-HUITIÈME JOUR, 19 H 20

« Pourquoi avez-vous retiré le drap ? demanda Coleridge. Vous savez sans doute qu'il ne faut pas toucher au lieu du crime.

— Je sais aussi que l'on doit assistance à un blessé. Et puis comment aurais-je pu deviner qu'elle était morte ? Qu'il y avait eu un meurtre ? Je ne savais rien, sinon qu'il y avait du sang partout, ou du moins quelque chose qui ressemblait à du sang. Si j'essaie de me rappeler à quoi j'ai pensé à ce moment-là, honnêtement, je crois encore que j'espérais à moitié que c'était une blague, que les candidats s'étaient débrouillés pour se venger à mes dépens de les avoir laissés tomber lors de leurs démêlés avec Woggle. »

Coleridge enclencha la touche « lecture ». Les caméras avaient tout enregistré : le petit groupe de monteurs massés à l'extérieur des toilettes ; Geraldine, étendant le bras pour retirer le drap ; Kelly, encore assise sur le siège, affaissée sur elle-même, les épaules sur les genoux ; la mare sombre qui grossissait au sol, tandis que du sang jaillissait des blessures de sa nuque et de son crâne ; les pieds de la victime au beau milieu de la mare, telle une île de couleur chair émergeant d'un lac pourpre.

Le pire des détails, c'était le couteau de cuisine, dont le manche dépassait du sommet du crâne où la lame était profondément enfoncée.

« C'était tellement bizarre, reprit Geraldine. On aurait dit un crime de dessin animé. Je vous jure qu'avec ce manche de couteau planté au-dessus de sa tête, elle avait l'air d'un putain de Teletubby. Pendant un quart de seconde, je me suis encore demandé si on ne s'était pas fait berner. »

## VINGT-SEPTIÈME JOUR, 23 H 47

« Fogarty ! Ton portable ! rugit Geraldine d'une voix perçante mais ferme.

— Qu... quoi ? » bégaya le chef monteur, les yeux rivés à cette terrifiante vision pourpre, à ce couteau. Le couteau planté dans le crâne.

« File-moi ton téléphone portable, pauvre gland ! »

Geraldine arracha le petit Nokia de son étui, à la ceinture de Fogarty, mais sa main tremblait tellement qu'elle n'arrivait pas à l'allumer. Elle leva les yeux vers la caméra télécommandée qui, impassible, continuait à enregistrer la scène et la transmettait en direct. « Que quelqu'un à la régie appelle les flics ! Que quelqu'un qui regarde sur Internet le fasse ! Faites un truc utile pour une fois dans votre vie de merde ! Appelez ces putains de flics ! »

Et c'est ainsi que le monde fut prévenu de l'un des meurtres les plus déroutants et les plus spectaculaires de mémoire ou d'expérience humaine : par des milliers d'internautes qui saturèrent d'appels les centraux téléphoniques des urgences, et qui, échouant à obtenir la communication, appelèrent la presse.

Pendant ce temps, sur le lieu du crime, Geraldine ne savait par où commencer.

« Elle est... morte ? demanda Pru, risquant un œil par-dessus l'épaule de Fogarty tout en s'efforçant de retenir la bile qui montait dans sa gorge.

— Elle a un couteau de cuisine enfoncé dans sa putain de cervelle, rétorqua la productrice.

— Oui, mais on devrait quand même vérifier, non ? ânonna Pru.

— Putain, à toi l'honneur », répondit Geraldine.

À ce stade de la conversation, Kelly leur épargna toute autre spéculation relative à son état de santé en s'affalant, tête la première, sur le sol. Lesté par le poids du crâne, tout le corps bascula vers l'avant. Le manche du couteau heurta le sol, et, comme sous l'effet d'un coup de marteau, la lame s'enfonça de quelques centimètres supplémentaires, avec une sorte de craquement qui fit vomir Fogarty et Pru.

« Alors là, putain, génial ! s'exclama Geraldine. C'est le pompon. Allons-y, gerbons tous sur le lieu du crime. Les flics vont adorer. »

Songea-t-elle brusquement à ce que les spectateurs pouvaient penser d'eux ? Toujours est-il qu'elle se tourna une fois de plus vers les caméras. « Hé, la régie ! Coupez la connexion Internet. Ce n'est pas un spectacle de monstres de foire. »

C'en était pourtant un, évidemment, et qui ne faisait que commencer.

« Hé, c'est quoi, ce bordel ? »

Jazz venait d'émerger de la chambre des garçons, un drap collé aux superbes reliefs de son corps en sueur. Entre le drap et son physique tout en muscles, il ressemblait, comme dans les fantasmes de Dervla, à un dieu grec tombé des nues de son Olympe. Il l'aurait fait exprès qu'il n'aurait pas eu l'air plus ridicule ni plus déplacé.

Il se tenait sur le seuil de la pièce, les yeux ronds, ébloui par la lumière vive, interdit par la présence aussi extraordinaire qu'inattendue d'étrangers dans cette maison dont lui et ses camarades avaient la jouissance exclusive depuis des semaines.

Dervla apparut à sa suite. Elle avait, elle aussi, ramassé un drap et avait l'air tout aussi déplacée à dévisager ces envahisseurs vêtus normalement, qui faisaient écran au corps. L'ensemble prenait des allures de fête en costume romain qui aurait déraillé et fini en accident de la route.

Geraldine se rendit compte qu'elle était en train de perdre le contrôle de la situation. Or, en monstre de contrôle incarné, pour reprendre cette vieille expression usée, elle détestait que les situations lui échappent. « Jason ! Dervla ! Repartez tous les deux dans la chambre des garçons.

— Que se passe-t-il ? » insista la jeune femme.

Heureusement pour elle et pour Jazz, la grappe de gens agglutinés devant la porte les protégeaient de l'atroce spectacle à l'intérieur des toilettes.

« Ordre du Voyeur ! hurla Geraldine. Il y a eu un accident. Tous les résidents sont consignés dans la chambre des garçons jusqu'à nouvel ordre ! Dans la chambre ! TOUT DE SUITE ! »

Fait éminemment surprenant, les concurrents avaient développé une telle mentalité d'otages que Jazz et Dervla obtempérèrent et se replongèrent dans l'obscurité de la chambre, où les autres, ruisselants, nus et égarés, étaient en train de s'extraire de l'étuve.

« Dervla, que se passe-t-il ? questionna David.

— Je ne sais pas. On doit rester là. »

À la régie, quelqu'un prit l'initiative de rallumer toutes les lumières et les sept résidents se retrouvèrent tels des lapins aveuglés par des phares. Plantés nus à côté de l'étuve désaffectée, ils se dévisagèrent en clignant des yeux. Puis, tandis qu'au souvenir des libations des deux précédentes heures, leurs visages déjà rouges viraient au cramoisi, ils se saisirent de draps, de couvertures, de serviettes – n'importe quoi faisant l'affaire pour voiler leurs chairs écarlates et leur embarras suintant de transpiration. On aurait dit des gamins de quatorze ans que leurs parents venaient de surprendre en plein jeu de touche-pipi collectif.

« Mon Dieu, on a l'air *tellement* bêtes ! » dit Dervla.

À l'extérieur, Geraldine s'emparait des rênes de la situation. Plus tard, on s'accorda généralement à reconnaître qu'une fois le choc digéré elle avait agi avec un remarquable sang-froid.

Ayant consigné les sept colocataires restants dans une pièce, elle ordonna à tout le monde de rebrousser chemin en évitant au maximum de déranger les lieux du crime.

« On va se mettre dans le couloir de travelling, dit-elle, et attendre l'arrivée des flics. »

## VINGT-HUITIÈME JOUR, 6 HEURES

Six heures plus tard, au moment où Coleridge quittait le lieu du crime, le jour se levait sur une sinistre matinée arrosée d'un crachin parfaitement insolite pour la saison.

« Temps de meurtre », songea-t-il. Toutes ses affaires d'homicide, lui semblait-il, s'étaient déroulées sous la pluie. Ce n'était pas le cas, naturellement, tout comme les vacances d'été de son enfance, du premier au dernier jour, n'avaient pas toutes connu un soleil radieux. Coleridge n'en avait pas moins une vague théorie : la pression atmosphérique ne jouait qu'un minuscule rôle dans le processus qui faisait jaillir l'étincelle chez un meurtrier. Un meurtre avec préméditation était, d'après son expérience, un sport d'intérieur.

Des centaines de flashes se mirent à crépiter au-delà des barrières érigées par la police. Pendant quelques secondes, Coleridge se demanda qui pouvait susciter tant d'intérêt, avant de réaliser que c'était lui qu'on photographiait. Faisant tout son possible pour ne pas avoir l'air d'un homme qui se sait photographié, il fendit le timide crachin argenté et les clignotements du gyrophare pour gagner sa voiture.

Hooper l'y attendait avec un gros paquet des journaux du matin.

« Ils disent à peu près tous la même chose. »

Coleridge jeta un œil aux huit visages qui s'étalaient sur toutes les unes, et dont l'un était placé à part. Il venait juste de faire connaissance avec les propriétaires de ces visages. Pas avec Kelly, bien sûr. Il ne l'avait pas connue à proprement parler. En regardant cette pauvre petite, enroulée sur elle-même et littéralement collée au sol des toilettes par son propre sang coagulé et noirci, avec ce couteau de cuisine qui dépassait de sa tête, Coleridge sut combien il aurait à cœur de capturer son meurtrier. La sauvagerie lui était insupportable. Jamais il ne s'y était accoutumé. Elle l'effrayait et l'amenait à questionner sa foi. Car enfin, pourquoi un Dieu sain d'esprit pousserait-il l'une de ses créatures à commettre un tel acte ? Parce que ses voies étaient impénétrables, évidemment. Là résidait tout le problème. Parce qu'Il était au-delà de toute compréhension. Parce que personne n'était supposé comprendre. Mais tout de même, dans le métier de Coleridge, trouver des raisons d'avoir la foi s'avérait parfois difficile.

Le sergent Hooper n'avait guère plus apprécié le spectacle, mais il n'était pas dans sa nature de chercher à comprendre en quoi tant d'horreur pouvait servir les desseins du Tout-Puissant. Il préférait se réfugier dans une attitude sottement bravache. Il se disait qu'il allait raconter à ses collègues féminines qu'avec ce couteau qui lui sortait de la tête Kelly ressemblait à un Tele-tubby. Il avait eu la même idée que Geraldine. Heureusement pour lui, Hooper ne se permettait jamais ce genre de remarque quand Coleridge était à portée d'oreille ; sinon, il n'aurait pas fait long feu dans l'équipe du vieux.

Ils avaient reçu l'appel à 1 h 15. Ils étaient sur les lieux du crime à 2 h 30, prêts à se charger de l'enquête. Entre-temps, ce qui serait certainement la plus grosse bourde dans cette affaire avait déjà été commise.

« Vous les avez laissés se laver ? dit Coleridge, sur un ton qui, pour lui, équivalait à crier.

— Ils venaient de transpirer pendant plus de deux heures dans cette cabane, plaida le policier qui avait été de faction jusqu'à leur arrivée. Je les ai bien examinés auparavant, et j'ai demandé à une des filles de mon équipe de faire pareil avec les dames.

— Vous les avez examinés ?

— Ben, du sang, c'est du sang, monsieur. C'est rouge, quoi. Je l'aurais remarqué. Il n'y en avait pas. Je vous garantis que l'examen a été minutieux. Jusque sous les ongles, et tout et tout. Et nous avons gardé le drap, bien sûr. Là, il y a quelques gouttes.

— Oui, je n'en doute pas, le sang de la victime. Malheureusement, toutefois, ce n'est pas la victime que nous avons du mal à identifier. Elle est scotchée sur le sol des toilettes ! C'est le meurtrier que nous recherchons. Et vous laissez tout un groupe de suspects dans un meurtre à l'arme blanche se laver ! »

S'énerver davantage était inutile. Le mal était fait. À vrai dire, à ce stade de l'enquête, Coleridge ne s'inquiétait pas outre mesure. Le meurtre avait été filmé, les suspects étaient bouclés et toutes les preuves étaient contenues dans un seul et même lieu. L'inspecteur ne s'imaginait pas que la vérité serait longue à se faire jour.

« Sur celle-là, on ne va pas galérer longtemps, avait remarqué Hooper tandis qu'ils roulaient vers la maison.

— On ne va pas quoi ? avait demandé Coleridge.

— Galérer, monsieur. Ça veut dire que ce sera facile.

— Alors, pourquoi ne pas le dire ainsi ?

— Eh bien, parce que… parce que c'est moins haut en couleur, monsieur.

— En matière de langage, sergent, je préfère la clarté aux couleurs. »

Hooper n'allait pas laisser passer ça. Coleridge n'était pas le seul à avoir été tiré du lit à 1 heure du matin. « Et Shakespeare, alors ? » fit-il, avant de fouiller dans les souvenirs de ses cours d'anglais. En fait de citation, il en rapporta un sonnet. « Que dire alors de "Irais-je te comparer à un jour d'été ? Tu es bien plus tendre et bien plus tempérée" ? Peut-être aurait-il dû simplifier et écrire : "J'ai envie de toi" ?

— Shakespeare n'était pas un policier chargé d'enquêter sur un meurtre, mais un poète qui jouait avec le langage pour célébrer une belle femme.

— En fait, monsieur, j'ai lu quelque part que c'était d'un type qu'il parlait. »

Coleridge n'avait rien répondu. Et Hooper avait souri à part soi. Il savait que cette réflexion agacerait la vieille barbe.

Coleridge était bel et bien agacé une fois de plus, car, lorsqu'ils arrivèrent dans la maison de Voyeur Prod., il ne lui fallut guère de temps pour comprendre qu'en aucun cas cette enquête ne serait facile.

La légiste n'avait aucune lumière à jeter sur le sujet. « On n'a rien d'autre que ce qui est là, inspecteur, dit-elle. À 23 h 44, hier, quelqu'un a poignardé cette jeune fille dans le cou avec un couteau de cuisine, avant d'enfoncer, dans la foulée, ce même couteau dans son crâne, où il est resté planté. L'heure exacte de l'agression a été enregistrée par les caméras, ce qui rend une large part de mon travail inutile.

— Mais vos conclusions corroborent les preuves fournies par les caméras ?

— Tout à fait. Je vous aurais probablement dit que le meurtre avait eu lieu entre 23 h 30 et 23 h 40, mais, naturellement, je n'aurais pas pu être aussi précise qu'un code horaire. C'est une chance pour vous, ces codes.

— La fille est morte sur le coup ?

— Au second impact, oui. Le premier ne l'aurait pas tuée si elle avait été soignée.

— Vous avez regardé la vidéo ?

— Oui.

— Vous avez des observations à faire ?

— Pas vraiment, je le crains. La vitesse à laquelle la flaque de sang s'est formée m'a peut-être un peu surprise. Sur un cadavre, le sang ne jaillit pas à flots d'une blessure, voyez-vous, car le cœur ne joue plus son rôle de pompe. Tout au plus, on a un filet de sang qui coule goutte à goutte, et là, en deux minutes, c'est un sacré filet qui a coulé.

— Significatif ?

— Non, pas vraiment. Je trouve ça intéressant, c'est tout. Nous avons chacun une physiologie différente. La fille était penchée en avant, donc la gravité aura augmenté la vitesse d'écoulement du sang. Je suppose que c'est l'explication. »

Coleridge tourna le regard vers la victime agenouillée sur le sol, devant la cuvette des toilettes. Une bien curieuse position pour tirer sa révérence, exactement celle d'une prière musulmane. Sauf que la jeune femme était nue. Et, bien sûr, il y avait le couteau.

« Qui eût cru pourtant que le vieil homme eût en lui tant de sang ? murmura Coleridge pour lui seul.

— Pardon ?

— *Macbeth*. La mort de Duncan. Il y eut également beaucoup de sang versé en cette occasion. »

La veille, Coleridge était allé au lit avec les *Œuvres complètes* de Shakespeare, pour préparer cette audition à laquelle il savait qu'il échouerait.

« Il y a toujours beaucoup de sang dans les cas de blessure à l'arme blanche, souligna froidement la légiste. Donc, pour vous, ça va être la loterie. Nous pouvons trouver quelque chose sur le manche du couteau. Le meurtrier l'a enveloppé avec le drap pour avoir une bonne prise, et aussi, sans doute, pour éviter de laisser des empreintes. Ils étaient tous dans cette étuve, en train de sécréter des humeurs à qui mieux mieux, donc, quelques scories de cellules ont pu pénétrer dans le drap. On peut remonter jusqu'à l'identité de quelqu'un avec ça.

— Personne n'a donc touché au couteau ? » Après l'incident des douches, Coleridge était prêt à toutes les éventualités.

« Non, mais il nous faudra bien le toucher pour l'extraire du crâne. Sans doute même devrons-nous découper le crâne. Du sale boulot, j'en ai peur.

— Oui. »

Coleridge s'étira par-dessus le corps, pour essayer de voir le mieux possible à l'intérieur des toilettes sans poser les pieds dans la mare de sang coagulé. Mains appuyées contre les murs pour se soutenir, il dit à Hooper : « Sergent, tenez-moi la taille, s'il vous plaît. Je ne voudrais pas dégringoler sur cette malheureuse. »

Hooper s'exécuta, et Coleridge, ainsi suspendu, observa les lieux. Le derrière dénudé de Kelly et la cuvette des toilettes semblaient le dévisager.

« Très propres, remarqua-t-il.

— Vous dites, monsieur ? s'enquit Hooper, surpris.

— Les toilettes. Elles sont très propres.

— Ah ! Je pensais que vous vouliez dire que…

— Sergent, taisez-vous, je vous prie.

— Ça, c'était Kelly. Elle les briquait deux fois par jour. Elle ne pouvait pas supporter des chiottes sales… expliqua Geraldine dans son dos, d'une voix qui dérailla quand elle songea que Kelly était au-delà de ce genre de souci à présent. Franchement, elle ne pouvait pas le supporter… C'était une fille très propre et toujours très méticuleuse. »

Coleridge poursuivait son investigation. « Hum, pas si consciencieuse que ça, toutefois, me semble-t-il. Elle a oublié sur le siège quelques éclaboussures qui ressemblent à du vomi. Merci, vous pouvez me tirer vers l'arrière, maintenant. »

Avec l'aide de Hooper, et tout en reculant les mains le long des murs, Coleridge rejoignit la légiste.

« Et le drap dont s'est enveloppé le meurtrier ? demanda-t-il. Celui qu'il a rapporté dans la chambre des garçons.

— Vous pourriez avoir de la chance avec celui-là. Toute cette transpiration a dû décoller un peu de peau, et elle s'est certainement déposée sur le drap.

— Nous pensons, monsieur, que le drap utilisé par le meurtrier est le même que celui dont s'est servi le garçon noir, Jason, lorsqu'il est sorti de la chambre après les faits, intervint le policier qui était arrivé en premier sur les lieux.

— Ah, fit Coleridge, songeur. Donc, si, par hasard, Jason était notre homme, il aurait un alibi commode pour justifier des traces de son ADN sur le drap.

— Oui, sans doute.

— Le labo a besoin d'un jour ou deux, précisa la légiste. Puis-je leur envoyer le drap ?

— Oui, bien sûr, répondit Coleridge. Ça ne servirait pas à grand-chose que j'y jette un œil. Je vois que la porte des toilettes est équipée d'un verrou.

— Tout à fait, dit Geraldine. Le seul de la maison. Il est électronique et on peut l'actionner des deux côtés, pour le cas, par exemple, où quelqu'un tomberait dans les pommes, ou déciderait de se pendre, ou Dieu sait quoi. On peut aussi le débloquer depuis la salle de contrôle.

— Mais Kelly ne s'en est pas servie ?

— Personne ne s'en servait.

— Ah bon ?

— Eh bien, j'imagine que quand une caméra vous filme en train de faire vos petites affaires, l'intimité n'a plus grand sens. En outre, une lampe témoin signale si les toilettes sont occupées.

— Donc le meurtrier ne s'attendait pas à tomber sur l'obstacle du verrou ?

— Non, pas depuis le deuxième jour. »

Coleridge examina la porte et le mécanisme du verrou pendant quelques instants.

« Je ne l'ai fait poser que par acquit de conscience, précisa Geraldine. J'ai pensé que nous devions au moins leur donner une *impression* d'intimité. Si seulement elle l'avait poussé !

— Je ne suis pas certain qu'il aurait servi à quelque chose, objecta Coleridge. La détermination du meurtrier est manifeste, et le loquet de ce verrou est en contreplaqué. Il n'aurait pas fallu beaucoup de force pour le faire sauter.

— Sans doute », acquiesça Geraldine.

Une fois que l'inspecteur se fut assuré que le photographe avait bien pris des clichés de la porte et de son loquet, il reconstitua, en compagnie de Hooper, le parcours accompli par le meurtrier entre les toilettes et la chambre des garçons.

« Aucun indice à tirer du sol, j'imagine.

294

— Non, pas vraiment, monsieur. Les huit mêmes personnes ont arpenté ces carreaux vingt-quatre fois sept au cours des dernières semaines.

— Vingt-quatre fois sept ? »

Hooper serra les dents avant de répondre : « C'est une expression, monsieur, pour dire vingt-quatre heures sur vingt-quatre et sept jours sur sept.

— Je vois… Assez pratique. Économe, directe.

— Oui, je trouve aussi.

— Une expression imitée de l'américain, j'imagine ?

— Oui, monsieur.

— Je me demande si des expressions typiquement anglaises verront de nouveau le jour dans ce pays.

— Je me demande si quelqu'un à part vous en a quelque chose à fiche, monsieur. » Hooper savait qu'il ne courait pas un grand risque en s'autorisant cette insolence pile dans le goût de celles qu'il affectionnait, car Coleridge ne l'écoutait plus. L'inspecteur ne réfléchissait pas précisément non plus aux changements intervenus dans l'argot anglais. Non, c'était juste sa façon à lui de se concentrer. Il devenait toujours plus pénible qu'à l'accoutumée quand son esprit achoppait sur un problème. Hooper savait qu'il venait d'en prendre pour des semaines d'ennuyeuse pédanterie.

Au terme d'une autre demi-heure de fouilles qui ne déboucha sur aucune découverte intéressante, Coleridge décida de laisser les gens du labo accomplir leur travail. « Allons faire connaissance avec les suspects, voulez-vous ? »

Les suspects étaient parqués dans la salle de réunion de Voyeur Prod. située à l'étage du complexe de la production, de l'autre côté du fossé. Les sept jeunes gens, épuisés et terrorisés, y avaient été conduits après un bref interrogatoire sur le lieu du crime, et après avoir été autorisés à se doucher et à s'habiller. Depuis plus d'une heure qu'ils étaient assis tous ensemble dans cette pièce, ils avaient assimilé la réalité du terrible événement de la nuit.

Kelly était morte. La fille avec laquelle ils avaient vécu et respiré au cours des semaines précédentes, avec laquelle ils batifolaient et riaient à peine quelques heures auparavant, était morte.

C'était la *seconde* chose la plus choquante qu'il leur avait été donné à tous d'expérimenter au cours de leur vie.

La chose la plus choquante de toutes étant ce fait qui s'imposait à l'évidence : l'un d'entre eux avait tué Kelly.

L'idée avait fait son chemin lentement. Au début, il y avait eu force larmes et accolades, expressions d'hébétude, de confusion, de tristesse et de solidarité. Ils avaient eu le sentiment d'être les sept seuls êtres vivants sur terre, unis par un lien que personne, de l'extérieur, ne pourrait jamais comprendre. Tout était tellement étrange et déroutant dans cette histoire : les quatre semaines d'isolement et de jeu, les excès absurdes et ivres dans l'étuve, la flambée d'énergie sexuelle brute qui les avait tous pris par surprise… Et ensuite, la mort de leur camarade et la maison soudain grouillante de policiers. Cela avait presque été le plus étrange : trouver leur maison, cet endroit où personne ne pouvait entrer, dont personne ne pouvait sortir – sinon en se soumettant à une procédure de vote complexe –, *pleine de policiers* ! Certes, la maison avait été déjà été envahie auparavant, lors de l'arrestation de Woggle, mais ce n'était pas comparable. Les colocataires étaient restés en nombre majoritaire et, d'une certaine façon, ils n'avaient pas perdu le contrôle. Alors que, cette fois, ils s'étaient retrouvés cantonnés dans la chambre des garçons comme dans un petit ghetto, à supplier qu'on les autorise à se doucher.

L'ensemble de cette exceptionnelle expérience commune avait d'abord favorisé l'émergence d'un esprit de gang dans le groupe des survivants… Jazz, Garry, Dervla, Moon, David, Hamish et Sally.

Cependant, une fois assis autour de cette grande table dans la salle de réunion de Voyeur Prod., ils avaient vite dessoûlé et, tout comme l'alcool de leur organisme, cette solidarité avait commencé à s'évaporer. S'y étaient substituées la terreur et la suspicion. Une suspicion dirigée vers chacun des six autres. La terreur de pouvoir, chacun, être lui-même suspecté.

Coleridge reçut un par un ces gens qui, sous peu, lui seraient si familiers. Et, à chaque bref interrogatoire, la déprimante vérité se faisait plus claire. Soit six d'entre eux ne savaient sincèrement rien, soit chacun protégeait les six autres : en tout cas, aucun n'avait rien à lui dire qui puisse l'éclairer sur l'identité de celui ou de celle qui avait quitté l'étuve pour aller assassiner Kelly.

« Franchement, inspecteur, dit Jazz à Coleridge, j'aurais pas été foutu d'vous dire où étaient l'sol ou l'plafond d'cette cahute, alors la sortie… C'était aussi noir qu'dans un four. Le noir total, mec. C'était tout l'intérêt. On y était depuis deux heures et on était tellement beurrés, *tellement*…

— Comment saviez-vous que ça faisait deux heures ? coupa Coleridge.

— J'le savais pas, on m'l'a dit. Hé, mec, sans blague, il aurait pu s'passer deux heures, deux jours, deux *ans*. J'étais complètement parti, j'flottais, un vrai zombi, j'étais fait au dernier degré, et j'étais en train d'm'envoyer en l'air ! J'm'envoyais en l'air ! Vous comprenez ? Quatre semaines sans rien d'plus qu'effleurer une femme, et là, brusquement, *j'm'envoyais en l'air*. Vous pouvez m'croire qu'j'étais pas en train de m'demander où était la sortie. J'étais trop bien là où j'étais. »

Ce fut là le thème récurrent de la majorité des interrogatoires. L'étuve avait privé chaque colocataire de son sens de l'orientation, de sa notion du temps et de l'espace, et aucun ne le regrettait, parce qu'ils s'étaient tous bien amusés.

« Il faisait une putain de chaleur, là-dedans, inspecteur, lui assura Moon. C'était tout noir, et on était soûls. En fin de compte, c'était comme de flotter dans l'espace ou un truc du genre.

— Vous n'avez remarqué personne sortir ?

— Kelly peut-être ?

— Peut-être ?

— Ben, je savais même plus où était l'entrée à ce moment-là. Et en fin de compte, pour être franche, je crois que plus personne savait plus rien de rien. Mais c'est vrai que j'ai senti une fille, tout d'un coup, qui bougeait, qui se faufilait… Et plutôt rapidement, ça m'a un peu étonnée vu qu'on était tous tellement cool.

— Cool[1] ? » releva Coleridge, croyant avoir mal entendu. Il souhaitait que les choses soient bien claires sur l'enregistrement.

1. « Cool » signifie en anglais à la fois « froid » et « détendu ». *(N.d.T.)*

298

« Le témoin voulait dire "détendu", monsieur, intervint Hooper.

— Quoi que le témoin veuille dire, sergent, rugit Coleridge, il peut le faire sans votre concours. Qu'avez-vous voulu dire, mademoiselle ?

— J'ai voulu dire "détendu".

— Merci. Poursuivez, je vous prie.

— Ben, je crois qu'après avoir senti la fille bouger, il y a eu comme un petit courant d'air frais. C'est possible que je me sois dit que quelqu'un sortait pour pisser ou faire autre chose, mais franchement, en fin de compte, je me posais pas tant de questions. Vous voyez, j'étais en train de tailler une pipe à ce moment-là… à Garry, je pense. »

Les interrogatoires se succédèrent, rapportant tous les mêmes faits : les colocataires s'étaient livrés à des activités sexuelles de degrés divers et – peu avant que le jeu ne s'arrête brutalement – ils avaient eu l'impression que quelqu'un, sans doute une fille, les enjambait. Chacun se rappelait ce moment parce qu'il avait détonné dans cette ambiance « cool ».

« Et cette agitation s'est produite assez brusquement ? » demanda Coleridge à chacun d'eux. Tous s'accordèrent à le confirmer : il y avait eu un soudain remue-ménage de bras, de jambes et de peau douce, suivi du plus infime des courants d'air. En y repensant *a posteriori*, il devenait évident que ce ne pouvait être que Kelly se hâtant vers les toilettes.

« Quelqu'un aurait-il pu se faufiler à sa suite ? » leur demanda Coleridge. Oui, leur semblait-il à tous, à la faveur de la confusion générale qui régnait dans cette étuve obscure et surpeuplée, une autre personne aurait pu suivre Kelly à l'extérieur sans se faire remarquer.

« Mais vous, personnellement, vous n'avez rien remarqué ?

— Inspecteur, répondit Garry, qui aurait pu se faire là le porte-parole de la communauté, j'étais pas en état de remarquer quoi que ce soit. »

Seuls les souvenirs de Sally différaient substantiellement de la norme. À son entrée, Coleridge fut pris de court. Jamais encore il n'avait vu de femme aux bras entièrement recouverts de tatouages et il savait qu'empêcher ce détail de porter préjudice à son appréciation du témoignage de la jeune femme allait requérir un gros effort de sa part.

« Donc vous ne participiez pas à cette activité sexuelle ? interrogea-t-il.

— Non, j'avais décidé de mettre à profit cet exercice pour améliorer ma compréhension des autres cultures. Je me suis trouvé un petit coin dans l'étuve, j'ai ignoré ce que faisaient les autres et je me suis concentrée pour me mettre dans la tête d'une guerrière amérindienne. »

Coleridge ne put s'empêcher de penser que, pour ce qu'il en savait, tous les combats des Amérindiens avaient été le fait des hommes, mais il décida de ne pas relever. « Vous n'aviez pas envie de vous joindre à la… hum… bonne ambiance générale ?

— Non, je suis gouine, et toutes les autres femmes qui étaient dans l'étuve sont hétéros, ou du moins elles le croient. En plus, il fallait que je me concentre sur autre chose qu'eux, voyez-vous. *Il fallait que je me concentre.*

— Pourquoi ?

— Je n'aime pas les espaces confinés et sombres. Je n'aime pas me trouver dans un cachot.

— Vraiment ? Est-ce là une chose dont vous avez l'expérience ?

— Pas en vrai, non. Mais dans ma tête, j'en imagine un tout le temps. »

Coleridge remarqua que la cigarette de Sally tremblait entre ses doigts. Une volute de fumée en zigzag, dentelée comme le fil d'une scie, s'en élevait.

« Pourquoi vous imaginez-vous un cachot ? reprit-il.

— Pour me tester. Pour voir ce qui m'arrive quand j'y suis.

— Et donc, confrontée à l'obligation d'en expérimenter un pour de bon, vous avez décidé d'en profiter pour tester votre force mentale ?

— Exactement.

— Et vous avez réussi ?

— Je ne sais pas. Je ne me souviens de rien de ce qui s'est passé là-dedans. Ça me mettait juste dans un état tellement bizarre que je suis partie ailleurs dans ma tête. »

En dépit de son insistance, Coleridge ne put rien tirer d'autre de la jeune femme.

« Je ne vous cache rien, protesta-t-elle. Je le jure. J'aimais bien Kelly. Je vous le dirais, si je savais quelque chose, mais je me souviens d'absolument rien. J'ai même pas le souvenir d'avoir *été* là-dedans.

— Merci, ce sera tout pour l'instant. »

Sally avait atteint la porte lorsqu'elle se retourna. « Il y a une chose, tout de même. Tout ce que vous dira Moon, ce sera des mensonges, d'accord ? Cette fille ne reconnaîtrait pas la vérité même si elle lui plantait un couteau dans la tête. » Sur quoi elle sortit.

« Croyez-vous qu'elle essayait de nous dire que c'est Moon la coupable ?

— Je n'en ai aucune idée, sergent. »

David et Hamish parurent tous deux évasifs à Coleridge. Leurs dépositions concordaient largement avec celles de Garry, Jason et Moon, mais elles semblaient moins franches, plus circonspectes.

« Je ne saurais pas vous dire où se trouvait Kelly dans l'étuve, déclara Hamish. Je sais que je pelotais une des

301

filles mais, franchement, je ne pourrais pas vous dire laquelle. »

Coleridge trouva d'emblée quelque chose de discordant dans l'attitude de ce garçon. Plus tard, lorsqu'il en discuterait avec Hooper, celui-ci reconnaîtrait avoir eu la même impression. L'un et l'autre avaient interrogé suffisamment de menteurs pour savoir les repérer. Un langage corporel sur la défensive, bras pliés et épaules bien droites, le buste reculé au maximum contre le dossier du siège, comme pour parer à une attaque, de quelque côté qu'elle vienne. Selon les deux policiers, Hamish mentait probablement, mais ils ne savaient dire s'il s'agissait d'un gros ou d'un petit mensonge.

« Il est indiqué ici que vous êtes médecin, observa Coleridge.

— Je le suis.

— J'aurais pensé qu'un médecin se serait montré plus attentif. Après tout, il n'y avait là que quatre femmes. Vous les connaissiez depuis un mois. Êtes-vous sérieusement en train de me dire que vous en caressiez une sans avoir la moindre idée de son identité?

— J'étais très soûl.

— Hum hum, fit Coleridge après une longue pause. Voilà qui en dit long sur les médecins et la sensibilité de leur toucher. »

Coleridge aurait deviné que David était comédien sans même avoir besoin de se reporter aux dossiers de Voyeur Prod. Il y avait un certain maniérisme dans son expression du chagrin ; cela ne signifiait nullement qu'il n'était pas désolé, mais cela prouvait, en revanche, qu'il mettait en scène son chagrin. Les pauses qu'il observait avant de parler étaient trop longues, et le regard franc et masculin qu'il braquait sur son interlocuteur était un peu trop franc et trop masculin. Il fuma un nombre important de cigarettes au cours de son interrogatoire, mais sans avaler la fumée, d'où Coleridge conclut que ces cigarettes étaient des accessoires. Il les tenait entre le pouce et l'index, sa main en coupe autour de l'extrémité incandescente, qu'il pointait vers l'intérieur de la paume. Une façon bien peu pratique de tenir sa cigarette, songea l'inspecteur, mais qui produisait assurément une impression d'anxiété. Quand David ne plongeait pas un regard sincère dans celui de Coleridge, il fixait intensément sa cigarette.

« J'adorais Kelly. On était potes. Elle avait un esprit tellement libre et ouvert ! Je regrette seulement de ne pas l'avoir mieux connue. Mais je n'ai absolument pas fait attention à elle dans l'étuve. Honnêtement, si j'avais cherché quelqu'un, Dervla serait plus mon type de fille, mais j'ai bien peur d'avoir été trop soûl et trop désorienté pour m'intéresser à qui que ce soit. »

Tout cela était tellement vague, tellement confus... Coleridge insulta ces jeunes gens en son for intérieur. Ou du moins insulta-t-il six d'entre eux. Le meurtrier, lui, il ne pouvait que, bien à contrecœur, le respecter : six personnes s'étaient trouvées dans l'étuve quand il l'avait quittée, puis quand il l'avait regagnée, et pourtant, tous avaient été trop soûls et trop lubriques pour le remarquer.

Seule Dervla, entendue la dernière, se montra plus claire dans ses souvenirs. C'était naturellement la première fois que Coleridge rencontrait Dervla, mais elle lui plut sur-le-champ. Elle semblait être la plus équilibrée de cette bande, une jeune femme sensée qui donnait, de surcroît, l'impression d'un esprit franc et ouvert. Coleridge se demanda quelle folie avait poussé une gentille fille intelligente comme elle à s'impliquer dans une aventure aussi résolument sotte que *Résidence surveillée*. C'était à n'y rien comprendre, mais, encore une fois, Coleridge sentait qu'il ne comprenait plus grand-chose à quoi que ce soit.

Dervla était la seule, semblait-il, à avoir prêté relativement attention à ce qui l'environnait, au cours des dernières minutes passées dans l'étuve. Elle se souvenait que, lorsque la fille agitée s'était empressée vers la sortie, elle-même devait se trouver à proximité des volets de plastique, car elle avait senti le petit courant d'air. Elle était également quasi certaine que la silhouette qui l'avait frôlée en sortant ne pouvait être que celle de Kelly.

« J'ai senti ses seins qui glissaient contre ma jambe. C'étaient de gros seins, mais pas aussi gros que ceux de Sally, expliqua-t-elle en rougissant à l'idée de la scène qu'elle devait susciter dans l'esprit des policiers.

— Rien d'autre à son sujet ? questionna Coleridge.

— Si, elle tremblait d'émotion. Je me souviens avoir senti une vraie tension, presque de la panique.

— Elle aurait été bouleversée ?

— J'essaie de me souvenir de ce que j'ai pensé à ce moment-là. Oui, je crois que je me suis dit qu'elle était bouleversée.

— Mais vous ignorez pourquoi.

— Eh bien, il se passait beaucoup de choses étranges à l'intérieur de cette étuve, inspecteur, des choses dont le souvenir serait déjà suffisamment embarrassant le lendemain matin, sans, par-dessus le marché, devoir les raconter à des policiers.

— Des choses étranges ? Pouvez-vous être plus précise ?

— Je ne vois pas en quoi ça concerne l'enquête.

— Il y a eu un meurtre, mademoiselle, et ce n'est pas à vous de décider ce qui concerne l'enquête ou non.

— Bon, d'accord. Je ne sais pas ce que faisait Kelly avant de s'enfuir, mais je sais que, plus tôt dans la soirée, elle était assez déchaînée. Nous l'étions tous, et nous l'étions encore. J'étais moi-même assez proche du point de non-retour avec Jason, ou du moins je crois que c'était Jason. *J'espère* que c'était lui. » Elle baissa les yeux, qui allèrent se poser sur les petits rouages du magnétophone. Elle rougit.

« Poursuivez, dit Coleridge.

— Kelly s'est faufilée à côté de moi et elle est sortie. Jazz et moi… on a continué nos… euh… étreintes. »

Surprenant le sourire que le choix de ce mot arracha à Hooper, Coleridge lui décocha un regard aigu. Selon lui, rien ne prêtait à sourire dans l'évocation des circonstances ayant conduit au meurtre d'une jeune fille.

« Voilà, c'est tout, je vous assure, conclut Dervla. Un peu après, on a entendu le raffut, et Jazz est sorti voir ce qui se passait. Je me souviens, à ce stade-là, que cette interruption m'a délivrée d'un poids. Ça m'a donné l'opportunité de me reprendre, de réaliser ce que j'étais en train de faire et jusqu'où je m'étais laissé entraîner. J'étais contente que quelque chose soit venu interrompre la fête. »

Mesurant à quel point ses propos pouvaient paraître odieux, Dervla s'interrompit. « Naturellement, reprit-elle, je n'ai plus du tout pensé ça quand j'ai su ce qui était arrivé.

— Naturellement. Et vous n'avez aucune idée de ce qui pourrait avoir bouleversé Kelly ?

— Non, mais je suppose que quelqu'un a poussé un peu trop loin sa chance avec elle, si vous voyez ce que je veux dire. J'ai toujours pensé que Kelly était un peu une allumeuse en apparence, mais qu'au fond c'était une "bonne petite", comme dirait ma mère. Je ne pense pas qu'elle serait allée jusqu'au bout, dans cette étuve.

— Vraiment ?

— Oui. L'autre soir, Hamish l'a suivie dans la cabane à coït, mais je ne pense pas qu'il soit arrivé à quoi que ce soit… Je ne dis rien contre Hamish, là, comprenez-moi bien.

— Avez-vous remarqué si quelqu'un a suivi Kelly à l'extérieur de l'étuve, hier soir ?

— Non.

— Vous avez déclaré vous être trouvée vous-même près de l'entrée. Êtes-vous certaine de n'avoir rien remarqué ?

— Comme je vous l'ai dit, j'étais occupée à ce moment-là. Tout cela était une aventure assez frivole. »

Plus tard, Coleridge allait méditer sur ce choix de mots – « étreintes », « aventure frivole » –, comme si Dervla parlait d'un flirt innocent dans une fête de village et non d'une orgie.

Une fois que Dervla eut terminé sa déposition et regagné la salle de conférence, Coleridge et Hooper commentèrent un peu son témoignage.

« Très troublant, qu'elle ne se soit pas aperçue qu'une seconde personne quittait l'étuve, souligna Hooper.

— Oui. Sauf…

— Sauf si c'est elle qui est sortie », acheva Hooper à sa place.

# Un seul vainqueur

## VINGT-HUITIÈME JOUR, 19 H 30

La porte se referma derrière David, qui prit sa guitare sur le canapé orange et commença à jouer un air lugubre. Il était le dernier à entrer. Tous étaient de retour dans la maison.

Savoir s'ils allaient continuer n'avait jamais été une question pour eux. Même le lendemain du crime, quand, au petit matin, ils avaient quitté la maison, chacun dans une voiture de police, ils avaient pu subodorer l'importance de l'intérêt dont ils feraient dès lors l'objet. Le corps était à peine froid que l'histoire circulait déjà et que le monde entier accourait à leur porte.

Lorsqu'ils sortirent du commissariat, sans inculpation, huit heures plus tard, plus d'un millier de journalistes les attendaient.

Un millier. Lors d'une récente visite en Grande-Bretagne, le président des États-Unis n'en avait déplacé que deux cent cinquante.

Et quand Voyeur Prod. annonça que les sept candidats restants avaient l'intention de poursuivre le jeu, les médias et le public s'excitèrent comme des fous : désormais, ils n'étaient plus simplement les sept candidats d'un jeu télévisé, ainsi que Geraldine s'obstinait à les présenter, mais les sept suspects d'une chasse au meurtrier. Les sept seuls suspects.

De nuit comme de jour, les gens semblaient incapables de parler d'autre chose. Les évêques et les anges gardiens de l'audiovisuel déplorèrent cette décision, qui signait l'effondrement des valeurs morales. Des politiciens opportunistes applaudirent à cette manifestation d'une société plus ouverte d'esprit, plus détendue, « à l'aise avec ses traumatismes ». Invité à commenter les événements à l'heure des questions parlementaires, le Premier ministre promit avec sincérité de se montrer à « l'écoute des gens », de s'efforcer, autant que faire se pouvait, de « ressentir leur douleur » et de ne revenir au Parlement qu'une fois qu'il se serait forgé une idée de ce « ressenti ».

Nombreux furent ceux qui témoignèrent leur surprise de voir les sept candidats légalement libres de réintégrer la maison, mais, évidemment, rien ne pouvait les en empêcher. Même s'il était clair que l'un d'entre eux avait assassiné Kelly, la police était incapable de trouver la moindre preuve permettant de procéder à une inculpation.

D'aucuns s'efforcèrent de faire appliquer la loi selon laquelle nul ne peut tirer profit d'une exploitation médiatique de son crime. Mais quel profit ? Les colocataires ne seraient pas rémunérés pour la peine qu'ils allaient se donner. Et quel crime ? Six d'entre eux n'en avaient commis aucun, et l'identité du coupable demeurait un mystère. Une fois qu'il ou elle serait confondu, là, bien sûr, il deviendrait possible d'empêcher cette personne de passer à la télé, mais en attendant, on ne pouvait tous les interdire d'antenne.

« Moi, je dis qu'il faut pas hésiter. »

Garry avait été le premier à prendre la parole. C'était un mec, un vrai, et il n'allait pas faire sa chochotte en refusant d'utiliser des toilettes où quelqu'un s'était fait trucider.

« Je suis déjà entré dans un tas de chiottes où y avait du sang par terre, souligna-t-il en songeant que ce commentaire serait du meilleur effet à la télé, avant de se souvenir qu'il n'était plus dans la maison et que, pour la première fois depuis un mois, aucune caméra ne le fixait. Alors, putain, moi je dis : faisons les choses à fond. »

Geraldine s'était débrouillée pour cueillir les sept colocataires, épuisés, à leur sortie du commissariat et elle les avait nichés dans un minibus qui attendait. Cela n'avait pas été une mince affaire : la porte du commissariat ne s'était pas plus tôt ouverte que les offres d'argent avaient fusé de toute part. N'importe lequel des colocataires aurait pu gagner cent mille livres pour une interview exclusive sur-le-champ. Heureusement, Geraldine s'était munie d'un mégaphone dont elle usa sans complexe : « Vous toucherez beaucoup plus si vous négociez en groupe, cria-t-elle. Alors grimpez dans le bus ! »

Finalement, avec l'aide des dix malabars du service de sécurité qu'elle avait amenés avec elle, elle réussit à faire monter à bord son précieux chargement. Tels des enfants obéissants, les sept candidats s'installèrent pendant que la police s'efforçait de leur dégager la voie. À l'extérieur, des centaines de caméras cliquetaient et ronronnaient, des micros venaient heurter les vitres et les questions hurlées par les journalistes produisaient un vacarme cacophonique.

« Qui l'a fait, à votre avis ? » « Comment vous sentez-vous ? » « Le méritait-elle ? » « Y a-t-il un mobile sexuel ? »

Même dans l'habitacle du minibus, Geraldine dut utiliser son mégaphone pour capter l'attention générale.

« Écoutez-moi ! » cria-t-elle.

Sept paires d'yeux se posèrent fixement sur elle.

« Je sais que vous êtes tous désolés de ce qui est arrivé à Kelly, mais nous devons faire preuve d'esprit pratique. Regardez ce qui se passe dehors ! La presse du monde entier s'est déplacée, et pour quoi ? Pas pour Kelly, elle n'est plus là, mais pour *vous*. *Vous seuls*. Alors réfléchissez deux minutes. »

Pendant que les sept colocataires obtempéraient, le minibus commença à se frayer un chemin dans la marée de journalistes.

« Pour quelle raison vous êtes-vous lancés dans cette aventure ? poursuivit Geraldine. Pourquoi avez-vous écrit à Voyeur Prod. ? »

Ils étaient désarçonnés : elles avaient été si nombreuses au début, les raisons. « Pour exploiter au maximum mes ressources humaines… » « Pour explorer les différentes facettes de ma personnalité… » « Pour découvrir de nouveaux horizons et de nouvelles aventures… » « Pour me donner un but et devenir un modèle… »

Aucun n'avait ignoré les codes, tous avaient su ce qu'ils étaient supposés dire, su qu'ils devaient user du jargon d'une hypocrite autojustification. De pures âneries, évidemment, et Geraldine n'était pas dupe. Elle savait pourquoi ils avaient posé leur candidature, et tout ce prétentieux verbiage à la mode aurait été incapable de travestir leur vraie motivation : ils voulaient *devenir célèbres*. C'est pour cette raison que, Geraldine le savait fort bien, ils allaient tous revenir dans la maison.

Le bus réussit à s'extirper de la foule agglutinée devant le commissariat et fut aussitôt pris en chasse par les paparazzi à moto, qui slalomaient dans la circulation et qui, pris par l'ivresse de la traque, en oubliaient leur sécurité et celle des autres.

« Donc, beugla Geraldine, laissons de côté pour l'instant la question de savoir qui a tu… comment est morte cette pauvre Kelly, et considérons les opportunités que sa triste fin vous a offertes. Je parle ici d'une célébrité qui dépasse les frontières, qui va plus loin que tous vos rêves les plus fous. Cette émission sera diffusée dans le monde entier, cela ne fait aucun doute. Quand vous sortirez de notre maison, on reconnaîtra partout vos visages, dans la moindre ville, dans le moindre village ou foyer de cette planète. Réfléchissez à ça. Si vous vous séparez maintenant, l'histoire sera tombée aux oubliettes d'ici une semaine, vous vous ferez tous quelques dizaines de livres en parlant de Kelly aux journaux, et basta. Mais si vous restez ensemble, si vous revenez tous dans la maison, vous serez au cœur de la plus grande histoire du monde entier, jour après jour.

— Vous voulez dire que les gens vont regarder l'émission pour essayer de découvrir lequel d'entre nous a tué Kelly ? demanda Dervla.

— Oui, ça, sans doute. Mais la police elle aussi, de toute façon, essaie de le découvrir, donc vous feriez tout aussi bien d'en tirer profit. Par ailleurs, il y a bien plus important : il y a l'angle humain, la façon dont vous allez tous gérer la tragédie, dont vous allez vous comporter entre vous. Croyez-moi, on est là au cœur de ce qui constitue la bonne télé, selon la définition du siècle. »

Geraldine voyait bien qu'ils étaient tous désorientés par l'effroyable bouleversement intervenu dans leur situation.

Sally prit la parole.

« Ça serait peut-être bien de rentrer à la maison un petit moment, dit-elle d'un filet de voix triste que personne ne lui connaissait.

— Exactement ! s'exclama Geraldine. C'est bien ce que je dis.

— Non, je voulais parler de ma vraie maison.

— Oh, je vois… On s'en fout. C'est cette maison, votre vraie maison, maintenant. » La vie de Geraldine étant définie par son travail, elle ne pouvait pas comprendre que quelqu'un puisse sérieusement préférer des toasts à la marmelade et une petite séance de pleurs dans le giron maternel à l'occasion de participer au plus grand des événements télévisuels sur plusieurs décennies.

« Bon, d'accord, reprit-elle d'un ton plus conciliant, maintenant qu'ils avaient semé la foule grondante derrière eux. Prenons les choses sous un autre angle. Si l'un d'entre vous l'a tuée, cela signifie que les six autres ne l'ont pas fait, vous me suivez ? Ces six personnes peuvent soit s'éclipser en laissant un cruel psychopathe leur avoir gâché la chance de leur vie, soit avoir le courage de se battre pour défendre leurs intérêts. N'oubliez pas que vous avez *le droit* de poursuivre cette aventure d'émancipation personnelle, vous avez *le droit* de devenir des stars. Parce que, en fin de compte, vous êtes tous des gens forts, géniaux, indépendants, alors moi je dis : profitez-en ! Foncez, vous êtes des gens exceptionnels. Vraiment. Et je le pense sincèrement, du fond du cœur. »

Mais ils hésitaient encore.

À retourner dans cette maison…

À dormir dans ces lits…

À utiliser les toilettes. Des toilettes qui, quelques heures auparavant, à peine…

Après avoir joué la carte de la conciliation, Geraldine reprit sa matraque et abattit son meilleur atout : la vérité. « Bon, d'accord, regardons les choses bien en face. Hier, vous étiez les candidats d'un petit jeu de merde sans aucune originalité, qu'on a tous déjà vu dix fois. Vous aussi, vous les avez regardés, ces jeux ; vous savez qu'en gros les candidats y ont tous l'air d'une bande de trous-du-cul uniquement préoccupés d'eux-mêmes. Pensez-vous produire une impression différente ? Réfléchissez-y à deux fois. Je vous montrerai les cassettes, si vous voulez. Bon sang, le public préférait *Woggle* à vous tous ! Des stars ? Mon cul ! Des stars de pacotille, des stars jetables, voilà ce que vous étiez. C'est ça la vérité. C'est pour votre bien que je suis franche avec vous.

— Oui, mais bon, regardez…

— David, ta gueule. On est dans mon minibus, et c'est *moi* qui parle, bordel de merde. »

David la boucla.

« Or, *maintenant*, poursuivit Geraldine, vous pouvez tout changer. Si vous en avez le cran, vous pouvez participer à l'expérience télévisuelle la plus fascinante de tous les temps. Un polar en direct ! Une série policière quotidienne avec *une vraie victime vivante*… »

Geraldine ne prit conscience de ce qu'elle disait qu'au moment où elle le dit. « Oui, bon enfin, une vraie victime morte, si vous préférez. Ce qui importe, c'est que ce sera la plus grande émission de l'histoire, et que vous en êtes les héros ! Kelly vous a offert la chance de devenir ce qu'elle-même désirait plus que tout au monde : une star ! Vous m'entendez ? Une authentique et légitime star, et pour y arriver, tout ce que vous avez à faire, c'est de continuer le jeu. »

Geraldine regarda leurs visages. Elle avait gagné. La partie n'avait pas été bien longue.

Ensemble, ils concoctèrent rapidement un communiqué de presse, qu'ils placardèrent sur la vitre du minibus tandis qu'ils approchaient de la maison.

« Nous, les sept candidats restants de la troisième édition de *Résidence surveillée*, avons choisi de poursuivre notre expérimentation sociologique, en hommage à Kelly et à ses rêves. Nous la connaissions et nous savons qu'elle adorait cette émission. C'était une part de sa vie, et elle l'aurait donnée pour elle. Nous avons le sentiment qu'abandonner maintenant et jeter à la mer tout ce pour quoi elle a travaillé serait une insulte à la mémoire de cette belle fille forte, de cet être humain que nous avons beaucoup, beaucoup aimé. *Résidence surveillée* continue parce que Kelly l'aurait souhaité. C'est pour elle que nous le faisons. Fonçons ! »

« Putain, c'est beau, ça », dit Moon.

Sur ce, Sally fondit en larmes, et, l'instant d'après, tous pleuraient. Tous, sauf Dervla, qui réfléchissait à autre chose.

« Encore un petit détail, dit-elle au moment où le bus se frayait à grand-peine un passage à travers les hordes de gens rassemblées devant le site de Voyeur Prod.

— Ouais, quoi ? » fit Geraldine avec humeur. Maintenant qu'ils avaient scellé leur arrangement, elle ne voulait pas poursuivre la discussion, surtout avec cette conne de Princesse Dervla.

« Supposez que le meurtrier frappe de nouveau ? »

Geraldine s'accorda quelques minutes de réflexion. « Non, ça ne peut pas arriver. Allons, soyons sérieux, vous serez tous sur vos gardes, et on ne refera plus aucune activité comme celle de l'étuve. Tous les environnements favorisant l'anonymat et la promiscuité ne sont évidemment plus à l'ordre du jour pour les activités de groupe. Fini, les gens entassés les uns sur les autres, tout sera fait dans de grands espaces et en plein jour. Franchement, vous devriez en être désolés. Enfin quoi ! Imaginez un peu, si cela *pouvait* se reproduire. Songez combien ceux d'entre vous qui survivraient en sortiraient grandis ! »

## VINGT-HUITIÈME JOUR, 20 HEURES

Ils étaient de retour dans la maison depuis une demi-heure, mais personne n'avait prononcé un mot. Quelques-uns étaient allongés sur leur lit, d'autres assis sur les canapés. Personne n'avait encore utilisé les toilettes.

« Ici Chloe, annoncèrent les haut-parleurs cachés. Afin de ne pas attenter à la structure du jeu, nous avons décidé de traiter l'absence de Kelly comme une élimination. Il n'y aura donc pas d'autre élimination cette semaine. Vous avez droit à un traitement de faveur après cette longue et éprouvante journée : un repas tout prêt a été déposé à votre intention dans le placard. »

Jazz alla le chercher. « Chinois », indiqua-t-il en rapportant les sacs.

Ce fut là le seul mot prononcé dans la maison jusqu'à la fin du repas.

David rompit finalement le silence. « Donc, l'un d'entre nous a tué Kelly, c'est ça ?

— Putain, c'est bien ce qu'on dirait », répliqua Moon.

Et le silence retomba.


En salle de régie, les heures passaient également en silence.

Plus tard, cette nuit-là, l'inspecteur Coleridge se glissa dans la cabine et s'assit aux côtés de Geraldine.

Il voulait voir, pour son information personnelle, comment on procédait au montage de l'émission. Lorsqu'il se mit à parler, Geraldine bondit littéralement.

« Vous savez, s'il avait été en mon pouvoir de vous empêcher de continuer, je l'aurais fait.

— Je ne vois pas pourquoi vous voudriez m'en empêcher, répliqua la productrice. Combien de policiers ont la chance d'observer leurs suspects comme vous ? En général, s'il n'y a pas de chef d'inculpation contre elle, la proie s'évapore sans laisser de trace après avoir planqué ses petits secrets. Si jamais cette clique a des secrets à cacher, ils ont intérêt à les couver de près.

— J'aurais aimé vous en empêcher au nom de critères moraux. Le pays tout entier regarde votre émission parce que les gens savent que l'une de ces personnes est un assassin.

— Pas seulement cela, inspecteur. Ils la regardent aussi parce qu'il y a toujours la possibilité que ça se reproduise.

— Cela m'a traversé l'esprit.

— Croyez-moi, cela a également traversé l'esprit de notre petit gang de stars de pacotille. N'est-ce pas formidable ?

— Un meurtre n'est pas un sport grand public.

— Ah bon ? Très bien. Si vous n'étiez pas obligé de regarder l'émission pour les besoins de l'enquête, la regarderiez-vous tout de même ? Soyez franc, inspecteur. Vous la regarderiez, oui ou non ?

— Non, certainement pas.

— En ce cas, vous êtes encore plus ennuyeux que je ne le pensais. »

Ils se turent et observèrent les colocataires débarrassant les restes de leur dîner.

« Pourquoi font-ils cela, à votre avis ? s'enquit Coleridge.

— Pourquoi, selon vous ? Pour devenir célèbres.

— Ah oui, naturellement. La gloire. »

La gloire, songea l'inspecteur. Ce Graal sacré d'une époque profane. La divinité cruelle et tyrannique qui avait remplacé Dieu. La seule, l'unique chose qui semblait compter de nos jours. L'obsession incontournable, le point de mire de tous et toutes dans le pays, qui occupait quatre-vingt-dix pour cent de chaque journal et cent pour cent de chaque magazine. Non plus la foi, mais la gloire.

« La gloire, murmura-t-il. J'espère qu'elle les rendra heureux.

— Sûrement pas », rétorqua Geraldine.


VINGT-NEUVIÈME JOUR, 18 HEURES

Assis dans la plus spacieuse des deux salles communales de la Maison des jeunes, Coleridge attendait son tour en compagnie d'autres candidats remplis d'espoir. Il était accablé de fatigue après avoir consacré la majeure partie des deux nuits précédentes à enquêter sur un « horrible assassinat » en direct à la télé.

Maintenant, il se trouvait au royaume de la fiction, mais il lui semblait que les mots de la merveilleuse tirade de l'acte V, « Demain, puis demain, puis demain », une de ses préférées, avaient déserté sa mémoire.

Il essayait de se concentrer, mais les gens le harcelaient de questions à propos du meurtre de Voyeur Prod. C'était compréhensible, bien sûr : l'affaire constituait un événement colossal, et tous ici savaient que Coleridge était un policier haut placé dans la hiérarchie. Il n'avait pas eu la moindre envie de leur confier qu'il était directement concerné par ce crime. « Je suis certain que mes collègues font leur maximum », dit-il en tentant de se concentrer pour se mettre dans la peau d'un pauvre comédien qui va se pavaner et s'agiter son heure durant sur la scène.

À son immense soulagement, aucun des journaux télévisés n'avait diffusé son portrait de la journée, et il ne pensait pas non plus le découvrir dans la presse du lendemain matin. Il n'incarnait pas suffisamment l'image d'un « flic dans le coup » pour bénéficier d'un tel traitement. Quand les journaux imprimaient une photo, c'était celle de Patricia, car ils n'aimaient rien tant qu'une accorte « policière ».

Enfin, le tour de Coleridge arriva, et il fut appelé dans l'autre salle, la petite, pour passer son audition devant les regards perquisiteurs de Glyn et de Val. Il donna tout ce dont il était capable, y compris un fantôme de larmes, quand il déclama « Éteins-toi, éteins-toi, court flambeau ! ». Rien de tel que le meurtre d'une jeune fille de vingt et un ans pour rappeler que la vie n'était rien d'autre qu'un « fantôme errant ». Quand il eut terminé, Coleridge eut le sentiment de s'en être plutôt bien tiré.

Glyn semblait partager cet avis. « C'était beau. Vraiment beau et très émouvant. Il est évident que vous avez beaucoup de profondeur. »

Les espérances de Coleridge s'épanouirent aussitôt, mais cela ne dura qu'un instant.

« J'ai toujours pensé que Macduff est le rôle clé du dernier acte, dit Glyn. Petit, je vous l'accorde, mais qui demande un grand comédien. Voudriez-vous le jouer ? »

Coleridge s'efforça de cacher sa déception et déclara qu'il serait enchanté de jouer le rôle de Macduff.

« Et comme vous n'aurez que peu de répliques à apprendre, intervint Val avec bonne humeur, je suppose que je peux vous inscrire pour la peinture des décors et le transport groupé en voiture ? »

## VINGT-NEUVIÈME JOUR, 21 H 30

Le lendemain soir du meurtre, le vingt-huitième épisode de *Résidence surveillée* fit l'objet d'une émission spéciale de quatre-vingt-dix minutes. Ce soir-là aurait dû normalement être diffusé le vingt-neuvième épisode, mais, la veille, l'émission avait été annulée, par respect d'une part, et aussi parce que les résidents avaient passé la journée entière au commissariat.

Tous les résidents sauf une, qui l'avait passée à la morgue.

Cette émission spéciale retraçait les événements ayant conduit au meurtre et le meurtre lui-même. L'instant où le drap se soulevait et retombait fit l'objet d'une séquence montée avec beaucoup de tact – précaution bien inutile puisque ces images avaient été diffusées, quasiment en boucle, aux informations. Afin d'assurer la mise à jour de la chronologie, l'émission incluait également la séquence du retour des colocataires dans la maison. L'ensemble fut généralement perçu comme un moment de très bonne télé. Immédiatement après, pour s'absoudre de toute critique et se dégager de toute responsabilité, la chaîne diffusa un débat en direct portant sur la moralité de sa décision de poursuivre la diffusion de l'émission. Geraldine Hennessy y participait, en compagnie d'un panel choisi de personnalités.

« Malheureusement, ce que nous venons de voir est, je le crains, de l'ordre de l'inévitable, souligna un célèbre poète et homme de télévision. La télévision-réalité, comme on la nomme, poursuivit l'éminent personnage d'une voix chantante, est un retour aux arènes de gladiateurs de la Rome antique. Le spectacle qui s'offre à nous met en scène une lutte, une lutte entre des concurrents prisonniers et acculés, qui se disputent l'approbation de la foule hurlante. Tels les plébéiens de l'ancien temps, nous levons ou baissons nos pouces pour saluer le vainqueur et condamner le vaincu. A cette différence près qu'aujourd'hui nous faisons cela par téléphone. »

Geraldine se trémoussa sur son siège. Elle haïssait cette façon dont de soi-disant intellectuels s'accrochaient, telles des sangsues, à la culture populaire tout en la condamnant avec condescendance.

« Personnellement, poursuivit l'éminent homme de télévision, je m'étonne que le meurtre ait tant tardé à devenir une stratégie dans ce type de divertissement.

— Oui, mais cela justifie-t-il le fait qu'on le diffuse ? objecta le ministre fantôme de l'Intérieur[1], énervé de n'avoir pas encore eu son mot à dire. Eh bien, non, absolument pas. Nous devons nous demander dans quel genre de pays nous souhaitons vivre.

— Et j'abonderais dans votre sens, approuva l'éminent poète. Mais aurez-vous le courage d'en priver la foule ? Le public doit avoir son pain et ses jeux. »

Geraldine ravala la salve de grossièretés qui lui brûlait la langue et résolut de faire montre de raison. N'était-ce pas avant tout dans ce but qu'elle participait à cette émission ? Une interdiction d'antenne était la dernière chose dont elle avait besoin à ce moment crucial de sa carrière.

---

1. Il existe en Grande-Bretagne un « cabinet fantôme », composé de parlementaires de l'opposition qui deviendraient ministres si celle-ci accédait au pouvoir. Chaque ministre du gouvernement dispose donc de son homologue « fantôme ». *(N.d.T.)*

« Écoutez, dit-elle, je n'apprécie pas plus que vous ce qui s'est passé.

— Ah bon ? fit le poète en reniflant.

— Mais une vérité crève ici les yeux : si nous, nous ne diffusons pas cette émission, une des chaînes à péage bon marché s'en chargera. Du moment que les candidats ont décidé de continuer, nous n'avions guère le choix. Si nous avions renoncé à poursuivre, un quelconque publicitaire aurait emballé tous les candidats en un lot qu'il aurait vendu au plus offrant – à une chaîne du câble ou du satellite, probablement. Une émission de cet ordre pourrait finir par propulser ce type de carrières au cœur du courant dominant.

— Vous auriez pu refuser à ces gens la permission d'utiliser la maison, objecta l'hôte éminent.

— Il y a actuellement sur le continent des tonnes de maisons similaires qui sont inoccupées, rétorqua la productrice. Je crois savoir que la première d'entre elles, celle des Pays-Bas, s'est vendue sur Internet, caméras et mobilier inclus. Elle aurait parfaitement fait l'affaire. De toute façon, la vérité est bien simple : vous installeriez ces gens dans un abri de jardin que le public les regarderait tout autant.

— Parce que l'un d'entre eux est un assassin, insista le ministre fantôme. Et que le public retrouve là un univers sanglant de film d'horreur comme il les aime. Mais n'oublions pas, madame Hennessy, qu'une jeune fille est morte.

— Personne ne l'oublie, Gavin, riposta Geraldine, mais tout le monde n'essaie pas d'en tirer un bénéfice politique. On constate ici un intérêt sincère du public à l'égard de ce qui reste un événement populaire majeur, quoi qu'on dise ou fasse. Le public se sent, légitimement selon moi, *partie prenante* de ce meurtre. De bien des façons, il s'en sent en partie responsable. Les gens ont été choqués, traumatisés. Ils ont du chagrin, ils ont besoin de *guérir*. Ils ont besoin de rester connectés à l'action pour accomplir ce travail de guérison. On ne peut pas brusquement les jeter aux oubliettes. Kelly était une candidate immensément populaire, très aimée. Elle était devenue la colocataire du public, et, de bien des façons, ce meurtre est celui du public. »

Brillante et totalement inattendue, la pirouette avait de quoi laisser pantois. Personne n'ignorait que la vraie raison qui incitait Geraldine et la chaîne à poursuivre la diffusion de l'émission était l'argent, purement et simplement. La vérité sans fard était que, grâce au meurtre de Kelly, *Résidence surveillée* avait troqué son statut d'émission au succès moyen contre celui de géant de la télévision. Le vingt-sixième épisode, le dernier diffusé avant le meurtre, avait réalisé dix-sept pour cent de part d'Audimat. Quant à l'épisode qui venait d'être diffusé, il avait été regardé, lui, par presque quatre-vingts pour cent des téléspectateurs. Quasiment la moitié de la population globale du pays. Les espaces publicitaires de trente secondes dans l'une des trois pages de l'émission s'étaient vendus quinze fois leur prix habituel.

« Empêcher de futures diffusions serait totalement élitiste, poursuivit Geraldine. Nous aurions l'air de dire que nous, les grands pleins de morgue de ce monde, savons ce qui est bon pour le public. Qu'il nous appartient de décider ce qu'il est bon que les prolos regardent. Cela est totalement inacceptable dans une démocratie moderne. Par ailleurs, je me permets de vous rappeler que l'événement a déjà été montré sur Internet. Il fait déjà partie de la culture. Il est *déjà là*. Déniez-vous aux gens qui ne possèdent pas d'ordinateur le droit légitime d'y avoir accès ? Doit-on leur refuser l'occasion de faire leur deuil? De se relever de la mort de Kelly simplement parce qu'ils ne sont pas connectés à Internet? »

La démonstration laissait à ce point sans voix qu'elle déstabilisa même l'éminent poète et homme de télévision. Lui qui n'était pourtant jamais le dernier à s'approprier un argument, n'importe lequel, pour l'enrôler au service de son autopromotion réalisait à grands pas que Geraldine Hennessy et lui ne jouaient pas dans la même catégorie.

« Notre responsabilité à l'égard du public, conclut cette dernière, est de ne prendre *aucune* responsabilité en son nom. Notre devoir est de lui permettre de prendre *lui-même* ses responsabilités. Laissons choisir *les gens*. Et la seule façon de le faire est de poursuivre la diffusion de l'émission. C'est la seule attitude responsable et morale à observer. »

Les autres invités n'avaient aucune envie de passer pour élitistes aux yeux du public.

« Nous devons assurément être à l'écoute de ce que veulent les gens, renchérit le ministre fantôme. Kelly Simpson fait déjà partie de leur vie. Ils ont assisté à son meurtre, ils ont le droit de voir ce qu'elle laisse en héritage.

— Comme je le disais, insista Geraldine, on doit leur offrir l'opportunité de faire leur deuil. »

L'éminent poète fit une tardive tentative pour donner l'impression que c'était lui, et non Geraldine, qui avait conduit la discussion là où elle en était arrivée. « Selon moi, à bien des égards, cet événement traverse le Rubicon dans la démocratisation de l'expérience humaine. La télévision-réalité nous a déjà montré que l'intimité est un mythe, un pardessus indésirable dont les gens souhaitent se débarrasser comme, un jour d'été, d'un épais vêtement. La mort était le dernier événement réellement intime, mais, grâce à *Résidence surveillée*, il ne l'est plus. À notre époque d'ouverture, notre époque de méritocratie, nulle expérience humaine n'a besoin d'être considérée comme "meilleure" ou plus "significative" qu'une autre, et cela inclut l'expérience ultime. Si Kelly avait le droit qu'on la regarde vivre, alors, sans aucun doute, devons-nous lui reconnaître celui de la regarder mourir. »

Geraldine avait obtenu gain de cause, ainsi qu'elle l'avait espéré.

La vérité n'était pas bien compliquée : les gens voulaient regarder cette émission, et les en empêcher aurait été très difficile. Et pas seulement en Grande-Bretagne. En l'espace de trente-six heures, le meurtre avait été retransmis sur toutes les télévisions du monde sans exception. Même la télévision chinoise, pourtant soumise à de stricts contrôles, n'avait pu résister à l'attrait d'un tel moment de très, très bonne télé.

Ce succès à l'échelle mondiale avait engendré une frustration considérable dans les bureaux de Voyeur Prod., où ce brusque essor de l'intérêt international vis-à-vis de l'émission avait pris tout le monde de court. Quand les requêtes pour obtenir des cassettes du meurtre avaient commencé à déferler, l'équipe de production les avait traitées comme des demandes ordinaires d'extraits qui émanaient quotidiennement des programmes de télé du matin et des émissions de discussions du câble.

Elle les avait données !

En temps normal, Voyeur Prod. se réjouissait de la publicité. Le pays commençant à se lasser de la télé-réalité, il était essentiel de donner l'impression que, lorsque Jazz cuisinait une omelette ou que les flatulences des garçons énervaient Layla, un événement d'envergure nationale avait lieu. En conséquence, Voyeur Prod. ne cessait de guetter la moindre occasion de diffuser des extraits de l'émission dans d'autres programmes. Aussi, quand chaque journal télévisé ou émission d'actualités, de par la planète, avait brusquement réclamé un extrait, le secrétariat de la boîte de production avait-il suivi la procédure et expédié gracieusement les cassettes demandées. De ce fait, compte tenu du nombre hallucinant de demandes, l'opération avait carrément *coûté* des milliers de livres à Voyeur Prod.

Aucune des personnes impliquées dans cette opération n'était près d'oublier la réaction de Geraldine quand elle prit la mesure de ce qui s'était passé. Le vocabulaire n'était pas assez riche en injures pour pouvoir exprimer sa rage. En privé, toutefois, elle ne put que reconnaître que la faute lui était imputable. Elle aurait dû réfléchir plus vite. Elle aurait dû se rendre immédiatement compte à quel point ce meurtre allait devenir rentable.

Elle tira sur-le-champ la leçon de son erreur : toute chaîne souhaitant diffuser davantage de séquences de *Résidence surveillée* fut dorénavant priée d'acquitter un prix exorbitant. Tout exorbitant qu'il était, il fut cependant payé sans le moindre murmure de protestation.

Dans la semaine qui suivit le meurtre, Geraldine, unique propriétaire de la société Voyeur Prod., était devenue multi, multi, multimilliardaire. Toutefois, expliqua-t-elle dans de nombreuses interviews, ce fait n'interférait évidemment en rien avec sa décision de poursuivre la diffusion. Bien loin de là. Ainsi qu'elle l'avait déjà clairement dit et répété, elle n'accomplissait là que son devoir. Elle ne poursuivait la diffusion que pour offrir au public l'opportunité de faire son deuil.

Elle évoqua également, avec insistance mais en restant dans le vague, des dons substantiels à des organisations caritatives, dont les détails de procédure restaient, naturellement, à finaliser.

## TRENTIÈME JOUR, 10 H 30

Quelques commentateurs avaient prédit que l'intérêt international et sans précédent suscité par *Résidence surveillée* ne serait qu'un feu de paille, mais ils se trompaient. Soir après soir, les téléspectateurs regardèrent les sept candidats tenter de cohabiter dans une atmosphère de choc, de deuil, et de très, très profonde suspicion les uns envers les autres.

Voyeur Prod. avait annoncé que, tant que la police n'aurait arrêté personne, le jeu continuerait comme si de rien n'était. Les colocataires procéderaient aux habituelles sélections et se verraient proposer un défi à relever en équipe pour gagner leur budget de courses hebdomadaires. Dans la semaine qui suivit le meurtre, le défi consistait à présenter, dans la piscine, une chorégraphie aquatique.

Geraldine avait chipé l'idée dans la version australienne de l'émission, mais, compte tenu du nouveau contexte, nulle autre n'aurait été plus parfaite. La productrice avait pris conscience, et à un degré aigu, que maintenir le haut degré d'excitation généré par le meurtre et ses retombées posait un problème. Plusieurs critiques saluèrent un coup de génie dans l'idée de proposer aux sept résidents un ballet aquatique. Le spectacle de ces gens – dont l'un était un meurtrier – fatigués, nerveux, désespérés, répétant tous ensemble

328

des mouvements de danse classique dans leurs maillots Speedo très échancrés, assura à la hausse les chiffres d'Audimat. Quant à la musique qui flottait dans la maison – une sélection des œuvres pour cordes les plus apaisantes de Mantovani –, elle apportait aux exercices et aux chamailleries une touche encore plus sinistre et plus surréaliste.

« C'est ta putain de jambe *droite* que tu dois lever ! hurla Moon à Garry, qui tentait d'exécuter un mouvement baptisé "du cygne".

— Hé, c'est bon ! Je me suis déjà bousillé les couilles ! Je suis pas un contorsionniste à la con.

— Pointe tes orteils, Sally, admonesta Jazz. Ils ont dit qu'on s'rait jugés sur l'élégance et la grâce, bordel.

— Je suis videuse dans les boîtes, Jazz, la grâce c'est pas mon rayon. »

Même une remarque aussi innocente que celle-là suscitait force échange de regards inquiets entre les colocataires et nombre de commentaires à l'extérieur. Sally n'avait fait que répondre à la remarque de Jazz, mais pour rappeler sa familiarité avec la violence… Tout cela donnait matière à réflexion.

Quelquefois, ils abordaient cet ordre du jour permanent sans y aller par quatre chemins.

« Ce putain de maillot me cisaille le cul, dit Garry. Si je tenais le mec qui a pondu cette idée, je lui planterais un couteau dans sa putain de tête ! » La plaisanterie se voulait teintée d'humour noir et bravache, mais quand elle fut diffusée en boucle dans la bande-annonce, elle ne fit rire personne et valut à Garry de grimper momentanément d'une place ou deux dans les sondages des journaux populaires qui s'amusaient à traquer le coupable.

Coleridge s'accordait une pause dans son visionnage des archives de Voyeur Prod. quand arriva le rapport du légiste.

« Les éclaboussures de vomi sur le siège des toilettes émanent de Kelly, annonça-t-il.

— Beurk ! fit Trisha.

— Beurk, certes, convint Coleridge. Et, pire, il y avait des traces de bile sur son cou et au fond de sa bouche. Ils pensent qu'elle avait des haut-le-cœur. Ce qui ne laisse aucun doute : quand Kelly a quitté l'étuve, elle devait être extrêmement bouleversée.

— Pauvre fille ! Quelle façon de vivre ses derniè-res minutes, se retenir de vomir sur des gens dans une minuscule tente en plastique. Mon Dieu, elle devait être ivre.

— Elle l'était. Le rapport indique qu'elle avait huit fois la limite d'alcool autorisée dans le sang.

— Elle était drôlement déchirée – pompette. Pas étonnant qu'elle ait eu du mal à se retenir.

— Le rapport indique aussi que sa langue était meur-trie.

— Meurtrie ? Vous voulez dire qu'elle avait été mor-due ?

— Non, meurtrie, comme si quelqu'un lui avait enfoncé de force son pouce dans la bouche.

— Pouah… Alors quelqu'un voulait qu'elle la boucle ?

— Ça me semble être l'interprétation qui s'impose.

— Peut-être était-ce parce que quelqu'un lui avait mis son pouce dans la bouche qu'elle avait des haut-le-cœur. Pas étonnant qu'elle ait été aussi pressée de sortir de cette étuve.

— Oui, sauf que si quelqu'un, dans cette étuve, lui avait enfoncé assez profondément la main dans sa bouche pour lui meurtrir la langue, on est en droit de penser que *quelqu'un d'autre* l'aurait entendue se plaindre, vous ne pensez pas ? »

## TRENTE-DEUXIÈME JOUR, 19 H 30

La semaine passant, le groupe commençait à acquérir une certaine maîtrise, et les séquences de leur interprétation à l'unisson du *Vol du cygne*, une première fois sur la terre ferme et ensuite dans la piscine, devinrent les quatre minutes de vidéo les plus chères de l'histoire de la télévision.

Outre le ballet, les spectateurs se régalaient, bien sûr, à étudier le drame de la cohabitation. Chaque colocataire ne cessait de regarder les autres comme des meurtriers potentiels… Comme des meurtriers avérés. Le moindre coup d'œil – perçant, en biais, long et insistant, hâtivement détourné – revêtait une sinistre signification. Une fois monté selon les règles, le moindre sursaut du moindre muscle facial était en mesure de suggérer soit une confession, soit une accusation.

Et puis il y avait les couteaux. Pleine aux as, Geraldine maintenait dorénavant en permanence six cadreurs dans les couloirs de travelling, et dix aux heures des repas. Ces techniciens n'avaient qu'une seule consigne : être attentifs aux couteaux. Chaque fois qu'un colocataire en saisissait un, pour étaler du beurre, émincer une carotte ou découper un morceau de viande, les caméras étaient là, zoomant à l'instant où les doigts se refermaient sur le manche, capturant le vif éclair de l'éclat métallique qui courait le long de la lame.

Le psychologue de Voyeur Prod. cessa de traquer dans les séquences des signes de flirt dans le langage des corps pour chercher ceux qui relevaient d'un comportement homicide. Rejoint bientôt par un criminologue et un ex-sergent-chef, il débattit avec eux, à perte de vue, pour déterminer lequel des sept suspects semblait le plus à l'aise avec un couteau dans la main.

## TRENTE-DEUXIÈME JOUR, 23 HEURES

Les soirées étaient, pour les colocataires, le moment le plus dur de la journée. Le désœuvrement leur laissait du temps pour réfléchir à leur situation et, quand ils en discutaient entre eux, ils s'accordaient à trouver que le fait de ne rien savoir en constituait le pire aspect. Les règles du jeu demeuraient inchangées – aucun contact avec l'extérieur ne leur était autorisé – et, depuis leur brève et déconcertante journée passée dans l'œil du cyclone, ils n'étaient au courant d'absolument rien.

Comme si on avait coupé, d'un coup, le son de cette folie engendrée par l'événement. Comme si on avait claqué une porte, ce qui était le cas. Tous ensemble et chacun dans son coin, ils mouraient d'envie d'avoir des informations. *Que se passait-il ?*

Même Dervla, en dépit de sa source secrète d'informations, était dans le noir. Elle s'était demandé si son messager mettrait un terme à leur communication après le meurtre, mais non :

« *Ils pensent tous que tu es belle et moi aussi.* »

« *Tu as l'air fatiguée. Ne t'inquiète pas. Je t'aime.* »

Un jour, Dervla s'aventura à mentionner le meurtre, en feignant de deviser avec son reflet dans le miroir. « Mon Dieu, mais qui peut bien avoir fait ça ? »

Le miroir n'éclaira guère sa lanterne. *« La police ne sait pas. Ils sont bredouilles. »*

## TRENTE-TROISIÈME JOUR, 9 HEURES

L'assistant légiste apporta, en personne, à Coleridge le rapport concernant le drap sous lequel s'était dissimulé le meurtrier.

« J'ai sauté sur l'occasion de m'échapper un peu du labo, avoua-t-il. Nous n'en sortons pas souvent et ce n'est pas tous les jours qu'il nous arrive quelque chose qui a trait à des gens célèbres. Dites-moi, ça ne doit pas être impossible, pour vous, de me permettre un petit tour dans les coulisses, non ? La prochaine fois que vous vous y rendrez, ce serait parfait. J'adorerais voir comment ils font ça.

— Si, c'est impossible, répliqua sèchement Coleridge. Parlez-moi du drap, s'il vous plaît.

— C'est le bazar total. Des tonnes de traces d'ADN contradictoires. Des peaux mortes, bien sûr, un peu de salive, d'autres trucs. Vous savez comment sont les draps… »

Coleridge hocha la tête et le technicien poursuivit :

« Je pense qu'ils ont dû partager celui-là, ou alors ils ont tous dormi ensemble, parce qu'il y a les traces indiscutables de quatre individus mâles différents, dont un particulièrement bien représenté. On trouve aussi des traces d'un cinquième homme. Je suppose que les quatre empreintes ADN les plus représentées sont celles des garçons qui restent dans la maison, et que la cinquième appartient à Woggle. Regardons les choses en face : il a dû laisser des traces flagrantes, non ? Bien sûr, je ne peux pas avoir de certitude sans échantillon de leurs profils ADN respectifs pour comparer.

— Ils sont tous représentés ? Sur ce seul drap ?

— Il semblerait, oui. »

## TRENTE-TROISIÈME JOUR, 11 HEURES

« *Il est 11 heures en ce trente-troisième jour*, dit Andy le narrateur, *et les colocataires ont été convoqués au confessionnal pour donner un échantillon de leur ADN. La requête de la police était libre de toute obligation, mais aucun n'a refusé.* »

« Charmant, observa sèchement Dervla. Le défi du jour est d'essayer de se disculper chacun d'une enquête pour meurtre. »

Garry semblait déçu. « Je pensais que j'allais devoir m'astiquer pour leur filer une giclée de champagne de couilles, mais ils voulaient juste gratter un peu de peau. »

## TRENTE-QUATRIÈME JOUR, 20 HEURES

Layla quitta l'église en trébuchant, à moitié aveuglée par les larmes. Le prêtre lui avait demandé d'où lui venait ce besoin d'une foi qu'elle avait rejetée à quinze ans.

« Mon père, j'ai une mort sur la conscience.

— Laquelle ? Qui est mort ?

— Une fille, une jolie fille, une innocente que j'ai méprisée. Je la haïssais, mon père. Et maintenant elle est morte, et je devrais me sentir soulagée. Mais c'est pire, on ne voit qu'elle partout, et ils disent que c'est une sainte.

— Je ne comprends pas. Qui était cette fille ? Qui prétend que c'était une sainte ?

— Tout le monde. Juste parce qu'elle est morte, ils impriment sa photo, et ils disent qu'elle était une gentille fille innocente qui n'aurait pas fait de mal à une mouche. Mais elle m'a blessée, mon père ! Elle m'a blessée ! Et maintenant qu'elle est morte, elle ne devrait plus être là, mais ce n'est pas le cas ! Elle est toujours là. Elle est encore partout, c'est une star ! »

Le prêtre dévisagea intensément son interlocutrice à travers la grille. Il n'avait jamais regardé *Résidence surveillée*, mais, de temps en temps, il lui arrivait d'ouvrir un journal.

« Attendez une minute, dit-il. Je vous connais, n'est-ce pas ? Vous… »

Layla s'enfuit en courant. Même une église ne lui offrait aucune possibilité d'échapper à la honte que lui inspirait sa pernicieuse notoriété de personne sans intérêt. Il n'existait nul refuge où s'abriter de son anticélébrité, où oublier qu'elle était une ratée, la première personne à s'être fait jeter hors de la maison. Où oublier que Kelly, après l'avoir sélectionnée, l'avait *embrassée* devant des millions de gens. Le pays tout entier l'avait vue accepter la compassion de sa concurrente. Et Kelly avait beau être morte, Layla n'était nullement rassérénée pour autant.

## TRENTE-CINQUIÈME JOUR, 19 H 30

Ce soir-là avait lieu la première élimination depuis le meurtre.

Une décision émanant des responsables éditoriaux stipulait que Chloe devait rester optimiste et positive face aux événements, attitude qui, après tout, collait au style de la maison.

« Kelly nous manque tellement à tous ! C'était une fille en or et qu'une adorable jeune vie comme la sienne soit fauchée si cruellement, cela n'aurait tout simplement pas dû arriver, pas vrai ? Kelly était drôle, elle plaisait vachement, elle faisait un malheur, elle avait la pêche, elle était super marrante, elle était tout simplement *un amour*. Elle ne méritait vraiment pas qu'il lui arrive un truc aussi terrible, encore que personne ne le mérite. Ooooooh, Kelly, *tu nous manques* ! Nous avons tous tellement envie de *te serrer très fort dans nos bras* ! Mais le spectacle continue et, comme l'ont bien dit les autres candidats, cette émission est désormais un hommage à la magnifique mémoire de Kelly. Alors, Kelly, mon chou, il ne te reste plus qu'à bien t'éclater au paradis parce que tout ça, c'est pour toi ! Bon ! Et maintenant, je vous demande d'applaudir très fort cette nouvelle semaine *dans la maison* ! »

Cette annonce fut suivie du désormais célébrissime générique. *Une maison. Dix candidats. Trente caméras. Quarante micros. Un seul survivant.* Une phrase dès lors chargée d'un double sens hautement provocateur – mais qu'il serait, sentait-on, plus provocateur encore de changer. De toutes les façons, il était difficile d'imaginer meilleure télé.

« La maison ? Vous m'entendez ? Ici c'est Chloe.

— Oui, on t'entend », répondirent les sept personnes rassemblées sur les canapés, et, pendant quelques instants, tout sembla avoir repris un cours normal. On aurait presque pu croire que personne n'était mort.

« La quatrième personne à quitter la maison va être… »

Une pause, immensément dramatique.

« David ! David, l'heure est venue pour toi de partir !

336

— Ouais ! fit David, en boxant l'air d'un poing triomphant pour sacrifier à la tradition de paraître absolument ravi de partir.

— David, prépare tes bagages. Tu as une heure et demie pour faire tes adieux, et nous reviendrons pour assister en direct à ton départ ! »

Les deux personnes sélectionnées cette semaine-là avaient été David et Sally.

Tous avaient nommé Sally parce qu'elle était déprimée, et le public avait majoritairement voté pour David, parce que c'était un emmerdeur.

Par pure coïncidence, les deux concurrents sélectionnés par les candidats se trouvaient également être les deux suspects majeurs aux yeux du pays. À l'extérieur de la maison, le vote pour l'élimination avait tourné au référendum national sur le meurtrier présumé de Kelly. David gagna d'un poil, et, à l'annonce du résultat, ce fut presque, pendant quelques instants, comme si le crime avait été élucidé.

« C'est David ! fredonnèrent les téléscripteurs. Comme nous n'avons pas cessé de le suspecter. »

« Oui ! c'est David ! » clama-t-on à la radio et à la télévision, sur les chaînes d'information en continu. Certains ajoutèrent même : « Nous attendons une arrestation imminente », comme si, tant qu'il avait été dans la maison, David avait bénéficié d'une sorte d'immunité juridique mais que, le peuple s'étant exprimé, il ne pouvait plus espérer aucun sursis supplémentaire.

À l'intérieur de la maison, les quatre-vingt-dix minutes imparties à la cérémonie de départ s'écoulaient lentement. David ne fut pas long à faire ses bagages ; quant aux grandes embrassades collectives et aux promesses de loyauté éternelle, elles furent réduites au strict minimum envers quelqu'un qu'on détestait sincèrement et qu'on soupçonnait d'être un assassin. En des circonstances normales, au moment d'une élimination, l'étiquette voulait que tout le monde devienne hystérique, feigne d'adorer, envers et contre tout, le candidat exclu et affecte d'être désespéré par son départ. Mais, en ce soir si particulier, il était impossible d'empêcher l'intrusion du plus infime relent de réalité.

À l'extérieur de la maison, toutefois, il en allait différemment; les règles de la télé restaient toujours en vigueur.

David fit sa sortie au rythme soutenu de *Eye of the Tiger* et sous les lumières blanches de milliers de flashes. La foule était impressionnante. Si le jeune homme n'en avait pas mené large pendant les instants précédant sa sortie, là, il se sentit requinqué par les clameurs de la foule. En cette unique occasion, au moins, il fut la star qu'il avait toujours désespérément voulu être. Le monde entier avait les yeux braqués sur lui et, à son crédit, il négocia ces quelques secondes avec un aplomb formidable. Une légère brise animait sa belle chevelure mi-longue et gonflait son immense manteau noir, offrant un spectacle très romantique. Il esquissa un sourire sardonique et écarta amplement les bras avant de s'incliner profondément.

La foule, qui appréciait un peu de cabotinage, le récompensa en redoublant ses acclamations.

Puis, un immense sourire aux lèvres, il repoussa ses cheveux d'une main et grimpa sur la plate-forme du camion rouge pour franchir le fossé. Quand on le débarqua de l'autre côté, il s'inclina une fois de plus et baisa la main de Chloe. Les gens dans la foule l'acclamèrent de plus belle, tout en songeant que l'ex-candidat était encore plus con que tout ce qu'ils avaient pu s'imaginer.

David et Chloe accomplirent ensemble le bref trajet en limousine jusqu'au studio. La musique tambourinait, les lumières dansaient au gré d'effets changeants, et la foule hurlait en agitant ses pancartes. « DERVLA, ON T'AIME ! » et « JAZZ EST SUPER CANON ! »

David et Chloe finirent tant bien que mal par se frayer un chemin jusqu'à ce canapé qui n'avait encore accueilli que Layla, et la conversation commença.

« Waou ! brailla Chloe. On s'éclate ! C'est super ! T'es OK, Dave ?

— Oui, Chloe, je vais très bien.

— *Mortel* !

— Absolument. Mortel, c'est le mot.

— Franchement, David, chapeau ! repartit Chloe avec effusion. Chapeau et respect ! Du fond du cœur. Tu as traversé tout ça, ce qui n'est pas donné à tout le monde ici, et ç'a dû être une expérience incroyablement bizarre. Mais tu sais que je dois te poser une question, n'est-ce pas ? Oui, bien sûr, tu le sais, et je vois à ton visage que tu as deviné la question. N'est-ce pas que tu l'as devinée ? Bon, alors, finissons-en. *La* question que tout le monde se pose, c'est : "As-tu tué Kelly ?"

— Non, absolument pas. J'adorais Kelly. » Il avait eu beau faire de son mieux – observer un bref silence avant de répondre pour se concentrer, arborer l'expression qui convient à une douleur sincère, s'autoriser une minuscule défaillance dans la voix –, rien de cela ne lui fut d'aucune aide. La foule voulait un résultat : elle le siffla, le conspua. Un cri monta : « Assassin. Assassin. Assassin. »

David était hébété. Il ne s'était pas attendu à ça.

« Désolée, mon chou. Ils pensent que c'est toi le coupable, dit Chloe. Je suis vraiment navrée, mais tu vois, en fin de compte, mon joli, c'est comme ça.

— Mais ce n'est pas moi, je le jure.

— *Alors c'est parfait !* Y en a-t-il qui pensent que le coupable est *quelqu'un d'autre* ? »

De nouvelles acclamations nourries fusèrent, et elles émanaient, pour certaines, des mêmes personnes qui, quelques secondes auparavant, condamnaient David. La situation, à l'instar de l'enquête de police, nageait dans la confusion.

« Eh bien, chapeau, Dave, lança Chloe. Tu as plein de jeunes filles dans ton camp, à ce que je vois, et comment pourrais-tu le leur reprocher ? *C'est mortel !* »

Ce fut là, naturellement, le signal d'un redoublement d'acclamations.

« Bon, alors, David, si tu n'es pas le coupable, qui est-ce, selon toi ?

— Euh, je ne sais pas. Garry ? Mais c'est juste une supposition. En fait, je n'en sais rien.

— Eh bien, nous n'avons plus qu'à attendre la fin de cette saison de *Résidence surveillée* pour le découvrir, n'est-ce pas ? » dit Chloe. C'était là une affirmation outrancière et entièrement infondée, mais assez convaincante, tant est grand le pouvoir de séduction de la télévision.

« En attendant, hurla Chloe, regardons quelques-uns des meilleurs moments de David *dans la maison* ! »

## TRENTE-CINQUIÈME JOUR, 22 HEURES

L'équipe de Coleridge devait faire face à des milliers d'appels de cinglés. Chaque seconde, la sonnerie du téléphone annonçait un nouvel extralucide qui avait vu le coupable en rêve.

Hooper tenait un petit pointage. « Dervla apparaît dans la plupart des rêves des extralucides mâles, et, chez les nanas, c'est Jazz. Marrant, non ? »

Cet appel-là, toutefois, différait des autres. Il survint au moment précis où le générique de clôture de la *Soi-*

*rée spéciale élimination* de *Résidence surveillée* défilait sur l'écran dans le bureau des policiers. Quand il décrocha le combiné, quelque chose, dans la voix calme et posée de cet interlocuteur, décida Hooper à l'écouter.

« Je suis un prêtre catholique, annonça assez poliment cette voix teintée d'un accent étranger. J'ai récemment reçu en confession une jeune femme très perturbée. Je ne peux, bien entendu, vous donner plus de détails, mais je crois que vous ne devriez pas seulement vous intéresser aux gens qui restent dans la maison, mais aussi à ceux qui l'ont quittée.

— Vous avez parlé à Layla, monsieur ? s'enquit Hooper. Jusque-là, nous avons échoué à la localiser.

— Je ne peux rien vous dire de plus, sinon qu'à mon avis vous devriez essayer de la retrouver. » Sur quoi le prêtre sentit manifestement qu'il en avait déjà trop dit, car il mit abruptement fin à la conversation en raccrochant.


## TRENTE-SIXIÈME JOUR, 11 HEURES

Les résultats des tests ADN des colocataires mirent trois jours à lui parvenir, ce que Coleridge trouva scandaleux.

Comme prévu, les différentes empreintes ADN détectées sur le drap appartenaient aux colocataires mâles. Celle de Jazz y figurait en majeure proportion, mais aux côtés de celles de Garry, David, Hamish, et enfin Woggle. Woggle, naturellement, n'avait pu fournir d'échantillon de son ADN, puisqu'il avait disparu après s'être dérobé à la justice, mais il avait oublié par mégarde sa seconde paire de chaussettes dans la maison ; les autres garçons avaient beau l'avoir ensevelie depuis dans le jardin, elle recelait encore de copieuses quantités d'ADN anarchiste.

« Donc le drap désigne Jazz, conclut Hooper.

— Peut-être, mais nous nous attendions à une présence de son ADN plus détectable que celle des autres puisqu'il a utilisé le drap après l'arrivée de Geraldine et de son équipe.

— C'est pratique, comme couverture, ne trouvez-vous pas ? observa sèchement Hooper. Sauf que si un autre avait également utilisé ce drap, il aurait pareillement laissé de fortes traces de son ADN. Après tout, le meurtrier transpirait comme un porc quand il s'est servi de ce drap.

— Mais les traces de chacun des trois autres apparaissent dans des proportions égales.

— Tout à fait, monsieur.

— Ce qui est un peu étrange en soi, non ? releva Trisha. Ça confirme l'idée qu'ils étaient tous impliqués et qu'ils avaient conclu un pacte pour se partager le poids des soupçons.

— Bon, au moins, ça élimine les filles, dit Hooper.

— Vous pensez ? intervint Coleridge.

— Ce n'est pas le cas, selon vous ?

— Seulement si le drap en question est celui qu'a utilisé le meurtrier pour se cacher, ce qui est *probablement* le cas, mais nous ne pouvons pas en être certains. Nous savons qu'il s'agit, ici, du drap utilisé par Jazz après l'arrivée des gens de Voyeur Prod. dans la maison, mais pouvons-nous être certains qu'il s'agit de celui que le meurtrier a jeté sur la pile avant de regagner l'étuve ?

— Ben, il était sur le dessus de la pile.

— Oui, mais la pile en question était plutôt sens dessus dessous, et tous les draps étaient de la même couleur sombre. Il se peut qu'il y ait eu plus d'un drap sur le sommet de cette pile. La vidéo n'est pas absolument claire sur ce point.

— Donc ce drap ne nous est d'aucune aide ? résuma Trisha.

— Eh bien, je pense qu'il pourrait renforcer une accusation, mais il ne peut pas en fonder une. Si nous possédions d'autres preuves à l'encontre de Jazz, ce drap pourrait nous aider, c'est tout. »

## TRENTE-SEPTIÈME JOUR, 21 H 30

Depuis six heures, la maison était entièrement déserte ; les trente caméras et les quarante micros n'enregistraient rien d'autre que des pièces vides et le silence. Six heures de néant, diligemment observé par des millions de possesseurs d'ordinateur dans le monde entier.

Tout avait débuté à 15 heures, cet après-midi-là, quand la police s'était présentée pour emmener l'ensemble des colocataires sans fournir d'explication. Naturellement, l'événement avait causé un certain émoi. Les informations de la mi-journée regorgeaient d'histoires haletantes de conspiration collective, et, dans l'hémisphère Sud, les rédacteurs en chef des journaux qui planchaient sur leur édition du matin envisageaient de se risquer à annoncer en gros titre « TOUS COUPABLES ! ».

La réalité fit passer tout le monde, et la police en premier lieu, pour des idiots.

« Un mètre à ruban ! s'exclama Garry à l'instant où le groupe réintégrait la maison. Un putain de mètre à ruban à la con ! Voilà ce qu'utilise la police pour capturer un meurtrier ! »

Trisha avait eu l'idée de transférer les résidents dans la maquette de la maison, à Shepperton, pour demander à chacun de reconstituer le trajet accompli par le meurtrier – autant de reconstitutions qui seraient ensuite comparées avec le nombre d'enjambées exécutées sur la vidéo du meurtre. Coleridge avait trouvé que ça valait le coup d'essayer, mais le résultat s'était révélé décevant et peu à même de conduire à des conclusions. Une personne de grande taille aurait pu trottiner à vive allure, une petite aurait pu étirer chaque pas. Le drap empêchait d'observer dans les détails la démarche du meurtrier. Les résidents furent relâchés sans plus de commentaires.

La frustration de Garry trouva des échos auprès de tous ses compatriotes. « Ce putain de FBI a des espions satellites et des bases de données à un milliard de dollars, et dans ce pays, ils ont quoi ? Un putain de mètre à ruban ! »

TRENTE-HUITIÈME JOUR, 19 HEURES

Hooper dut sonner longtemps à la porte de David avant d'obtenir une réponse. Tandis qu'il patientait sur le perron, les trois ou quatre reporters qui faisaient le pied de grue devant l'immeuble le bombardèrent de questions.

« Êtes-vous venu l'arrêter ?

— Était-il de mèche avec Sally ?

— L'ont-ils fait tous ensemble ? Cela a-t-il été décidé dans l'étuve ?

— Reconnaissez-vous votre incompétence jusque-là puisque vous n'avez procédé à aucune arrestation ? »

Hooper se tint coi jusqu'à ce qu'on lui offre la possibilité de s'annoncer enfin dans l'Interphone pour obtenir le droit d'entrer.

David l'accueillit à la porte de l'ascenseur, vêtu d'un magnifique négligé de soie. Il avait un air fatigué. Il n'était de retour chez lui que depuis trois jours, mais il était déjà violemment en manque de l'unique chose qui l'avait poussé à participer à l'émission : la célébrité.

« Ce n'est pas moi qu'ils veulent, se lamenta-t-il quand Hooper pénétra dans le magnifique appartement que David partageait avec son magnifique chat. Ils veulent l'homme que cette garce de Geraldine Hennessy a créé. L'homme vaniteux, détestable, le meurtrier potentiel. Vaniteux et détestable, ce sont des travers que je peux gérer, des tas de stars en sont coupables, mais être un meurtrier potentiel est incompatible avec une carrière. Si seulement cette idiote ne s'était pas fait tuer ! Ça a tout gâché pour moi. »

Il affichait la réaction que lui inspirait la mort de Kelly sans se troubler le moins du monde.

« Vous trouvez que je suis un authentique salaud, n'est-ce pas ? poursuivit-il en préparant à Hooper une tasse de café avec son magnifique percolateur rutilant. Parce que, maintenant que cette fille est morte, je ne fais pas semblant d'oublier mes intérêts et les raisons qui m'ont poussé à aller dans cette maison ? Pardonnez-moi, mais je n'ai nulle intention d'ajouter l'hypocrisie aux nombreux autres défauts que me prête désormais ce pays tout entier. Cette fille était pour moi une étrangère, et si elle n'avait pas été tuée, j'aurais pu avoir ma chance de briller. De montrer aux gens tout ce que j'ai à offrir. De décrocher le premier rôle. Et non celui du scélérat, qu'on m'a, semble-t-il, attribué.

— Et en êtes-vous un ?

— Oh, bon sang, sergent ! Vous êtes pire que cette garce stupide de Chloe. Si je l'avais tuée, croyez-vous que je vous l'avouerais ? Mais, de fait, ce n'est pas moi. Quel mobile aurais-je pu avoir ?

— *Partouzes sodos 12.* »

David encaissa le coup sans ciller. Il ne s'attendait manifestement pas à ça, mais c'est à peine s'il le laissa paraître. « Oh, vous êtes au courant ? Très bien. Je l'admets, je suis une porno star. Ce n'est pas un crime, mais ce n'est pas très classe, non plus, et par une navrante coïncidence, cette fille, Kelly, était au courant. J'espérais bien sûr qu'elle tiendrait sa langue. Mais, croyez-moi, cela ne m'inquiétait pas assez pour l'assassiner. »

La conversation se poursuivit un moment encore, mais David n'avait pas grand-chose à ajouter à la déposition qu'il avait faite la nuit du meurtre. Sinon pour expliciter les raisons qui le poussaient à suspecter Garry : « Vous savez, il la haïssait vraiment à cause de sa remarque au sujet de son fils. Il essayait de s'en cacher, mais je sais reconnaître les signes. Je suis un acteur, voyez-vous… » Sa voix dérailla. Sa belle arrogance semblait s'être évaporée, et il avait l'air épuisé. Épuisé et triste.

Tout en se levant pour prendre congé, Hooper posa une dernière question. « Si Kelly n'avait pas été tuée, si l'émission s'était poursuivie normalement, croyez-vous franchement que s'exhiber de la sorte aurait pu vous conduire, vous ou n'importe qui d'autre, à un vrai travail – à devenir un vrai acteur, par exemple ?

— Non, sergent, pas vraiment. Mais, voyez-vous, j'étais prêt à tout. Prêt à tout pour devenir un acteur célèbre, c'est certain, mais si je ne pouvais pas atteindre ce but, être célèbre tout simplement me suffisait.

— Eh bien, votre vœu a été exaucé, dit Hooper. J'espère que vous êtes content. »

346

À l'extérieur, au pied de l'immeuble, la meute des journalistes assaillit Hooper de questions tandis qu'il essayait de se frayer un passage jusqu'à sa voiture.

## TRENTE-NEUVIÈME JOUR, 19 HEURES

« *Nous sommes jeudi soir*, annonça Andy le narrateur, *et l'heure est venue pour les colocataires de procéder aux sélections pour une nouvelle élimination.* »

Une fois de plus, tous sélectionnèrent Sally.

« Elle est d'venue grave bizarre, dit Jazz, quand le Voyeur lui demanda d'argumenter. Elle va dormir toute seule dans l'jardin et elle est sans arrêt sur les nerfs. C'est super crispant d'l'avoir dans les pattes. »

Les quatre autres colocataires invoquèrent quasiment tous la même raison. Moon fut la plus succincte. « J'en ai juste ras le cul de la voir faire la gueule. »

Il y avait aussi ce petit détail : manifestement, Sally leur flanquait la trouille.

Naturellement, en contrepoids de ces pensées négatives, tous ajoutèrent qu'ils l'adoraient et qu'elle était une fille géniale.

Ils sélectionnèrent ensuite Garry, car ses plaisanteries macabres commençaient sérieusement à leur taper sur les nerfs.

« Je l'adore, bien sûr, déclara Dervla. Mais, s'il pousse encore une fois ce cri perçant comme dans *Psychose* quand je vais aux toilettes… »

« C'est un type en or, assura Jazz à la caméra. Mais foutre du ketchup sur l'cou de Moon pendant qu'elle piquait un roupillon, c'était complètement naze. Franchement, il est génial, j'l'adore, mais vous savez quoi ? En fin de compte, j'peux plus l'supporter. »

À l'annonce des sélections, Sally ne dit rien. Elle resta assise, le regard dans le vague, pendant une bonne demi-heure avant de battre en retraite dans ce qui avait été pensé, en d'autres temps, comme une hutte à culbutes.

Garry affirma à la compagnie que rester ou partir le laissait indifférent. « En fin de compte, j'ai une vie géniale dehors. J'ai mon petit gars, j'ai envie d'aller boire un coup au pub. Je suis content de foncer et d'aller m'éclater. Tant qu'aucun me plante un couteau dans le crâne avant que je me colle contre Chloe sur ce canapé, ça roule. »

Plus tard ce soir-là, Sally revint dans le salon et, sans s'adresser à personne en particulier, dit : « Vous pensez tous que c'est moi, n'est-ce pas ? Et vous savez quoi ? C'est peut-être moi. »

À la régie, Geraldine entama une petite danse. « Merci à toi, merveilleuse grosse gouine ! Que pouvait-on espérer de mieux ? Bob, tu me colles ça en fin d'émission, puis tu envoies le générique, et quand il est fini, tu repasses ça... "C'est peut-être moi." Bordel de Dieu ! C'est génial ! »


## QUARANTIÈME JOUR, 20 H 15

Trisha était allée voir la mère de Sally, une femme nerveuse et inquiète qui s'attendait à sa visite. « Je me demandais quand vous viendriez, et après ce que Sally a dit à la télé, je savais que ce serait aujourd'hui.

— Parlez-moi de votre fille.

— Vous savez sans doute que feu mon mari et moi-même n'étions pas ses parents biologiques.

— Oui, nous savions que Sally était une enfant adoptée.

— Depuis le meurtre, je n'ai pas réussi à dormir. Je sais *exactement* ce que Sally va se dire. Je le sais. Elle va avoir peur que les gens pensent que c'est elle, à cause de… Mais les maladies mentales ne sont pas héréditaires, n'est-ce pas ? Enfin, ce n'est pas très vraisemblable. J'ai demandé à des docteurs, c'est eux qui me l'ont dit.

— Qu'est-ce qui n'allait pas, chez la mère de Sally ?

— Schizophrénie paranoïaque, je ne sais pas trop ce que ça signifie. On utilise ces termes tellement souvent, maintenant. Sally a tout découvert il y a deux ans, à Pâques. À mon avis, on ne devrait pas autoriser les enfants adoptés à savoir d'où ils viennent. Avant, ils n'avaient pas le droit. L'adoption était synonyme de nouveau départ, votre nouvelle famille *était* votre vraie famille. De nos jours, on dirait que les parents adoptifs ne sont que des éducateurs. Que ce ne sont pas de *vrais* parents, puisqu'ils n'ont pas *donné naissance* !

— Est-ce cela que vous a dit Sally ? demanda Trisha. Que vous n'étiez pas une vraie mère ?

— Eh bien, elle m'aimait, je le sais, donc, sans doute n'a-t-elle jamais eu l'intention de me faire du mal. Mais elle répétait tout le temps qu'elle voulait retrouver sa mère biologique – son *sang*, comme elle disait. Ça m'a brisé le cœur. C'est moi sa vraie mère, non ? C'était ça, le marché.

— Donc elle a découvert que sa mère avait souffert d'une maladie mentale ?

— C'est moi qui le lui ai dit. Je pensais que c'était mieux qu'elle l'apprenne de ma bouche plutôt que de celle d'un employé des Archives nationales.

— Est-ce à cause de l'instabilité mentale de sa mère que Sally a été adoptée ?

— Vous n'êtes donc pas au courant ? En fait, vous ne savez rien. »

Mme Copple était surprise.

« Nous ne savons pas grand-chose, madame. C'est pour cela que je suis venue vous voir.

— Mademoiselle, je ne veux rien vous dire. Sinon, vous allez la suspecter, mais on ne peut pas hériter de la maladie de cette femme, enfin, c'est improbable. J'ai demandé aux docteurs. Et j'ai regardé sur Internet.

— S'il vous plaît, madame, je préférerais que nous discutions de tout ça maintenant, ici. » La menace était douce, voilée, mais implicite.

« Sa mère était en prison. Elle a tué quelqu'un… avec un couteau. C'est pour cela que Sally a dû être adoptée.

— Et son père, il ne pouvait pas s'en occuper ?

— C'est son père qu'elle a tué. »

## QUARANTE ET UNIÈME JOUR, 14 H 15

Trisha fit tout son possible pour garder secret le triste passé de Sally. S'il était découvert, elle savait que Sally se ferait crucifier par la presse. Sachant combien les commissariats n'étaient pas des lieux exempts de fuites, elle demanda à Coleridge un entretien privé pour lui faire part de ses découvertes.

« Il n'y a aucun indice d'abus ou de provocation, rapporta Trisha. D'après tous les témoignages, le père de Sally était un homme bien, quoique faible. Sa mère était juste pathologiquement déséquilibrée, et, une nuit, elle est devenue folle.

— Pourquoi est-elle allée en prison ? Il semble évident que cette femme était malade.

— Un juge sénile, une défense incompétente, qui sait ? L'accusation a réussi à la faire juger en tant que personne saine d'esprit. Peut-être parce qu'elle était noire. C'était il y a vingt ans, ne l'oublions pas. Quoi qu'il en soit, elle a pris perpète pour meurtre au premier degré.

— Il y a eu appel, naturellement

— Naturellement, et elle avait gagné, mais entre-temps, elle avait poignardé deux autres pensionnaires d'Holloway avec une cuillère de cantine aiguisée. Elle a donc été internée dans un hôpital psychiatrique pour meurtriers, où elle vit toujours. Sally est née peu de temps avant la mort de son père, et j'imagine qu'aujourd'hui on a établi une relation avec la dépression postnatale, mais à l'époque, on s'est contenté de l'enfermer en prison et de l'y laisser croupir. Apparemment, elle est complètement prise en charge par l'institution médicale, maintenant. Sally a découvert tout cela il y a quelques années et elle est allée lui rendre visite. Ça l'a pas mal secouée.

— On peut l'imaginer. Sally souffre-t-elle de troubles mentaux ?

— Oui, pas mal de dépressions à son actif depuis la puberté. Nombreux traitements. Une hospitalisation. La mère adoptive pense que tout cela est lié à la découverte de son homosexualité, mais là, je ne sais pas, ça n'a certainement jamais… »

Trisha avait failli dire que, pour sa part, ça ne l'avait jamais gênée, et que, lorsqu'à quatorze ans elle avait finalement compris qu'elle était lesbienne, ç'avait été en fait un immense soulagement, car elle détenait enfin l'explication à l'horrible confusion qui avait jusque-là miné ses relations à la fois avec les filles et avec les garçons. Mais elle décida de laisser sa phrase en suspens. Ce n'était pas le bon moment.

« Quelle qu'en soit la raison, Sally a des tendances dépressives, et, depuis qu'elle a découvert l'histoire de sa mère, elle redoute, bien sûr, de suivre la même voie.

— Y a-t-il le moindre risque ? D'un point de vue médical, je veux dire.

— Bon, elle risque plus de devenir bargeot que, disons, vous ou moi, mais la possibilité ne devient vraiment significative que si les deux parents sont atteints. Certains médecins disent qu'alors les risques atteignent quarante pour cent.

— Mais qu'ont donc fabriqué ces effroyables gens de Voyeur Prod. en laissant une maniaco-dépressive dotée d'un tel passif familial participer à leur exercice grotesque ?

— Ils prétendent qu'ils n'en savaient rien, monsieur, et je les crois. Sally ne leur avait rien dit et, en raison du secret médical, il aurait fallu qu'ils remuent ciel et terre pour le découvrir. Sally n'est nullement considérée comme une personne dangereuse. Je ne l'ai moi-même découvert que parce que sa mère me l'a dit. »

Coleridge se recula sur sa chaise et sirota son gobelet d'eau. C'était Hooper qui avait pris la tête du mouvement réclamant l'installation d'une fontaine à eau fraîche dans le bureau. L'inspecteur avait résisté avec férocité, convaincu que toute cette affaire illustrait une fois de plus la manie généralisée de vouloir imiter les Américains. Cependant, à présent que la fontaine était installée, il trouvait plutôt agréable de pouvoir boire de l'eau fraîche tout en ruminant ses pensées, et cela l'avait aidé à réduire sa consommation de thé.

« Alors dites-moi, Patricia, qu'en pensez-vous ? Cette information concernant Sally est-elle selon vous significative – dans notre enquête criminelle, s'entend ?

— Selon moi, monsieur, elle explique incontestablement que Sally soit très chatouilleuse sur le sujet des maladies mentales. Mais dans l'ensemble, je serais tentée de dire que cela la place plus *hors cadre* que dans le cadre. Maintenant, nous pouvons comprendre ce qu'elle a voulu dire, le soir de sa dispute avec Moon.

— Oui, je suis assez de votre avis, bien qu'il faille admettre que le crime commis dans la maison est une bien vilaine coïncidence. De toute façon, quoi que nous puissions penser, je doute que les journalistes épargnent Sally si jamais ils ont vent de cela. »


QUARANTE-DEUXIÈME JOUR, 7 HEURES

Mme Copple fut réveillée par la sonnerie du téléphone. Presque au même moment, on commença à sonner à la porte. À 7 h 30, quarante journalistes se pressaient à sa porte, et sa vie était fichue.

« C'EST SALLY. DEMANDEZ À SA MÈRE », proclamait le plus concis des gros titres.

« Les journalistes découvrent toujours tout, constata tristement Coleridge quand Trisha l'informa de ces développements. Ils sont bien plus forts que nous. On ne peut jamais rien leur cacher. Ils ne le publient pas forcément, mais ils savent toujours tout. Ils sont prêts à payer, voyez-vous, et quand on est prêt à payer, on finit toujours par trouver quelqu'un qui vous donne l'information. »


QUARANTE-DEUXIÈME JOUR, 19 H 30

« Chers résidents, ici c'est Chloe. Vous m'entendez ? » Oui, ils l'entendaient.

« La cinquième personne à quitter la maison sera… »

La pause traditionnelle…

« Sally ! »

En cette occasion, Sally se tailla une part modeste de célébrité dans l'histoire de la télé : elle devint le premier candidat éliminé d'une émission comme *Résidence surveillée* à ne pas crier « Ouais ! » ni assommer l'air d'un coup de poing de triomphe et de joie.

« Donc, dehors, tout le monde pense aussi que c'est moi, se borna-t-elle à constater.

— Sally, poursuivit Chloe, tu as quatre-vingt-dix minutes pour faire tes valises et tes adieux, et ensuite nous reviendrons te chercher pour ton rendez-vous avec le direct ! »

Sally partit dans le coin cuisine se préparer une tasse de thé.

« Je ne pense pas que ce soit toi, Sally », déclara Dervla.

Sally se contenta de sourire.

Puis elle se rendit au confessionnal. « Salut, le Voyeur, fit-elle.

— Salut, Sally », répondit Sam, la voix réconfortante du Voyeur.

À la régie, Geraldine alla se tapir près du moniteur, stylo et bloc-notes en main, prête à dicter à Sam ses répliques. Elle savait devoir jouer cette partie-là avec beaucoup de finesse, car elle voyait miroiter ici la promesse d'un excellent moment de télévision. Le résultat surpassa toutes ses espérances.

« Je suppose qu'à l'heure qu'il est, la presse a tout découvert et sait que ma maman est internée depuis vingt ans au Ringford Hospital, commença Sally.

— Un endroit atroce, murmura Geraldine. Le pire asile de tous.

— Depuis que Kelly est morte, je n'arrête pas de me demander : Est-ce que j'aurais pu le faire ? Est-ce que j'ai eu une sorte de transe ? Qu'en entrant dans l'étuve, je suis devenue ma mère ? Elle m'a dit qu'elle se souvient pas de ce qu'elle a fait, et, quand la police m'a interrogée, moi non plus je ne me souvenais de rien, même pas d'avoir été dans l'étuve. Alors, c'est peut-être moi qui l'ai fait et je ne m'en souviens pas ? Peut-être que j'étais enfermée dans mon propre cachot. Peut-être que j'étais prisonnière d'une boîte *à l'intérieur* de l'autre boîte. Franchement, je ne sais pas. Je ne *pense* pas que c'est moi. Les paranoïaques schizophrènes ne dissimulent pas leurs traces, ils ne se cachent pas sous des draps, ils ne cherchent pas à se protéger d'une éclaboussure de sang. Il me semble que c'était trop bien fait pour venir de moi. Je ne me crois pas capable de commettre le crime parfait. Quand ma mère a tué mon père, ce n'en était pas un… Mais ç'*aurait pu* être moi. C'est un fait que je dois accepter. Seulement je n'arrive pas à me souvenir.

— Puuuuutain ! souffla Geraldine. Mais c'est génial.

— Mais je sais, poursuivit Sally, que tout le monde va penser que c'est moi, et que ça me poursuivra aussi longtemps que je vivrai. C'est évident que la police n'a pas l'ombre d'une piste. Ils n'arrêteront sans doute personne, alors pour le restant de mes jours, je serai la dingo, la gouine black qui a assassiné Kelly. Alors j'ai décidé de faire en sorte que ma vie soit la plus brève possible. »

Sur ce, Sally fit apparaître un couteau de cuisine dissimulé dans la manche de sa chemise. Elle l'avait pris en préparant son thé.

Lorsque Chloe reprit l'antenne, elle fut en mesure d'annoncer une nouvelle sortie dramatique. Mais pas en direct comme prévu, car Sally avait quitté la maison une heure plus tôt, en ambulance. Sa tentative de suicide avait été regardée en direct sur Internet, partout dans le monde. La jeune femme avait réussi à se blesser de deux coups de lame dans la poitrine avant que Jazz, à la demande de Voyeur Prod., ne fasse irruption dans le confessionnal.

Personne encore ne savait si Sally survivrait ou non à ses blessures.

Chloe expliqua tout cela au public et promit de donner des nouvelles tout au long de l'émission. « Je crains que nous ne puissions diffuser les images de la dernière visite de Sally au confessionnal. Elle s'y est montrée géniale, profonde, d'une absolue sincérité, d'une honnêteté totale. Mais apparemment, le suicide est un crime, et nos hommes de loi redoutent qu'un organisme gouvernemental autoritaire ne nous poursuive pour vous avoir montré la *vérité*. Franchement ! Est-ce que ce n'est pas fasciste, ça ? Manifestement, vous n'êtes pas assez *adultes* pour voir ce qui *se passe* vraiment dans ce monde. On est vraiment en plein dans l'ère du contrôle des esprits et de tous ces trucs dignes du *Meilleur des mondes*. Et ce n'est pas du tout ce que voulait Sally ! »

La performance n'avait rien d'un grand millésime, mais les informations sur le téléprompteur de Chloe avaient été assemblées à la hâte. Le message demeurait assez clair. Toute tentative pour empêcher Voyeur Prod. d'exploiter l'angoisse d'une jeune femme profondément perturbée constituait une scandaleuse atteinte aux libertés civiles du public.

Chloe eut, en revanche, la possibilité de régaler celui-ci de l'héroïque et dramatique intervention de Jazz, faisant irruption dans le confessionnal pour agripper la main de Sally et la détacher du manche du couteau. Ensuite, elle présenta une compilation des formidables semaines que Sally avait vécues dans la maison.

Voyeur Prod. aurait souhaité montrer en direct comment les autres résidents réagissaient face à l'acte épouvantable de Sally, mais ce fut malheureusement impossible car Geraldine se trouvait justement dans la maison, en pleine négociation de crise avec les résidents restants pour les persuader de continuer l'émission.

« Nous ne pouvons pas, disait Dervla. Nous ne pouvons pas. Plus maintenant. Les gens vont nous prendre pour de vrais charognards. »

Au moment même où l'infirmière de la production fonçait dans le tunnel pour secourir Sally, les autres résidents avaient décrété qu'ils partaient. Décision qui, naturellement, serait un désastre financier pour Voyeur Prod., surtout après avoir vu tomber dans son escarcelle un drame aussi propre à ravir le public que la tentative de suicide de Sally. Le manque à gagner allait se compter en dizaines, voire en centaines de millions de livres.

« Tu te trompes, Dervla, tu te trompes, dit Geraldine. Ils vous aiment, dehors, ils admirent votre courage, ils vous respectent, et si vous avez le cran de continuer jusqu'au bout, ils vous respecteront encore plus. Personne ne pense que l'un de vous cinq a tué Kelly, ils croient tous que c'est Sally, ce qui est probablement le cas. Elle venait juste de l'avouer, avant de se poignarder. Dans un sens, ça met une sorte de point final à toute cette histoire de meurtre, non ? Maintenant, vous n'avez rien d'autre à faire qu'attendre la fin du jeu.

— Hors de question. Je veux sortir. »

— Moi aussi », approuva Jazz, encore tremblant comme une feuille à la suite de sa confrontation avec Sally.

Les autres se rangèrent à leur avis. Ils avaient eu leur compte.

À la fin, Geraldine offrit le pot-de-vin qu'elle s'était attendue à devoir proposer bien plus tôt. « Voilà ce que je vais faire. Les affaires marchent plutôt bien en ce moment, je ne vais pas le nier. Il n'y a pas de raison que vous n'en profitiez pas vous aussi. Qu'en dites-vous ? Le prix à gagner est actuellement d'un demi-million. Que diriez-vous si nous le doublions et qu'en plus, nous garantissions aux quatre autres une part du gâteau… Disons cent mille livres pour le prochain qui sort, deux cent mille pour le suivant, trois cent mille pour le troisième et quatre cent mi… Non, une demi-brique pour le finaliste ? Qu'en dites-vous ? Ça fait un joli paquet de fric pour rester assis sur votre cul pendant quelques semaines de plus, non ? Si vous dites oui maintenant, au minimum, vous empochez cent mille livres. »

L'offre ne resta pas lettre morte, la perspective d'être riche *et* célèbre étant un pot-de-vin suffisant aux yeux de n'importe qui.

« Encore une chose, dit Dervla. Si la police arrête quelqu'un à l'extérieur – David ou qui que ce soit –, vous devez nous le dire, d'accord ? Nous ne pouvons pas être les seules personnes de tout le pays à ne rien savoir.

— Oui oui, si vous voulez, je vous le promets, absolument », répondit Geraldine tout en songeant que cette dernière requête méritait réflexion.

Le lendemain matin de la tentative de suicide de Sally, Coleridge fut contraint, pour la première fois, à autoriser la publication d'un communiqué – chose qui, selon lui, ne relevait nullement de la responsabilité de la police. Mais Sally était tirée d'affaire, et la presse du monde entier voulait savoir si la police envisageait une arrestation.

« Non, répondit Coleridge en lisant laborieusement les notes qu'il avait préparées. Nous n'avons pas prévu d'arrêter Mlle Sally Copple pour le meurtre de Mlle Kelly Simpson, pour la raison évidente que nous ne détenons aucune preuve contre elle. Ses propres déclarations, concernant une disposition héréditaire envers le meurtre et la crainte d'avoir pu passer à l'acte à la faveur d'un état de transe, ne constituent pas un motif d'arrestation. L'enquête continue. Merci, et au revoir. »

Une fois qu'il eut battu en retraite à l'intérieur du commissariat, Hooper et Trisha le rejoignirent.

« Alors qu'en pensez-vous, monsieur ? s'enquit Hooper. Je sais que nous n'avons pas de preuve, mais croyez-vous que Sally soit coupable ?

— Moi, non », lâcha Trisha.

Les deux hommes lui décochèrent un regard bizarre.

« Je ne le pense pas non plus, Patricia. Et je ne *pense* pas non plus qu'elle n'est pas coupable. »

Coleridge – qui, à sa modeste façon, aimait bien jeter un peu de poudre aux yeux – savoura les regards perplexes qu'avait fait naître son petit paradoxe. « Je *sais* qu'elle n'est pas coupable, reprit-il. Le meurtrier est, sans nul doute, encore dans la place. »

Le secret de Dervla commença à s'éventer lorsque Coleridge entreprit de visionner la « compilation salle de bains » de Geraldine, un petit trésor d'images dénudées qu'elle avait mises de côté en prévision d'une vidéo classée X pour Noël.

« On dirait qu'elle adore se brosser les dents », observa l'inspecteur-chef.

Geraldine avait retenu un nombre important de séquences relatives à l'hygiène dentaire routinière de Dervla, car c'était le moment de la journée où cette jeune fille réservée et pudique se montrait la plus coquette et apparaissait sous son jour le plus sexy. Cela ne tenait pas seulement au fait qu'au sortir de la douche Dervla était soit en sous-vêtements, soit en tee-shirt mouillé, soit encore drapée d'une serviette. Debout devant le miroir, et tout particulièrement au cours des premières semaines, elle avait également l'air enjoué et adressait sourires et clins d'œil à son reflet dans le miroir. On aurait presque pu croire qu'elle *flirtait* avec elle-même.

« Elle est très différente lorsqu'elle se brosse les dents le soir, remarqua Coleridge.

— C'est peut-être le genre de fille qui est du matin, hasarda Hooper. Et alors ? Elle n'est pas la première à sourire à son reflet. »

Coleridge alluma un second magnétoscope, un nouvel appareil assez sophistiqué dont il ne maîtrisait qu'à moitié le maniement. Il avait réussi à convaincre les bureaucrates chargés d'administrer son budget que la nature des pièces à conviction dont il disposait justifiait la location de plusieurs équipements télé et vidéo. Son seul problème, à présent, résidait dans le fait que cet appareil était effroyablement élaboré. Hooper, lui, s'en débrouillait très bien, et ne se privait pas de faire étalage de sa supériorité.

« Je pourrais essayer une chose pour vous, monsieur : charger les cassettes en VHS sur un format numérique avec ma vidéo-caméra, les transférer par le FireWire sur le nouvel iBook qu'ils nous ont donné, faire une sélection des morceaux intéressants, les compresser via le logiciel de cinéma, les exporter en jpg et vous envoyer le dossier directement par mail. Si vous vous achetez un WAP, vous pourrez les regarder sur votre téléphone portable quand vous serez coincé à un feu rouge. »

Coleridge venait à peine d'apprendre à utiliser le service de messages écrits sur son téléphone. « Je ne téléphone pas quand je suis au volant, sergent. Et j'espère qu'il en va de même pour vous. Vous n'ignorez pas, je suppose, qu'il est illégal d'utiliser un téléphone en conduisant.

— Absolument, monsieur. »

Ils se remirent au travail. Coleridge avait sélectionné le passage d'une cassette : une discussion collective concernant les sélections, qui s'était tenue le troisième jour à peine.

« Face aux sélections, c'est le matin que je me sens le plus vulnérable, disait Dervla. Le matin, je suis capable de m'adresser aux gens d'un ton brusque et de les blesser. Je suis un ours, je n'ai carrément pas envie de parler. »

Coleridge éteignit son second appareil et revint à la vidéo sur laquelle Dervla se brossait les dents.

« Elle n'aime peut-être pas parler aux gens, remarqua Coleridge, mais elle aime à l'évidence se parler à elle-même. »

Il regarda Dervla adresser un nouveau clin d'œil au miroir et dire : « Bonjour, mon beau miroir. »

« Observez bien ses yeux », dit l'inspecteur, qui ne quittait pas l'écran des siens. Effectivement, la jeune femme baissa son regard d'un vert étincelant pour, pendant une demi-minute environ, le poser, sembla-t-il, sur le reflet de son nombril.

« Elle se contemple peut-être le nombril, monsieur. Il est très joli.

— Ce genre de remarque ne m'intéresse pas, sergent. »

La jeune femme relevait à présent les yeux – des yeux souriants, heureux. « Oh, j'adore ces gens ! » lança-t-elle dans un éclat de rire.

« Cette cassette date du douzième jour, du matin suivant les premières sélections, dit Coleridge. Vous vous souvenez que personne n'a sélectionné Dervla, mais naturellement elle n'était pas supposée le savoir. »

Hooper se demanda si Coleridge était sur une piste. Tout le monde savait que Dervla avait coutume de rire et de se parler devant le miroir de la salle de bains et, pour sa part, le sergent avait toujours trouvé cette habitude plutôt mignonne et rigolote. Pouvait-il y avoir anguille sous roche ?

« Regardez, j'ai demandé à un des cadors de l'équipe technique de me réaliser une compilation des brossages de dents. »

Hooper sourit. Il n'y avait que Coleridge pour croire que seul un « cador » pouvait réaliser une compilation vidéo. Lui-même bricolait plein de petits films « maison » sur son PowerBook.

Coleridge glissa sa compilation dans le magnétoscope, et ils observèrent Dervla adressant fréquemment d'énigmatiques petits messages à son reflet avant de se brosser les dents.

« Seigneur, je me demande comment ils me voient, à l'extérieur, dit-elle. Ne te leurre pas, ma petite Dervla, ils sont tous fous de Kelly, c'est une fille adorable. »

Coleridge mit la bande en pause. « Quelles étaient ses chances de gagner, au moment où Kelly a été tuée ?

— Sur Internet, le vote de popularité la donnait seconde, indiqua Hooper. Et chez les bookmakers itou, mais ça n'avait pas grand sens parce que Kelly la devançait de beaucoup.

— Donc, en termes de popularité auprès du public, Kelly était sa principale rivale.

— Oui, mais elle ne pouvait pas le savoir. Ou du moins elle n'était pas supposée le savoir.

— Naturellement. »

Coleridge réenclencha la touche « lecture ».

« Je me demande bien qui le public préfère », devisa Dervla, l'air songeur et espiègle. Quelques instants passèrent, puis elle abaissa son regard.

## QUARANTE-QUATRIÈME JOUR, 0 HEURE

Coleridge décrocha le téléphone. Hooper l'appelait des bureaux de Voyeur Prod., apparemment content de lui.

« J'ai le planning des permanences avec moi, monsieur. Vous vous souvenez de Larry Carlisle ?

— Le cadreur de service le soir du meurtre ?

— Lui-même. Eh bien, il a pas chômé, ce garçon. Il semblerait qu'il ait bien profité de la défection de tous ceux qui ont rendu leur tablier parce qu'ils en avaient marre. Il a fait deux fois plus de services que n'importe qui d'autre, souvent les trois-huit. Il adore l'émission, on dirait qu'il n'en a jamais assez. De plus, c'est lui qui, jusque-là, a couvert presque tous les matins la salle de

bains. Si Dervla parle à quelqu'un à travers le miroir, ce
ne peut-être qu'à Larry Carlisle.

— Le cadreur de service la nuit du meurtre », répéta
Coleridge.

## QUARANTE-CINQUIÈME JOUR, 7 H 58

Coleridge n'était dans l'obscurité étouffante du couloir de travelling que depuis quelques minutes, et déjà
il méprisait cette situation. Elle lui donnait l'impression d'être un pervers, et cela le dégoûtait. Les équipes
qui travaillaient dans le couloir de travelling est-ouest
l'avaient surnommé le « Mousseux », en raison de
l'eau savonneuse qui éclaboussait souvent les murs
de miroirs sans tain, dans les douches et au-dessus des
lavabos. Le couloir nord-sud, lui, avait été rebaptisé le
« Sec ».

Le Mousseux et le Sec étaient tous deux équipés de
sols noirs, mous et très brillants, et un épais revêtement
noir capitonnait entièrement leurs murs. Les seules
lumières qui y pénétraient provenaient de la maison
et filtraient à travers l'enfilade de miroirs sans tain for-
mant le mur mitoyen entre la maison et les couloirs.
Les cadreurs étaient entièrement dissimulés sous des
capes noires et se déplaçaient en glissant sans bruit, tels
de formidables fantômes aussi noirs que du charbon.

Coleridge avait déjà vu Jazz sortir de la chambre des
garçons et traverser la pièce à vivre en direction des toilettes. Ces mêmes toilettes qui avaient été la dernière
escale de Kelly sur cette terre. La seule partie de la maison qui n'était pas observable au travers de miroirs sans
tain. Dents serrées, Coleridge écouta ce qui lui sembla
être la plus longue prestation urinaire de l'histoire. Il
ne trouvait aucun mot pour décrire l'horreur que lui

inspirait toute cette sinistre camelote. Le cruel manque de noblesse et de grâce de l'humanité s'était-il jamais mieux illustré qu'en ce lieu, où tant de soins, tant d'ingéniosité, tant d'incalculables ressources avaient été déployés pour enregistrer et léguer à la postérité les allées et venues vers des toilettes communes?

Il était 8 heures, l'heure d'un changement d'équipe dans le Mousseux. Coleridge perçut le plus discret des bruissements tandis que s'ouvrait une porte lourdement capitonnée. Larry Carlisle entra, vêtu de noir de la tête aux pieds. Il portait même une cagoule de ski, détail qui accroissait l'atmosphère sinistre et glaciale du couloir. Sans un mot, Carlisle disparut sous la cape du chariot de la caméra, tandis que son prédécesseur émergeait de l'autre côté et s'éloignait à pas feutrés.

Coleridge se rencogna furtivement dans l'obscurité et ramena près de lui les pans de sa soutane noire à capuche. Carlisle, qui n'avait pas été informé de la présence de Coleridge, s'imaginait être seul dans le couloir, comme d'habitude.

À l'autre bout de la maison, Dervla sortit de la chambre des filles, traversa la pièce à vivre, entra dans la salle de bains et s'approcha de la douche, où elle ôta son tee-shirt, révélant son habituel attirail spécial toilette, un débardeur tire-bouchonné et une culotte.

Coleridge se détourna, geste instinctif et naturel de sa part en pareille circonstance. Une dame était en train de se dévêtir, et il n'avait pas à la regarder.

Carlisle, lui aussi, suivit ses instincts naturels, qui étaient ceux d'un cadreur de télé-réalité : il fit glisser le chariot le long du couloir obscur pour se placer aussi près que possible de la chair.

Dervla entra dans la douche et commença à se laver, en promenant ses mains savonneuses sur tout son corps. Coleridge se força à regarder à nouveau. Non qu'il trouvât repoussante la vue de Dervla savonnant son corps quasi nu ; loin de là. Coleridge était un homme comme un autre dans son appréciation des formes féminines, et celles de Dervla en particulier, avec leur grâce juvénile et athlétique, étaient tout à fait à son goût. C'était en raison de son attirance que Coleridge voulait détourner le regard. Il était profondément chrétien ; il croyait en Dieu et savait que Dieu ne serait pas le moins du monde impressionné si lui, Coleridge, se laissait exciter et obnubiler par le spectacle de jeunes femmes en sous-vêtements, observées à leur insu. Tout particulièrement lorsqu'il était en service. Coleridge, bien sûr, pas Dieu. Dieu, dans l'idée de l'inspecteur, était perpétuellement en service.

Une fois qu'il fut bien certain que son esprit était concentré sur le travail et sur rien d'autre, Coleridge fit volte-face pour examiner à nouveau la jeune fille qui se lavait et l'homme tout de noir vêtu qui enregistrait la scène.

Ce qu'il vit alors manqua de lui arracher un cri. C'était tout ce qu'il pouvait s'autoriser pour s'abstenir de bondir sur cet immonde salaud et l'arrêter sans autre forme de procès.

Carlisle avait une seconde caméra. Après avoir réglé sa caméra professionnelle en grand angle et l'avoir bloquée en position sur son chariot, l'homme avait émergé de sous l'épaisse cape noire et utilisait à présent un mini-Caméscope numérique : aucun doute n'était permis, il était en train de réaliser sa vidéo personnelle.

Saisi d'un violent dégoût, Coleridge vit Carlisle placer son petit objectif à quelques millimètres de la vitre savonneuse, au prix d'efforts manifestes pour se rapprocher au maximum de la jeune femme, qui ne se doutait de rien. Sans une once de vergogne, il explora le corps de Dervla, zoomant sur son nombril, sur la naissance de ses cuisses, sur l'ombre discrète de ses tétons sous l'étoffe du débardeur. Puis Carlisle s'accroupit au niveau de l'entrejambe, qu'il se mit à filmer longuement en gros plan. Dervla se tenait les jambes légèrement écartées ; de l'eau ruisselait de sa culotte en tissu fin orné de dentelle, qui laissait aussi échapper quelques poils le long de l'aine.

Sa douche achevée, Dervla ferma les robinets, noua une serviette autour de son buste, retira ses vêtements trempés et se posta devant le lavabo pour se brosser les dents.

D'un geste vif, Carlisle éteignit son mini-Caméscope, disparut à nouveau sous la cape noire et déplaça le chariot devant le lavabo.

De l'autre côté du miroir sans tain, Dervla jeta un bref coup d'œil à son reflet et secoua la tête.

Coleridge ne s'était jamais trouvé auparavant devant un miroir sans tain. Il était presque possible de croire que la fille n'adressait pas ce mouvement de tête à elle-même, mais à l'objectif de la caméra situé pile en face de son nez. Elle ne parla pas, mais chanta un fragment d'une vieille chanson de Rod Stewart, d'une voix étouffée par la vitre, mais parfaitement audible : « *I don't wanna talk about it. Hey, boy, don't bother me*[1]. » Puis elle se tut et évita de croiser du regard son reflet.

Coleridge vit alors Carlisle avancer sa main tendue devant la caméra. Il tenait quelque chose – un petit sachet blanc qu'il attrapa par l'un des coins pour le secouer. Un léger cliquetis rompit le silence de mort qui régnait dans le tunnel sombre, et Coleridge, stupéfait, identifia la nature du sachet : lui-même en avait agité un identique, quelques semaines auparavant, lors d'une

---

1. « Je ne veux pas parler de ça. Hé toi, le garçon, ne m'embête pas. » *(N.d.T.)*

marche dans le parc naturel de Snowdonia. C'était un pack de chaleur instantanée à l'usage des randonneurs, un sachet rempli de limaille de fer et de composants chimiques, conçu pour produire une forte chaleur dans les moments de nécessité. Sidéré, il observa Carlisle broyer le sachet dans son poing jusqu'à obtenir une forme de pointe grossière, et se mettre à tracer des lettres sur le miroir. À l'évidence, la chaleur était censée réchauffer la condensation de l'autre côté du miroir.

Carlisle écrivait lentement, en partie sans doute pour laisser à la chaleur le temps de traverser le verre, mais également aussi, jugea l'inspecteur, parce qu'il y prenait plaisir. Le cadreur caressait doucement le verre de l'index, suivant la ligne tracée par le sachet, presque comme si ce contact lui donnait l'impression de caresser Dervla. Coleridge s'étira pour distinguer ce qu'écrivait Carlisle. Quoique tracées à l'envers, les lettres n'étaient pas difficiles à déchiffrer.

De l'autre côté du miroir, Dervla les regardait, elle aussi, le regard braqué vers le bas du miroir tandis que le message apparaissait à travers la condensation :

« *T'inquiète pas. Les gens tiennent encore à toi.* »

Les yeux rivés au message, Dervla demeura impassible.

De son côté du miroir, dans le couloir obscur, ignorant qu'il était observé par un inspecteur de police, Carlisle tendit le bras pour tracer d'autres lettres.

« *Personne à l'extérieur ne pense que c'est toi qui l'as fait.* »

Trois paires d'yeux distinctes observèrent la lente apparition des mots suivants : « *Mais tu es nº 1 maintenant. Les gens t'aiment… Et moi aussi.* »

Coleridge était un observateur chevronné des visages. Familier de celui de Dervla, pour l'avoir étudié des heures durant, il distingua clairement l'aversion qui s'y peignit l'espace d'un éclair.

« La la la », chantonna-t-elle en haussant les épaules avec indifférence, avant d'entreprendre de se brosser les dents.

La tension de Carlisle, tandis qu'il bloquait en tâtonnant la mise au point de sa caméra pour filmer Dervla avec son mini-Caméscope, était presque palpable. L'homme, manifestement, convoitait la moindre image de son amour secret. Une fois de plus, il approcha son petit objectif de la paroi vitrée aussi près qu'il l'osa sans risquer de la cogner. D'abord, il profita de ce que la jeune femme avait levé le bras pour se brosser les dents pour dérober un gros plan de la touffe de poils bruns sous son aisselle. Ensuite, il captura, d'un petit panoramique, le léger balancement que le mouvement du bras imprimait à ses seins sous la serviette. Enfin, avec une précision chronométrique forgée par l'expérience, il bascula juste à temps son champ en contre-plongée pour capter, à son insu, Dervla qui crachait le dentifrice d'entre ses lèvres. Coleridge entendit le ronronnement discret du Caméscope tandis que Carlisle zoomait pour exécuter une image en macro de la bouche humide et blanchie par l'écume.

Lorsqu'elle eut terminé, Dervla quitta la salle de bains pour regagner la chambre des filles. La maison redevint silencieuse. Tous les résidents se trouvaient dans les deux chambres, situées de l'autre côté de la maison et du Mousseux. Coleridge pressa le bouton du petit appareil de communication que le département son de Voyeur Prod. lui avait fourni, pour signaler à Geraldine, restée en salle de contrôle, qu'il en avait assez vu.

Quelques instants plus tard, comme elle l'avait promis, Geraldine convoqua son cadreur sous un quelconque prétexte professionnel. Carlisle abandonna sa caméra et sortit du couloir.

Coleridge lui emboîta le pas. Une fois dans le tunnel reliant la maison au complexe de contrôle, ébloui par la rangée d'éclairages, l'inspecteur cligna des yeux et mit la main au collet de Carlisle, selon la méthode consacrée, en le priant de bien vouloir le suivre au commissariat.

## QUARANTE-CINQUIÈME JOUR, 12 HEURES

« Oh, mon Dieu, je crois que je vais vomir. Je crois vraiment que je vais vomir. »

Coleridge montrait à Dervla un aperçu du contenu du Caméscope confisqué à Larry Carlisle. Dix-sept autres minicassettes similaires, saisies par la police au domicile du cadreur, étaient empilées à côté du VHS.

« Il semblerait que vous soyez devenue comme une drogue pour cet homme, expliqua le policier. En visionnant cette collection de cassettes, on a l'impression qu'il n'en a jamais assez de vous.

— Non, s'il vous plaît. C'est affreux. Affreux. »

Il y avait tellement de cassettes ! Des heures et des heures d'enregistrement. Des gros plans des lèvres de Dervla en train de parler, de manger ; des gros plans de ses yeux, de ses oreilles, de ses doigts, mais le plus souvent, bien entendu, de son corps. Carlisle avait carrément enregistré chaque instant qu'elle avait passé dans la salle de bains à partir du troisième jour, et s'était montré de plus en plus habile à dérober des gros plans de toute partie intime qu'elle avait pu dévoiler par négligence.

Souvent, sa culotte, alourdie par le poids de l'eau sous la douche, avait révélé la naissance de sa toison pubienne, et, lorsqu'elle se retournait, deux trois centimètres de chair en haut des fesses. Carlisle n'avait manifestement vécu que pour ces instants et exécuté les plus gros plans possibles à la moindre opportunité.

« Je n'arrive pas à croire que j'aie pu être aussi idiote, geignit Dervla d'une voix étranglée par l'embarras et le dégoût. J'aurais dû me douter de ce qui le poussait à m'encourager de la sorte, c'est évident, mais je n'avais pas la moindre idée de… Je… »

Dervla, d'ordinaire si forte, si pleine d'assurance, contemplait sur l'écran ces images à donner la chair de poule, ces images fragmentées et muettes de son corps, un corps qui n'apparaissait que rarement dans son intégralité, qui était, au contraire, morcelé en gros plans violant son intimité. Elle se mit à pleurer. Les larmes ruisselèrent sur son visage comme l'eau savonneuse qui, sur l'écran, ruisselait sur son ventre et ses cuisses.

« Les messages sur le miroir étaient-ils quotidiens ?

— Non, mais presque.

— Que disaient-ils ?

— Oh, rien de sensationnel. *"Comment vas-tu ?"* *"Tu t'en tires très bien"*, ce genre de choses.

— Donc, il parlait du jeu.

— Sans entrer dans les détails. Il écrivait tout de même à l'envers sur la condensation.

— A-t-il jamais mentionné Kelly ?

— Non. »

C'était un mensonge stupide.

« En fait, si, se reprit-elle vivement. Je pense qu'il l'a mentionnée.

— Il l'a fait ou il ne l'a pas fait, mademoiselle Nolan ?

— Je viens de vous dire que oui, non ? Parfois… En passant… Il les a tous mentionnés. »

Un demi-mensonge. Était-ce mieux ? Ou pire ?

« Je ne sais pas pourquoi il m'envoyait ces messages.
Je ne lui ai jamais rien demandé.

— Il est amoureux de vous, mademoiselle.

— S'il vous plaît, ne dites pas ça.

— Il vous aime, Dervla, et c'est là un fait dont vous
allez devoir vous débrouiller, car je doute que ses actes
lui vaillent une peine de prison. Quand vous sortirez de
la maison, il vous attendra.

— Vous croyez vraiment ?

— En me fondant sur mon expérience des gens obses-
sionnels, oui. Ils sont incapables d'arrêter la machine.
Il pense que son amour pour vous est payé de retour,
voyez-vous. Après tout, vous flirtez avec lui depuis plusieurs semaines.

— Je n'ai pas… » Mais, au moment même où elle
protestait, elle comprit qu'il ne servait à rien de nier.
« Je… je suis juste tombée dans le panneau, enchaîna-
t-elle. C'était drôle, c'était un jeu. On *s'ennuie* tellement dans cette maison ! On passe tout son temps avec
les mêmes gens tristes et idiots qu'on ne peut même
pas apprécier parce qu'on est en compétition avec eux.
Vous ne pouvez pas imaginer… Et là, il y avait cette
petite plaisanterie qui se poursuivait, rien que pour moi.
J'avais un ami secret, dehors, qui me souhaitait bonne
chance et me disait que je m'en sortais bien. Vous ne
pouvez pas imaginer à quel point tout est étrange et peu
rassurant, dans cette maison. À quel point on s'y sent
vulnérable. C'était agréable d'avoir un ami secret. »

Dervla regarda l'écran sur lequel défilait toujours la
vidéo de Carlisle. Elle se vit de nouveau sous la douche, se savonnant la poitrine d'une main glissée dans
son soutien-gorge détrempé à travers lequel on distinguait clairement la forme de ses tétons. « Pourrait-on
éteindre ça, s'il vous plaît ?

— Je veux que vous voyiez ce qui suit. »

L'image vacilla et bascula sur une vue de la chambre des filles. Il faisait nuit, et toutes semblaient dormir.

« Oh, mon Dieu, il avait un système de nuit sur sa caméra ! s'étrangla Dervla.

— Je crains de devoir vous prévenir, chère mademoiselle, que rien n'a échappé à cet homme. »

Sur l'écran, Dervla était allongée sur son lit. La nuit devait être chaude, car seul un drap la recouvrait. Elle dormait, du moins le sembla-t-il jusqu'à ce que ses yeux s'ouvrent et que son regard papillonne dans la pièce. À ce moment-là, la caméra descendit en panoramique de son visage vers son corps. On pouvait distinguer, sous le drap, une main qui se déplaçait lentement et se faufilait jusqu'en dessous de la taille ; les doux mouvements des doigts imprimaient le relief des articulations sous le coton du drap. Puis la caméra revint faire le point sur le visage de Dervla : les yeux clos, mais la bouche entrouverte, elle soupirait de plaisir.

Assise dans le bureau de Coleridge, Dervla vira au cramoisi, de gêne et de colère. « S'il vous plaît ! Ce n'est pas juste ! » cria-t-elle.

Coleridge arrêta la cassette. « Je voulais que vous voyiez et compreniez le peu de respect que cet homme vous a témoigné. Vous et lui avez été en quelque sorte partenaires. Mais c'est terminé. »

Dervla fut saisie d'épouvante. « Tout de même, inspecteur, vous ne pouvez pas croire qu'il y ait un lien entre ce malade et… et… la mort de Kelly ? »

Coleridge ne répondit pas tout de suite. « Vous avez dit qu'il mentionnait Kelly dans ses messages ?

— Eh bien, oui, mais…

— Que disaient ces messages ?

— Ils disaient… ils disaient que les gens l'aimaient et qu'ils m'aimaient, moi aussi. Qu'ils nous aimaient toutes les deux.

— Je vois. Et vous a-t-il jamais indiqué qui le public préférait de vous deux ? Votre score, pour ainsi dire. »

Dervla regarda l'inspecteur-chef dans les yeux. « Non. Pas de manière précise.

— Donc vous ignoriez qu'avant la mort de Kelly vous arriviez en seconde position après elle dans le classement ?

— Oui.

— Mademoiselle, pourriez-vous me redire encore une fois quel est le montant du prix qu'empochera le vainqueur de ce jeu ?

— Eh bien, il a augmenté depuis, mais au moment du meurtre, il était d'un demi-million de livres, monsieur l'inspecteur en chef.

— Où en est la situation à Ballymagoon, dans la ferme de vos parents ?

— Je vous demande pardon ?

— Je crois savoir que la ferme et la maison de vos parents sont menacées. Je me demandais comment ça se passait. Comment ils supportaient la situation, si vous préférez. »

Le visage de Dervla se durcit et prit une expression glacée. « Je n'ai aucune nouvelle récente, inspecteur. J'étais dans la maison. Mais j'imagine qu'ils vont survivre. Nous sommes des durs à cuire dans la famille.

— Merci, mademoiselle. Ce sera tout. Pour l'instant. »

## QUARANTE-CINQUIÈME JOUR, 13 H 30

Au début, Geraldine ne voulait pas que Dervla retourne dans la maison. « Qu'elle aille se faire foutre, cette sale tricheuse. Je vais lui apprendre, moi, à allumer mes cadreurs et à donner une mauvaise image de l'émission. »

Geraldine était fort ennuyée qu'une telle chose ait pu se produire sous son nez sans qu'elle en ait rien soupçonné. Profondément blessée dans son orgueil professionnel, elle voulait se venger de Dervla, dont elle était jalouse de toute façon. Très vite, cependant, elle se rangea à une décision plus avisée. Éjecter Dervla n'aurait fait qu'aggraver son embarras. Dervla était devenue la locataire la plus populaire, celle qui suscitait le plus de désir, et le fait que la police soit venue la chercher pour des interrogatoires plus approfondis avait massivement accru la fascination qu'elle exerçait.

Sa photo – celle d'une belle jeune fille pâle conduite hors de la maison – s'étalait dans tous les journaux du matin, qui avaient été obligés de réviser leurs certitudes quant à la culpabilité de Sally et dont les manchettes proclamaient : « DERVLA DÉTENUE PAR LA POLICE », « DERVLA ARRÊTÉE ». Sans tarder, elle deviendrait la vedette des nouvelles du soir, et des reporters piétineraient devant la maison en annonçant, tout frétillants d'excitation, que la police avait échoué à retenir des charges contre elle. C'était le genre d'incident dont Geraldine avait besoin pour maintenir l'affaire en tête des préoccupations du pays, voire du monde entier.

L'un dans l'autre, Dervla était trop importante pour que la productrice renonce à sa présence.

« Cela signifie qu'il faut garder ce sale pervers de Carlisle, se lamenta-t-elle. Si on le sacque, lui, et qu'on la laisse tranquille, elle, ce connard va nous faire du chantage. Du moins, moi, à sa place, je ne m'en priverais pas. »

William Wooster, plus célèbre sous le nom de Woggle, fut relâché contre une caution de cinq mille livres, acquittée par ses parents. La police s'était élevée contre ce principe, arguant que Woggle, en tant que membre d'une communauté itinérante et alternative, et bien connu, de surcroît, pour habiter dans les tunnels, pouvait facilement prendre la fuite. Le juge considéra d'un coup d'œil le Dr Wooster et son épouse – lui en costume de tweed, elle arborant ses perles –, et décida que refuser la compagnie de leur imprévisible fils à deux aussi indiscutables piliers de la communauté serait leur faire insulte.

Après sa brève comparution devant la loi souveraine, il se fraya, avec ses parents, un passage à travers la meute de journalistes en faction devant la salle d'audience et partit avec eux à bord du taxi qui les attendait. Là, toutefois, résidait pour lui la limite acceptable d'un retour à la vie de famille. Il attendit le premier feu rouge – c'est-à-dire à environ deux cents mètres du tribunal – et, quand le taxi freina pour s'arrêter, il descendit, tout bêtement, et s'enfuit en courant. Ses parents le laissèrent filer. Ils avaient déjà traversé nombre de situations semblables par le passé et étaient trop vieux pour ce genre de chasse. Ils demeurèrent assis dans le taxi, songeant que cette fois la compagnie de leur fils leur avait coûté plus de mille livres par minute.

« La prochaine fois, nous n'agirons pas comme cela », décréta son père.

Woggle galopa sur environ deux kilomètres, en prenant des chemins obliques, tout en s'imaginant avec attendrissement son cher vieux papa lancé à ses trousses et en train d'agiter son parapluie. Quand enfin il se crut en sécurité, il décida de s'arrêter dans un pub pour boire une bière et manger un œuf au vinaigre. Ce fut là que, pour la première fois, il lui fallut se résigner à accepter l'impact du sale coup assené par Voyeur Prod. La police et la presse n'étaient plus les seules à le connaître. Tout le monde le connaissait, et personne ne l'aimait, mais alors vraiment personne.

Il attendait d'être servi quand un groupe d'hommes s'attroupa autour de lui devant le comptoir. « C'est bien toi, le con, n'est-ce pas ? s'enquit celui qui avait la plus sale gueule de la bande.

— Si vous entendez par là que je suis beau, tiède, accueillant et poilu, alors, oui, vous pouvez me traiter de con. »

Woggle allait regretter sans tarder son morceau de bravoure, car l'homme l'envoya aussitôt au tapis.

« Je vous tends la main de la concorde », reprit-il, depuis le sol.

L'homme s'en empara pour traîner son propriétaire à l'extérieur, où la bande réunie le battit comme plâtre.

« C'est moins fastoche que quand tu t'en prends aux petites filles, hein ? » dirent les voyous, comme si, en l'attaquant à six contre un, ils se comportaient en braves. Ils l'abandonnèrent comme il se doit, dans une mare de sang, des dents cassées plein la bouche et l'âme remplie de haine. Une haine dirigée non à l'encontre des voyous – en tant qu'anarchiste, Woggle voyait en eux des camarades privés de lumière –, mais à l'encontre de Voyeur Prod.

Il s'éclipsa furtivement du pub, soigna ses blessures du mieux qu'il put dans des toilettes publiques du voisinage, et alla se terrer dans la clandestinité. Au sens propre. Il retourna dans ces tunnels d'où il était venu. Il n'y avait pas mieux pour panser sa rancœur colossale. Pour l'enfoncer plus profondément dans son cœur serré de douleur, à chaque pierre et à chaque gramme de terre qu'il déplaçait.

Ces gens-là l'avaient fait descendre au plus bas. Tous autant qu'ils étaient. Ceux qui vivaient à l'intérieur de la maison, et les autres, de l'autre côté du fossé, à la régie.

Creuse, creuse, creuse

Geraldine Hennessy. Cette sorcière. Il avait cru pouvoir lui accorder sa confiance. Quelle folie !

Creuse, creuse, creuse.

On ne pouvait faire confiance à personne. Ni aux gens normaux, ni aux crétins, ni aux fascistes de la télévision et certainement pas à ces *salauds* dans la maison. Surtout pas à ceux qui avaient feint d'être ses amis. C'étaient eux qu'il haïssait le plus. Excepté Dervla, naturellement. Excepté la reine celtique des runes et des poèmes. Dervla était bien, elle, c'était une belle fée d'été. Elle ne l'avait pas sélectionné, il avait vu les cassettes. Mais l'autre, celle qui lui avait préparé un gâteau au tofu et à la mélasse pour le réconforter ! Quelle *salope*, celle-là ! Il l'avait mangé, en plus, son gâteau. Tard dans la nuit, quand elle ne regardait pas. Eh bien, il allait lui faire voir.

Creuse, creuse, creuse.

Il n'avait eu aucune intention de donner un coup de pied à cette fille. Elle l'avait attaqué avec ses chiens et maintenant, le pays tout entier le méprisait, lui, et il risquait une peine de prison. Woggle avait une peur bleue de la prison. Il savait qu'en prison les gens étaient encore plus conventionnels qu'à l'extérieur. Qu'ils n'aimaient pas les types comme lui, et moins encore les types qui, comme lui, tabassaient des filles de quinze ans.

Voilà pourquoi il était redescendu sous terre. Pour se cacher et décider d'un plan. Et tout en excavant la terre, Woggle résolut que, s'il descendait, il n'allait pas descendre seul. Il se vengerait de tous.

Creuse, creuse, creuse.

## QUARANTE-CINQUIÈME JOUR, 15 HEURES

Trisha et Hooper vérifièrent une dernière fois le rapport du labo, inspirèrent profondément et entrèrent dans le bureau de Coleridge.

La police avait fait démonter le miroir sans tain sur lequel Carlisle écrivait ses messages à Dervla pour le faire analyser par l'expert médico-légal. Les résultats étaient parvenus en quelques heures et, selon Trisha et Hooper, ils modifiaient presque toutes les données.

« Nous pensons que cela constitue de solides arguments à l'encontre de Larry Carlisle, monsieur. »

Coleridge détacha les yeux des notes qu'il lisait.

« Regardez ça, lança Hooper en produisant le résumé des preuves découvertes par le laboratoire médico-légal. Carlisle écrivait ses messages avec le sachet de chaleur instantanée, mais il les traçait également avec son doigt. La chaleur produite par le sachet agissait sur la condensation de l'autre côté du miroir.

— Je le sais, sergent. C'est moi qui vous l'ai dit.

— Oui, et comme Dervla essuyait la vapeur de son côté, les messages semblaient définitivement effacés. Mais les résidus laissés par le doigt de Carlisle de son côté du miroir, eux, sont restés. Il y a des taches, monsieur. Des taches et des frottis.

— Des taches et des frottis ?

— De semence, j'en ai bien peur.

— Seigneur Dieu ! »

— J'ai interrogé Carlisle. Il admet s'être régulièrement masturbé pendant ses tours de service. Il prétend que tous les cadreurs le font.

— Oh non, je ne peux pas le croire !

— Selon Carlisle, ça n'avait rien de surprenant, monsieur. Comme il a dit, après que Geraldine eut réduit les équipes à un seul homme, le cadreur passait huit heures tout seul sous sa grande cape dans ce couloir noir. Ce sont tous des hommes, et ils épient de belles jeunes femmes en train de se déshabiller et de se doucher. »

Hooper manqua d'ajouter : « Qu'auriez-vous fait à sa place ? » mais, comme il tenait à son travail, il se retint.

« Carlisle dit que parfois ils appellent les couloirs les "cabines", comme dans les peep-shows », ajouta Trisha.

Coleridge regarda fixement par la fenêtre pendant quelques instants. Trois ans. Il ne lui restait que trois ans de service à accomplir ; ensuite il pourrait prendre sa retraite, s'en aller pour toujours, écouter de la musique et relire Dickens, jardiner avec sa femme, consacrer plus de temps au théâtre amateur, et jamais plus il ne serait obligé de penser à un monde où des cadreurs se masturbaient en cachette. « Vous dites qu'il écrivait ses messages avec sa semence ?

— Bon, il n'y en avait pas des flaques entières. Je pense qu'il s'agit plutôt de traces du truc qui restait sur ses doigts. »

Trisha remarqua que, tout au long de cet échange, Coleridge s'adressait exclusivement à Hooper. Il ne lui accorda pas un seul regard. Coleridge était de ces hommes qui s'obstinaient à penser qu'il valait mieux ne pas aborder certains sujets en présence de l'autre sexe. Comment se faisait-il que l'inspecteur soit devenu officier de police ? Ce n'était pas la première fois que la question effleurait l'esprit de Trisha. Mais, par ailleurs, c'était un homme incorruptible, les lois lui inspiraient une foi passionnée et il avait, de surcroît, la réputation d'un grand policier. Peut-être n'était-il donc pas indispensable que, par-dessus le marché, il vive dans le même siècle que tout le monde.

« Bien, dit Coleridge avec colère. Qu'a dit le labo ?

— Les messages sont assez confus et ils ont été recouverts, mais quand on les talque, quatre sont déchiffrables, plus quelques autres partiellement. Tous informent Dervla du score de popularité. Deux des messages faciles à déchiffrer datent d'avant l'élimination de Woggle et placent Dervla en troisième position derrière lui et Kelly. Ensuite, après la sortie de Woggle, les deux filles gagnent chacune une place. Dervla connaissait le score depuis le début. Carlisle le lui avait écrit.

— Elle a pourtant nié quand nous l'avons interrogée à ce sujet. Quelle jeune sotte !

— Elle avait bien compris que le fait de connaître son rang par rapport à Kelly lui fournirait un mobile. Un demi-million de livres, ça représente beaucoup d'argent, surtout si ses parents sont fauchés.

— Et c'est elle qui, dans l'étuve, se trouvait le plus près de la sortie, ajouta Trisha.

— Son moindre crime est d'avoir dissimulé des preuves, et j'ai la ferme intention de le lui faire regretter, déclara Coleridge.

— Certes, monsieur, mais, à notre avis, c'est Carlisle le nœud du problème, insista Trisha. Dervla était son mobile. Il voulait à tout prix être celui qui l'aiderait à gagner, et il était convaincu que Kelly constituait un obstacle.

— Vous pensez que son désir de la voir gagner pourrait constituer un mobile assez puissant pour le conduire à un meurtre ?

— Eh bien, nous savons qu'il souffre vis-à-vis d'elle d'une obsession pathologique. Et il suffit de regarder les cassettes qu'il a réalisées pour comprendre à quel point cet amour est malsain et tordu. Il est tout à fait possible que cette douloureuse et lancinante proximité avec l'objet de son désir ait achevé de le déséquilibrer.

— L'amour constitue généralement le principal mobile des crimes passionnels, intervint Hooper, citant Coleridge en personne. Et ici, il s'agit, sans l'ombre d'un doute, d'un crime passionnel.

— Vous souvenez-vous, monsieur, de la mésaventure qui est arrivée à Monica Seles, la joueuse de tennis ? demanda Trisha avec animation. Exactement la même que celle que nous suggérons ici. Un pauvre admirateur psychotique et fou amoureux de sa rivale Steffi Graf a poignardé Seles, persuadé, dans sa folie, que son acte ferait progresser la carrière de Steffi Graf et que celle-ci lui en serait reconnaissante.

— Oui, concéda Coleridge. Je pense que cet exemple est pertinent.

— Mais considérez bien ceci, monsieur, intervint Hooper. En plus d'avoir le mobile, Carlisle avait aussi l'opportunité.

— Vous croyez ?

— Bon… Il avait *à peu près* l'opportunité.

— D'après mon expérience, les opportunités de meurtre ne sont jamais de l'ordre de l'à-peu-près.

— OK, d'accord, il y a un petit quelque chose qui nous échappe.

— J'ai hâte de vous entendre admettre cela devant un avocat de la défense, observa sèchement Coleridge. Mais allez-y, poursuivez.

— Jusqu'à présent, nous avons tous supposé que le meurtrier était l'une des personnes présentes dans l'étuve.

— Pour des raisons compréhensibles, je crois.

— Certes, monsieur, mais regardez les arguments qui jouent contre Carlisle, qui se trouvait encore plus près de la victime. Tout d'abord, il voit Kelly sortir de la chambre des garçons et traverser le salon en direction des toilettes, toute nue. Carlisle capture magnifiquement ce moment, ce qui lui vaut des compliments de la régie. Puis Kelly disparaît dans les toilettes, et Carlisle reçoit pour instruction de maintenir son cadre sur la porte des toilettes, dans l'espoir d'obtenir d'autres bonnes images de nu quand elle sortira.

— Mais elle ne sort pas.

— Non, monsieur. Parce qu'il la tue. Ç'aurait pu très facilement être lui. Mettez-vous dans sa peau, celle d'un homme fou d'amour, d'un homme qui, depuis le tout début, a risqué son travail, son avenir dans l'industrie de la télé, son mariage – n'oubliez pas, monsieur, que Carlisle est marié et père de famille. Il a tout risqué par amour pour Dervla…

— Un amour qui se reflète dans la haine qu'il voue à Kelly, intervint Trisha. Regardez ceci. » Elle avait apporté avec elle un grand classeur, de ceux qu'un artiste ou un graphiste utiliseraient en portfolio pour présenter leurs travaux. Il renfermait une série de clichés que les gens de l'institut médico-légal avaient exécutés lorsqu'ils avaient travaillé dans le couloir, derrière le miroir sans tain.

Sur le premier cliché, il était impossible de distinguer quoi que ce soit, à l'exception d'une surface talquée et zébrée sur laquelle un doigt avait distinctement tracé de nombreuses lettres les unes par-dessus les autres. Trisha produisit ensuite un second tirage du cliché, puis un troisième : sur ce dernier, les experts concernés s'étaient démenés pour extraire un sens de cette confusion. Au moyen de différentes nuances de couleurs pastel translucides, ils avaient suivi les différentes phrases, obtenant parfois une lecture lisible, n'aboutissant d'autres fois qu'à des suppositions échevelées.

« Regardez celle-là, monsieur, dit Trisha en désignant la trace d'une phrase colorée en rouge. Pas très joli, n'est-ce pas ? »


## VINGT-SIXIÈME JOUR, 8 HEURES

*« Kelly la garce toujours n° 1. Ne t'inquiète pas, ma chérie. Je vais te protéger de cette salope suceuse de bites. »*

Dervla se pencha vers le miroir et effaça les mots d'un geste rageur. Elle en était arrivée au point de redouter de se brosser les dents le matin. Les messages étaient progressivement devenus plus haineux, plus ignobles, mais la crainte de révéler sa propre complicité dans cet échange lui interdisait de s'en ouvrir à quelqu'un. Elle ne l'encourageait plus du tout ; elle avait cessé de parler au miroir et s'était creusé les méninges pour trouver le moyen de dire à l'homme posté de l'autre côté d'arrêter. La seule idée qui lui était venue était de chanter des chansons dont les paroles s'adaptaient plus ou moins à la situation.

« Je ne veux pas en parler. » « Retour à l'envoyeur. » « S'il te plaît, lâche-moi, laisse-moi partir. »

Mais les messages continuaient d'apparaître, chacun plus monstrueux que le précédent.

*« Je te le jure, mon trésor, pour toi, je la tuerais si je pouvais. »*

« "Pour toi, je la tuerais si je pouvais", lut Coleridge à voix haute. Eh bien, voilà qui est sacrément accablant, non ?

— Donc, insista Hooper, notre homme, l'homme qui a écrit ce message, est là, debout derrière sa caméra dirigée vers la porte des toilettes, à l'intérieur desquelles se trouve l'objet de sa haine. Que fait-il ? Il bloque son objectif dans la position qu'on lui a demandé de garder, puis, à pas de loup, il longe le Mousseux, arrive dans le Sec, pénètre dans la maison par l'ouverture d'accès dans la chambre des garçons, s'empare d'un drap à l'extérieur de l'étuve, ressort de la chambre après s'en être recouvert, et le reste, nous le connaissons. C'est Carlisle que nous voyons traverser le salon pour aller prendre un couteau dans le tiroir de la cuisine, c'est lui qui se jette sur Kelly, et qui la tue.

— Eh bien… hésita Coleridge.

— Je sais ce que vous allez dire, monsieur. Je le sais très bien. Et la chambre ? Elle est, elle aussi, couverte par les caméras…

— Oui, j'ai pensé à cette objection…

— … et s'il avait pénétré dans la chambre par le Sec et qu'il l'ait traversée pour prendre un drap devant l'étuve, nous l'aurions vu, or ce n'est pas le cas.

— Oui, et non seulement nous ne l'avons pas vu, mais ce que nous avons vu, *en revanche*, c'est quelqu'un sortir de l'étuve et prendre le drap.

— Oui, monsieur, mais seulement sur la vidéo. Aucun des gens présents dans l'étuve ne se souvient qu'une seconde personne en soit sortie. En conséquence, soit une, soit plusieurs personnes, soit toutes, mentent.

— Je suis d'accord.

— *À moins que* la vidéo ne mente. Carlisle est un cadreur expérimenté. Nous savons que l'intérêt qu'il porte aux outils de télévision n'est pas uniquement professionnel. Il existe peut-être un moyen de falsifier la preuve fournie par la caméra de la chambre. À l'image, le rendu de la silhouette drapée est assez imprécis. Trisha et moi nous sommes demandé s'il avait pu, par une astuce, *figer* pendant quelques instants l'image qui a été diffusée…

— Après tout, l'image était déjà la même depuis des heures, l'interrompit Trisha. Serait-il possible qu'il ait trouvé le moyen de la passer en boucle pendant quelques secondes, ou simplement de la mettre en pause, le temps pour lui de traverser la chambre et d'arriver jusqu'à l'étuve ?

— Après quoi tout aurait eu lieu en temps réel, comme nous l'avons vu, conclut Hooper.

— Il lui aurait fallu accomplir le même cirque pour s'en retourner, observa Coleridge. Nous avons vu le meurtrier revenir dans l'étuve, ne l'oubliez pas.

— Je sais. La théorie soulève de nombreux problèmes, convint Hooper. Mais n'oubliez pas, monsieur, que Carlisle était très imprécis sur le timing du déroulement des événements. Souvenez-vous : il a affirmé qu'il s'était écoulé deux minutes à peine entre le moment où Kelly est partie aux toilettes et celui où le meurtrier est sorti de la chambre, alors que tout le monde, à la régie, a dit qu'il s'était écoulé cinq minutes – ce qu'établissent les codes horaires. Et il a affirmé que cinq minutes au moins avaient passé entre le moment où le meurtrier est ressorti et celui où on a découvert le meurtre, alors qu'en fait, là, il s'agissait seulement de deux minutes. De nouveau, les déclarations des gens dans l'étuve et les codes horaires coïncident. Ce sont là des discordances considérables, monsieur, mais compréhensibles, naturellement, si Carlisle s'avérait être le meurtrier. N'importe qui pourrait confondre deux minutes et cinq, et vice versa, si cette personne avait passé les minutes en question à assassiner quelqu'un avec un couteau de cuisine.

— Oui, concéda Coleridge. Je suppose que vous avez raison. Je vous suggère de voir avec les experts scientifiques s'il existe un moyen d'interférer avec ces caméras télécommandées. Et naturellement, nous ferions mieux d'avoir une petite conversation supplémentaire avec Mlle Nolan. »

## QUARANTE-SIXIÈME JOUR, 14 H 30

Voir Dervla quitter la maison sous escorte de police pour la seconde fois de la journée fit sensation, autant à l'extérieur de la maison qu'à l'intérieur. Cela devait bien signifier qu'elle était le suspect numéro un, non ?

Geraldine pouvait à peine contenir sa joie. « Ces putains de flics font la promo de l'émission à notre place, fanfaronna-t-elle. Juste au moment où tout le monde pensait que c'était Sally la timbrée la coupable, ils embarquent *deux fois de suite* notre princesse immaculée ! Je veux bien qu'on me baise de profil si c'est pas génial, ça ! Mais il faut qu'on s'organise. Il y a ici un gros paquet de thunes en jeu. S'ils ne nous rendent pas Dervla, on annule l'élimination prévue pour cette semaine, d'accord ? Je ne peux pas me permettre de perdre deux salopes en une semaine, c'est tout simplement au-dessus de mes moyens. Une semaine de cette émission rapporte plus d'argent que je ne peux en compter ! »

Hamish et Moon étaient en lice pour l'élimination cette semaine-là, mais, si Dervla s'en allait, ils bénéficieraient, semblait-il, d'un sursis. Ces sélections avaient été les plus détendues de toutes, depuis les jours relativement plus calmes où avaient eu lieu celles de Woggle et de Layla. Le départ de Sally avait fait s'envoler la chape de tristesse et, en outre, Sally étant l'un des principaux suspects, son absence avait ramené un sentiment de sécurité dans la maison.

Or ce sentiment n'avait plus cours, bien sûr. Le second transfert de Dervla au commissariat avait causé un choc et semé la terreur.

« Putain ! Et moi qui me croyais à l'abri avec elle ! s'écria Moon. On partageait la même piaule ! Je lui ai prêté un pull.

— Moi, j'y crois pas, dit Jazz. Les flics cherchent un truc, c'est tout.

— C'est pas parce qu'elle te plaît, Jazz, qu'elle est pas une surineuse folle furieuse », remarqua Garry.

Jazz ne répondit rien.


## QUARANTE-SIXIÈME JOUR, 16 HEURES

Les lèvres de Dervla tremblaient. Elle tentait de retenir ses larmes. « Je pensais que si je vous disais que je connaissais les scores, vous alliez me suspecter.

— Idiote ! tempêta Coleridge. Idiote ! Ne pensez-vous pas que nous mentir est probablement le meilleur moyen de faire naître notre suspicion ? »

Dervla ne répondit pas. Si elle répondait, elle sentait qu'elle allait se mettre à pleurer pour de bon.

« Mentir à la police constitue un délit criminel, mademoiselle Nolan, poursuivit l'inspecteur.

— Je suis désolée. Je pensais que ça n'avait pas d'importance.

— Oh, pour l'amour du ciel !

— C'était juste entre lui et moi, et il était à l'extérieur ! Je ne pensais pas que ça aurait de l'importance. » Maintenant, elle pleurait pour de bon.

« Eh bien, il n'est jamais trop tard pour dire la vérité, jeune fille. Vous étiez, je suppose, tenue régulièrement au courant de votre cote auprès du public, ainsi que de celle de Kelly ?

— Oui.

— Comment décririez-vous l'attitude de Larry Carlisle envers Kelly ?

— Il la haïssait. Il voulait sa mort. C'est pour ça que j'ai essayé de mettre un terme à ses messages. Son ton avait changé du tout au tout. Il était devenu ignoble. Il la traitait de noms atroces. Mais il était à l'extérieur. Il n'aurait pas pu…

— Peu importe ce qu'il pouvait ou ne pouvait pas faire. Ce qui nous occupe ici, mademoiselle, c'est ce que *vous* avez fait.

— Mais je n'ai rien fait ! »

Coleridge dévisagea Dervla. Il songea à sa propre fille, guère plus âgée que celle-ci, terrorisée, assise en face de lui.

« Vous allez m'inculper ? demanda-t-elle d'une toute petite voix.

— Non, je ne pense pas que ça servirait à grand-chose », répliqua Coleridge. Dervla n'avait pas fait sa déposition sous serment, mais sous stress. L'inspecteur savait que n'importe quel avocat moyennement compétent pourrait tirer de convaincantes conclusions du fait que Dervla était en état de choc lors de son témoignage. Par ailleurs, il ne souhaitait nullement l'inculper. Il connaissait à présent la vérité et c'était tout ce qui l'intéressait.

Ainsi donc, Dervla s'en retourna dans la maison.

## QUARANTE-SEPTIÈME JOUR, 11 HEURES

Dans la maison, les journées se traînaient en longueur et la tension n'avait pas faibli d'un pouce. À tout instant, ils guettaient soit, comme l'avait promis Geraldine, un mandat d'arrestation émanant de l'extérieur, soit une nouvelle visite de la police, qui conduirait en garde à vue l'un des colocataires restants. Mais rien ne se passait.

Ils préparaient leurs repas et accomplissaient leurs petites tâches, l'œil aux aguets, l'esprit perpétuellement assailli de questions, dans l'attente du prochain développement. De temps à autre, une conversation naissait des bavardages sans queue ni tête et des silences interminables qui caractérisaient désormais la plupart des relations domestiques, mais ces instants ne duraient jamais bien longtemps.

« Bon alors, qui croit en Dieu ici ? » demanda Jazz.

Ils étaient tous assis autour de la table du dîner et promenaient leurs pâtes bolognaises d'un côté à l'autre des assiettes. Jazz venait de penser à Kelly, au paradis et à l'enfer, d'où sa question.

« Pas moi, répondit Hamish. Moi, je crois à la science.

— Ouais, approuva Garry, encore que la religion, c'est pas mal pour les mômes, je trouve. Faut bien leur raconter un truc, non ?

— Moi, je m'intéresse pas mal aux religions asiatiques, dit Moon. Par exemple, je trouve que le dalaïlama est un putain de mec balèze, parce que, avec lui, il

390

n'est toujours question que de paix et de sérénité. Vous trouvez pas? En fin de compte, moi je dis bravo, parce que ça, je respecte vraiment.

— En quelle sorte de science crois-tu, Hamish? s'enquit Dervla.

— Je crois à la théorie du big bang, évidemment, quoi d'autre? répliqua pompeusement Hamish. On a des télescopes tellement puissants de nos jours qu'on peut voir jusqu'aux confins de l'univers, jusqu'à l'aube des temps. En moins d'une seconde, on sait quand tout a commencé.

— Et *avant* que tout commence, il y avait quoi, alors? questionna Moon.

— Ah ça, fit Hamish. C'est la question que tout le monde se pose.

— Je me demande pourquoi.

— Allez, Hamish, railla Jazz. Il y avait quoi, avant?

— Avant, il n'y avait rien, expliqua Hamish avec condescendance. Et pas seulement rien. Il n'y avait ni espace ni temps.

— Pareil qu'ici, on dirait, souligna Jazz.

— Putain, n'importe quoi, Hamish. Tu racontes que des conneries.

— C'est scientifique, Moon. Il y a des preuves.

— Je ne vois pas pourquoi vous vous disputez, dit Dervla. À mon avis, accepter la théorie du big bang, ou n'importe quelle autre, n'invalide pas l'existence de Dieu.

— Tu crois en lui, alors?

— Non, pas en *lui*. Je ne crois pas au vieil homme avec une longue barbe, assis sur un nuage, qui lance des éclairs à droite à gauche. Je suppose que je crois en *quelque chose*, mais je n'adhère à aucune religion organisée. Je n'ai besoin ni de règles rigides ni de règlements pour communier avec le Dieu de mon choix. Dieu devrait être là pour chacun de nous, qu'on lise ou non ses Écritures. »

Coleridge et Trisha avaient surpris cette conversation sur Internet. Désormais, le bureau était connecté en permanence au site de *Résidence surveillée*.

« J'aurais dû arrêter cette fille pour obstruction à l'enquête, dit-il. Un surcroît de règles strictes et de règlements ne lui ferait pas de mal.

— Qu'a-t-elle fait ? s'enquit Trisha. Je pensais que vous l'aimiez bien.

— Pour l'amour du ciel, Patricia ! Vous l'avez entendue ? "Le Dieu de mon choix". Quel est donc ce nonsens piètrement convaincant ?

— En fait, je suis d'accord avec elle.

— En ce cas, vous êtes aussi inepte et paresseuse qu'elle ! On ne *choisit* pas un dieu, Patricia ! Le Seigneur n'a rien d'une lubie ! Dieu n'a pas à *être là pour vous* ! *C'est vous qui devriez être là pour lui.*

— C'est ce que vous pensez, monsieur, mais…

— C'est également ce qu'ont pensé tous les philosophes et tous les hommes qui, dans chaque culture depuis l'aube des temps, ont été en quête de la vérité, Patricia ! On a généralement estimé que la foi requérait quelque humilité de la part du fidèle. Une admiration mêlée de respect au vu de sa propre petitesse face à l'immensité de la création. Mais ce n'est plus le cas ! Votre génération voit en Dieu un genre de conseiller ! Qui serait là pour vous dire ce que vous voulez entendre, quand vous voulez l'entendre et que, entre-temps, on oublie complètement ! Vous avez inventé une foi de

392

pacotille et vous lui demandez de justifier votre culture de pacotille !

— Vous savez quoi, monsieur ? Je pense que, si vous aviez vécu il y a quatre cents ans, vous auriez brûlé des sorcières. »

Coleridge fut saisi. « Je trouve que vous êtes injuste, et désagréable aussi, Patricia. »

La brève conversation autour du dîner s'était éteinte aussi spontanément qu'elle avait commencé, et les colocataires s'en étaient retournés à l'éprouvante contemplation de leurs intimes pensées.

Que pouvait-il bien se passer à l'extérieur ?

Ils se livraient à d'interminables spéculations, mais ils ne *savaient* pas. Ils étaient isolés, se trouvaient au cœur de ce drame violent sans pourtant y jouer aucun rôle. Il n'était donc guère surprenant qu'ils se soient transformés en détectives, qu'ils se soient mis à imaginer dans leur petite tête d'interminables théories. De temps à autre, ils allaient déballer le fruit de leur réflexion au confessionnal.

« Écoute, le Voyeur, dit Jazz lors d'une de ses visites, j'vais sans doute dire un truc complètement idiot. Jusqu'à maint'nant, j'avais même jamais pensé en parler, mais j'me dis que j'devrais t'mettre au courant, comme ça tu pourrais en parler à la police, et ça s'rait réglé, d'accord ? De toute façon, j'suis persuadé qu'c'est pas important. Voilà : c'est quand j'étais dans l'Jacuzzi avec Kelly et David, au début d'la deuxième semaine, j'crois. Kelly a chuchoté un truc dans l'oreille de David, et ça l'a fait flipper. J'crois qu'elle a dit : "J'te connais", et il a vraiment pas aimé. Il a carrément tiré la tronche. Et après, elle a ajouté un truc grave bizarre. J'sais pas trop, mais j'crois qu'elle a dit que'que chose comme *"Partouzes sodos 12"*, et ça, l'David, ça lui a mis une grande claque. Ça, il a pas *aimé*. »

« Génial, dit Hooper, qui venait de rejoindre Trisha devant l'ordinateur. Deux semaines passées à visionner ces maudites cassettes. On se donne un mal de chien pour extraire un malheureux indice de tout ce truc, et on découvre maintenant que cet abruti savait tout depuis le début.

— Oui, mais bon, au moins, il a attendu jusque-là pour nous le dire, et il nous a donné la satisfaction de le trouver par nous-mêmes.

— J'en suis ravi. »

Hooper n'était peut-être pas ravi, mais il était bien le seul, car la presse, qui était également connectée à Internet, ne mit pas plus de cinq minutes pour trouver ce qu'était *Partouzes sodos 12*, et naturellement, découvrir qui se cachait sous le pseudonyme de Boris Pecker. Ce rebondissement croustillant s'étala dans les journaux le lendemain matin, pour le plus grand plaisir des légions de fans de *Résidence surveillée*. La chute de David était consommée.

## QUARANTE-NEUVIÈME JOUR, 10 HEURES

C'était le jour de l'élimination, mais il restait de longues heures à tuer avant l'excitation de la soirée. Comme d'habitude, l'équipe de Voyeur Prod. s'était creusé les méninges pour imaginer comment occuper les colocataires. Non que l'intérêt à l'égard de l'émission eût faibli, loin s'en fallait. *Résidence surveillée* demeurait le programme le plus regardé du monde entier. Geraldine venait de conclure un marché de quarante-cinq millions de dollars pour la distribution internationale des séquences de la semaine à venir. Non, c'était davantage une question de fierté professionnelle. Voyeur Prod. savait pertinemment que le spectacle qu'il diffusait était digne d'une parade de monstres dans les foires, mais, parade de monstres ou pas, cela n'en demeurait pas moins une émission de télévision, et la société de production en était responsable. Lors des réunions, le sentiment général était qu'il fallait fournir un petit effort artistique, ne serait-ce que pour la forme.

Le défi hebdomadaire avait été couronné de succès. Geraldine avait demandé aux colocataires de réaliser une sculpture de chacun de leurs camarades, et cette idée inspirée, riche d'un potentiel d'analyse psychologique, avait provoqué un authentique drame spontané. Un incident qui, une fois de plus, confondit les spectateurs convaincus que *Résidence surveillée* n'avait plus aucune surprise à offrir.

Les ennuis commencèrent lors du retour de Dervla après sa seconde convocation au commissariat. D'abord, elle était bouleversée après que Coleridge l'eut passée sur le gril. Ensuite, il y avait eu tous ces badauds et ces journalistes massés devant la maison, qui l'interpellaient en hurlant, lui demandant si elle avait tué Kelly et si le mobile était d'ordre sexuel. Pour finir, une fois à l'intérieur de la maison, elle avait vu des expressions d'incertitude et de méfiance sur le visage de ses colocataires. Même Jazz avait l'air inquiet.

L'un dans l'autre, elle n'était pas d'humeur badine, aussi, lorsqu'elle remarqua que Garry avait placé un couteau de cuisine dans la main de la figurine inachevée qui la représentait, elle piqua une crise.

« Salaud ! hurla-t-elle, livide de rage. Tu es un salaud fini !

— Hé, poupée, c'était qu'une blague à la con ! répliqua Garry en riant. Une blague. Tu te souviens de ce que c'est ? T'es quand même la préférée des flics, mon cœur. »

Sur quoi Dervla gifla Garry avec une telle force qu'il tomba à la renverse sur le canapé orange.

« Enculée ! fit-il en se relevant, les yeux baignés de larmes de douleur et de colère. Personne m'en colle une, d'accord ? Pas même une nana. Je vais te botter le cul, tu vas voir, sale Irlandaise de mes deux.

— Oh là, oh là ! » lança Jazz en bondissant pour s'interposer.

Mais ce geste chevaleresque s'avéra inutile. Dervla n'avait nul besoin d'aide : alors que Garry, déterminé à la bagarre, avançait vers elle, poings serrés, elle pivota sur elle-même sur un pied et, d'un mouvement lié, tout en souplesse, projeta fermement son autre pied dans le visage de Garry.

Qui aussitôt s'effondra par terre, le nez en sang.


« Nom d'un chien ! » s'exclama Geraldine à la régie.

Dervla pratiquait la boxe française depuis l'âge de onze ans et maîtrisait à présent cet art martial, mais elle ne s'en vantait pas tant qu'elle pouvait l'éviter. Elle avait tôt découvert qu'une fois que les gens étaient au courant, ils ne voulaient plus parler que de ça, ils réclamaient sans arrêt des démonstrations et la pressaient de questions : « OK, admettons que trois, non, *quatre* types, avec des battes de base-ball, t'attaquent *par-derrière*, tu peux t'en débarrasser ? »

Pour finir, Dervla avait gardé le secret sur ses compétences particulières. Maintenant, toutefois, tout le monde était au courant, et franchement, elle s'en fichait. Elle réalisa qu'elle avait un compte à régler, qui n'avait rien à voir avec Garry.

Brusquement, ce furent des semaines de peur et de rage étouffées qui explosèrent en elle. Dervla savait qu'à moins de trois mètres d'elle se trouvait, très certainement tapi, son messager, Larry Carlisle, la cause de ses récents ennuis. Ignorant Garry, qui, recroquevillé par terre, hululait de douleur, Dervla fit volte-face vers les miroirs muraux. « Quant à toi, Carlisle, sale pervers, si tu es là, derrière, sache que c'est exactement ce qui t'attend si tu approches à moins de deux cents kilomètres de moi quand je sortirai de cette maison. C'est à cause de toi que la police me soupçonne, espèce de salaud ! Alors si tu ne me fous pas la paix, je te démonte la tête à coups de pied et je te fais remonter tes couilles dans la gorge. »

« Waou ! fit Geraldine, à la régie. En voilà *un* qui va devoir s'expliquer en rentrant chez bobonne. »

Ainsi l'affaire du cadreur pervers entra-t-elle sans crier gare dans le domaine public et procura-t-elle à Voyeur Prod. encore une autre journée de drame intense. Carlisle fut mis à pied, naturellement, mais Dervla, qui aurait dû elle aussi être chassée de l'émission pour délit de connivence, fut autorisée à rester.

« Dervla n'a ni sollicité, ni accueilli ces messages », déclara hypocritement Geraldine. Pur mensonge, évidemment, mais que la presse ne releva pas car personne ne souhaitait que Dervla s'en aille, surtout maintenant qu'elle venait, d'un seul coup, de se révéler si intéressante. Surtout après que Geraldine eut diffusé des images de la jeune femme sous la douche, sélectionnées parmi les séquences privées de Carlisle.

Toute cette excitation, cependant, remontait à quelques jours, et l'insatiable appétit de surprise du public réclamait à nouveau pitance. Il allait falloir trouver une idée pour remplir les heures précédant l'élimination. Geraldine décida d'exhumer l'enveloppe des pronostics.

« *Le Voyeur a demandé aux colocataires d'ouvrir la pochette des pronostics, auxquels tous s'étaient livrés au terme de la première semaine*, dit Andy le narrateur. *La pochette est demeurée intacte au fond du placard de la cuisine depuis le jour où elle a été remplie.* »

« On l'avait complètement zappé ce truc », observa Garry qui soignait encore son nez tuméfié. Il avait décidé de prendre la raclée-surprise administrée par Dervla du bon côté, et il fit savoir, tant à l'intéressée que dans le confessionnal, qu'il ne lui en voulait pas. « En fin de compte, déclara-t-il, les sinus ensanglantés, si on prend une claque, on la prend, point barre. Ça sert à rien de chialer. En fait, me faire cogner par une nana ça m'a fait du bien, je suis devenu plus féministe. »

Garry n'était pas idiot. Entre les cent mille livres qu'empocherait le prochain candidat à quitter la maison, et le million que récolterait le gagnant, la différence était de taille. Garry voulait rester dans la course tant que le pactole grossissait, et il se doutait bien qu'amertume et ressentiment ne l'y aideraient en rien. En conséquence, une fois que le médecin eut soigné la fracture nette de son nez, il serra la main de Dervla en déclarant : « Chapeau, ma grande », ce qui lui valut les applaudissements du pays.

En son tréfonds, bien sûr, il bouillait de s'être pris une méchante raclée par une nana, une nana *petite*, en direct à la télé. Il n'y avait pas pire cauchemar pour lui. Jamais il n'oserait remettre les pieds au pub.

Hooper regardait les efforts de Garry pour se rabibocher avec Dervla sur l'ordinateur du commissariat, et il n'en crut pas un mot.

« Il la hait. Sur la liste des gens que Garry hait, Dervla arrive en première place.

— C'était la place de Kelly, observa Trisha. Et Kelly, évidemment, a été assassinée. »

Tout le groupe avait oublié l'enveloppe des pronostics. Au moment où Jazz l'ouvrit avec solennité, ils grillaient d'impatience et tous y plongèrent la main en même temps. Il leur semblait être ramenés à des jours plus heureux et plus innocents.

Voyeur Prod. avait fourni quelques bouteilles de vin, et la lecture des pronostics erronés datant de six semaines déclencha force rires.

« Woggle pensait qu'il s'rait l'dernier à rester, dit Jazz.

— Putain ! Layla s'était désignée comme la gagnante ! s'esclaffa Moon.

— Écoutez celui de David ! lança Dervla d'une voix stridente. "Je pense qu'à la neuvième semaine, je me serai imposé en tant que force consolidatrice au sein du groupe."

— Ouais, dans tes rêves, Dave ! » cria Jazz.

Les rires s'éteignirent quand ils en arrivèrent aux pronostics de Kelly. Moon les lut à voix haute, et ce fut un moment d'émotion pure.

« Je pense que tous les autres sont des gens géniaux. Je les aime énormément et je serai vachement contente si je suis toujours là en neuvième semaine. À mon avis, je sortirai la troisième ou la quatrième semaine. »

Le silence se fit tandis que tous réalisaient combien Kelly avait vu juste.

— « Et celui-là, c'est lequel ? » demanda Moon en désignant un bulletin qui n'avait pas encore été lu.

Hamish le retourna. L'encre bleue était la même que celle des stylos que Voyeur Prod. avait fournis à tout le monde, mais l'écriture était un griffonnage informe, comme si l'auteur de ces lignes avait écrit sans regarder, et de sa main gauche de surcroît. Ce qui, comme le confirmerait le graphologue de la police, était exactement la façon dont avaient été tracées les lettres.

« Il dit quoi ? » s'enquit Moon.

Hamish le lut à voix haute : « Quand vous lirez ceci, Kelly sera morte. »

Il leur fallut un moment pour prendre la mesure de ce qu'ils avaient entendu.

« Putain ! » lâcha Moon.

Quelqu'un avait su avec certitude que Kelly allait mourir. Quelqu'un l'avait carrément prédit, par écrit. Tant d'horreur dépassait l'imagination.

« Ce n'est pas tout, reprit Hamish. Je lis la suite ? »

Tous opinèrent en silence.

« Je la tuerai la vingt-septième nuit. »

« Oh, mon Dieu ! Il savait ! » s'étrangla Dervla.

Mais Hamish n'avait toujours pas terminé. La note contenait encore une dernière prédiction. « Un des trois derniers candidats mourra lui aussi. »

« Oh, mon Dieu ! suffoqua Moon. Personne n'a touché à cette putain d'enveloppe en six semaines. N'importe qui d'entre nous aurait pu écrire ça. »

Woggle avait pris l'habitude de dormir dans son tunnel. Il s'y sentait à l'abri. À l'abri de tous les gens qui ne le comprenaient pas. À l'abri pour creuser d'arrache-pied en direction de l'objet de sa haine. Pour l'enraciner plus profondément à chaque coup de piolet. L'arroser de sa sueur.

De temps à autre, la nuit, il sortait du tunnel pour se procurer de l'eau et voler de la nourriture. Mais, de plus en plus, il vivait entièrement sous terre. Dans son tunnel.

Le tunnel qu'il devait creuser pour prendre sa revanche.

Creuse, creuse, creuse.

Il allait leur faire voir. Il allait leur faire voir à tous.

Un soir où l'heure de ce qu'il avait à faire était proche de sonner, Woggle prit sa sacoche vide et rampa de nouveau jusqu'à l'air libre, mais cette fois le but de sa mission ne concernait en rien la nourriture. Cette fois-là, il se dirigea vers un squat de Londres, où il avait autrefois vécu et qu'occupaient des anarchistes aux résolutions encore plus étranges et plus austères que les siennes. Ces anarchistes que Woggle connaissait possédaient les moyens financiers nécessaires à la fabrication d'une bombe.

Lorsque, juste avant l'aube, il regagna en rampant son tunnel, le sac qu'il transportait était plein.


## QUARANTE-NEUVIÈME JOUR, 19 H 30

L'élimination d'Hamish se déroula selon le processus consacré, mais personne n'y prêta grande attention. Chloe eut beau se démener pour susciter quelque intérêt à l'égard de cette sortie, les gens ne voulaient entendre parler que de cette information sensationnelle : un autre meurtre allait avoir lieu.

Le monde entier ne parlait que de ça : l'un des trois derniers candidats allait mourir.

« Étrange, non ? opina Coleridge en inspectant les monstrueux griffonnages du bulletin posé sur le bureau de Geraldine, dans un sachet en plastique.

— C'est complètement flippant, si vous voulez mon avis, lui répondit la productrice. Comment diable savait-il qu'il aurait l'opportunité de tuer Kelly le vingt-septième jour ? Je n'avais même pas encore eu l'idée de l'étuve. De plus, il aurait pu être éliminé avant cette date. Il n'aurait pas pu, alors, revenir dans la maison, n'est-ce pas ? Et c'est quoi, cette histoire d'assassiner un des trois derniers ? Personne ne sait qui ils seront. C'est le public qui décide.

— Oui, tout cela est très étrange, n'est-ce pas ? Pensez-vous qu'il y aura un autre meurtre, madame Hennessy ?

— Je ne vois vraiment pas comment ce serait possible... D'un autre côté, il a vu juste pour Kelly, n'est-ce pas ? L'enveloppe des pronostics a été déposée dans le placard à la fin de la première semaine. Depuis, des caméras sont restées braquées sur ce placard sans interruption. Il est impossible qu'on y ait touché. D'une manière ou d'autre, le meurtrier savait.

— Ça en a tout l'air. »

À ce moment, l'assistante de Geraldine entra dans le bureau. « Deux choses, annonça-t-elle. Petit un, je ne sais pas comment vous vous êtes débrouillée, Geraldine, mais vous avez réussi. Les Américains ont accepté votre prix de deux millions de dollars *la minute* pour les droits mondiaux du dernier épisode. Le *Financial Times* écrit que vous êtes un génie...

— Et le petit deux ?

— Il est moins réjouissant. Vous avez vu Moon dans le confessionnal ? Ils réclament un million chacun, tout de suite, payable d'avance, pour rester dans la maison.

— Où est mon chéquier ?

— Cela ne va-t-il pas à l'encontre des règles ? s'étonna Coleridge.

— Inspecteur-chef, ceci est une émission de *télévision*. Les règles sont ce que nous voulons qu'elles soient.

— Ah oui, j'oubliais. Je suppose que c'est vrai.

— Et cette émission, fanfaronna Geraldine, continuera jusqu'au bout. »

## CINQUANTE-TROISIÈME JOUR, 18 HEURES

Au cours des quelques jours suivants, les policiers se démenèrent pour soutirer quelques informations au bulletin découvert dans l'enveloppe des pronostics. Ils revinrent dans la maison chercher un échantillon de l'écriture de chaque résident, main droite et main gauche. Ils relevèrent les empreintes digitales sur le placard. Ils consacrèrent des heures à étudier les rushes de la première semaine qui avaient échappé à la destruction – rushes datant de la même époque que les pronostics.

« Rien. Nous n'avons rien appris du tout, dit Hooper.

— Je ne m'attendais pas à apprendre quelque chose, répliqua Coleridge.

— En ce cas, voilà qui me console, monsieur, riposta le sergent avec le maximum de mauvaise humeur qu'il osa se permettre. C'est simple, je ne vois pas comment cela a pu se produire.

— Ce qui est le meilleur indice que vous puissiez obtenir. Car, selon moi, cela *n'a pas pu* se produire. »

Trisha, qui était en communication téléphonique, raccrocha à ce moment-là, l'air contrarié. « Mauvaise nouvelle, monsieur, j'en ai bien peur. Le patron veut vous voir.

— C'est toujours un plaisir pour moi de voir le directeur. Cela me fait envisager la retraite avec tellement plus de sérénité ! »

## CINQUANTE-TROISIÈME JOUR, 20 HEURES

Le meurtre de Voyeur Prod. rendait le directeur de la police du Sussex Est malade à mourir. « Un assassinat n'est pas du tout notre créneau, ici, dans le Sussex, inspecteur. Je suis là, moi, à essayer de mettre sur pied un service de police moderne (le directeur prohibait l'expression "forces de police"), un service qui s'assume pleinement et qui atteint facilement ses objectifs dans son secteur clé, qui est de faire respecter la loi, et tout ce dont parlent les gens, c'est de *votre* incapacité à arrêter le meurtrier de Voyeur Prod.

— Je suis navré, monsieur, mais ces enquêtes-là prennent du temps.

— Le Nouveau Sussex Est est une communauté moderne, émergente et dynamique, inspecteur. Je n'apprécie pas que notre service anthropométrique soit entaché par des jeunes femmes qui tombent du siège des toilettes un couteau dans la tête.

— Je pense que ce n'est du goût de personne, monsieur.

— Cela ternit notre image.

— Oui, monsieur.

— Hormis, naturellement, les dimensions humaines de cette tragédie dans laquelle un individu a trouvé la mort.

404

— Tout à fait.

— Et voilà que survient maintenant cet épouvantable rebondissement, avec ces nouvelles menaces. Nous formons une communauté moderne, une communauté dynamique, et, *avais-je espéré*, une communauté au sein de laquelle des groupes de jeunes gens d'origines ethniques et d'orientations sexuelles différentes pouvaient participer à une expérience sociale télévisée sans se voir menacer par des sentences de mort illégales.

— Ce par quoi vous entendez "meurtres", monsieur.

— Oui, parfaitement, inspecteur-chef, si c'est ainsi que vous préférez les nommer. Parfaitement! Cette nouvelle menace nous fait passer pour des imbéciles! Nous devons donner l'impression de les prendre très au sérieux.

— Mais bien sûr, monsieur, *donnons* l'impression de les prendre très au sérieux, mais, à mon avis, nous ne devons pas les prendre *réellement* au sérieux.

— Doux Jésus, inspecteur-chef! Un meurtre a été annoncé! Si l'institution chargée de faire respecter la loi ne prend pas ça au sérieux, qui le fera?

— Tous les autres, sans aucun doute, monsieur, et les médias en particulier, répliqua posément Coleridge. Mais, comme je viens de le dire, je ne crois pas que nous devions les imiter. Je ne crois pas qu'il y aura un autre meurtre.

— Ah oui? Et sur quoi fondez-vous tant de certitude?

— Je ne crois pas que le meurtrier ait besoin d'un second meurtre. Un seul lui suffisait, voyez-vous. »

Le directeur ne voyait rien du tout, et le ton énigmatique de Coleridge ne lui disait rien qui vaille. « Un satané meurtre est déjà un meurtre de trop, Coleridge! Savez-vous que cette affaire a éclaté quand j'étais sur le point de rendre publique ma nouvelle charte sur les méthodes préliminaires, intitulée "Policer la diversité sociale"?

— Non, monsieur. Je l'ignorais.

— Eh bien, vous n'étiez pas le seul. Tout le monde l'ignorait. Ce maudit projet a coulé à pic. Des semaines de travail, passées inaperçues, complètement inaperçues à cause de ce meurtre ridicule. Ce n'est pas facile d'attirer l'attention du ministre de l'Intérieur ces temps-ci, vous savez. »

## CINQUANTE-SIXIÈME JOUR, 19 H 30

« Moon, annonça Chloe, tu as été éliminée.

— Ouais! » brailla Moon en lançant le poing en l'air, et pour une fois, la candidate éliminée ne bluffait pas. Elle avait empoché son million de livres, plus les deux cent mille livres promises par Geraldine, et sa libération la comblait de joie. Elle n'avait aucune envie d'être l'un des trois derniers candidats, maintenant qu'une sentence de mort pesait sur l'un d'eux.

Les trois candidats restants se dévisagèrent. Garry, Jazz, Dervla. Une semaine de plus. Un autre million pour le vainqueur. Un demi-million pour le finaliste. Trois cent mille pour celui qui arriverait en troisième position.

Dans le cas où les trois survivaient, bien entendu.

Le jeu en valait la chandelle, sans aucun doute. Garry consacrerait cet argent à mener grand train. Jazz fonderait sa propre société de production pour la télévision. Et Dervla aurait de quoi sauver dix fois sa famille de la ruine. Le jeu en valait incontestablement la chandelle.

Personne ne pipa mot. Ils ne discutaient plus beaucoup entre eux, et ils s'étaient tous mis à dormir chacun dans un coin de la maison. Même Jazz et Dervla, qui étaient devenus proches, ne parvenaient plus à retrouver confiance l'un dans l'autre. Après tout, c'étaient eux qui avaient été le plus près de la sortie de l'étuve la nuit où Kelly avait été assassinée. Or, maintenant, planait cette nouvelle menace. L'ensemble du processus se résumait à une longue et sinistre attente.

L'attente du dernier jour, pour Garry, Jazz, Dervla et le monde entier.

## SOIXANTIÈME JOUR, 1 H 30

Woggle creusait à présent seize heures par jour. Pas d'affilée : il creusait pendant quelques heures, puis dormait un peu, se réveillait, s'y remettait immédiatement. Les jours n'avaient aucune importance pour lui. Seules les heures comptaient. Il n'en avait plus que cent quinze devant lui, avant que ne débute le dernier épisode de *Résidence surveillée*. Il allait devoir se dépêcher.

## SOIXANTE-DEUXIÈME JOUR, 9 HEURES

Coleridge décida qu'il était temps pour lui de mettre Hooper et Trisha dans la confidence et de reconnaître qu'il savait qui avait tué Kelly.

Il avait eu des soupçons dès le début. Dès l'instant où il avait vu le vomi sur la lunette étincelante des toilettes. Mais c'était le bulletin de pronostic, celui qui prédisait un second meurtre, qui l'avait convaincu qu'il voyait juste. Ce second meurtre qui, selon lui, n'aurait pas lieu, parce qu'il n'avait aucune nécessité.

Mais il lui manquait les preuves et plus il y réfléchissait, plus l'inspecteur savait qu'il n'en aurait jamais : il n'existait pas de preuves, et l'assassin allait s'en tirer impunément. À moins que…

L'idée du plan pour confondre l'assassin lui vint au milieu de la nuit. Le sommeil le fuyait et, pour éviter de déranger sa femme à force de soupirer, de se tourner, retourner dans le lit, il était descendu au rez-de-chaussée pour réfléchir. Il s'était servi une rasade de whisky, qu'il avait allongée d'eau tirée de la petite carafe en forme de scottish terrier. Assis au salon, dans le noir, il songea un instant combien tous les objets familiers de la pièce se paraient d'étrangeté dans l'obscurité. Puis son esprit se dirigea vers l'assassin de Kelly Simpson et se concentra sur la façon dont lui, Coleridge, pourrait se débrouiller pour traîner cet odieux personnage, cet être maudit, devant la justice. Ce furent peut-être ces deux adjectifs, « odieux » et « maudit », qui, en se présentant à lui, firent dériver ses pensées vers *Macbeth* et les répétitions qui, d'ici une quinzaine de jours et tout au long de l'automne, se tiendraient tous les mardis et jeudis. Coleridge devrait y assister car Glyn lui avait demandé si, Macduff n'apparaissant qu'au dernier acte, il accepterait d'endosser divers rôles de messagers et de serviteurs. « Plein de belles petites répliques, avait souligné le metteur en scène. De vrais petits joyaux. »

Ah, il aurait tant aimé incarner le roi sanguinaire et coupable ! Mais ce ne serait bien sûr pas le cas. Jamais Coleridge n'avait décroché un rôle principal.

Il remonta le temps en pensée, jusqu'à la première mise en scène qui l'avait bouleversé, adolescent : le *Macbeth* de Guinness. Il avait tressailli quand le spectre de Banquo était apparu au banquet, poussant le roi coupable à quasiment se trahir. Ils avaient réussi leur coup plutôt brillamment : Coleridge avait presque été aussi stupéfait que Macbeth. Aujourd'hui, naturellement, le spectre serait sans doute une image projetée sur des écrans vidéo, ou bien serait représenté par un télécopieur. Coleridge avait déjà entendu Glyn annoncer que ses spectres seraient *virtuels* ; mais autrefois un peu de théâtre réaliste n'effrayait pas le public, qui aimait la vue du sang.

« Ne secoue pas contre moi tes boucles sanglantes », murmura Coleridge dans sa barbe. Et ce fut à cet instant qu'il sut ce dont il avait besoin pour piéger l'assassin : un peu de théâtre réaliste. À défaut de preuve authentique, résolut-il, la justice naturelle en réclamait une fabriquée de toutes pièces. C'était une idée dictée par le désespoir, Coleridge le voyait bien, et il lui restait très peu de temps pour la mettre à exécution. Mais elle offrait une petite chance, une dernière chance de venger cette pauvre gourde de Kelly.

Le lendemain matin, Coleridge en parla à Hooper et Trisha. « Le spectre de Banquo, dit-il. Il a pointé son doigt, d'accord ?

— Hein ? » fit Hooper.

Trisha savait, elle, qui était le spectre de Banquo. Elle avait étudié la littérature anglaise en premier cycle et avait même été professeur stagiaire pendant trois mois avant de décider que, quitte à passer sa vie à se colleter avec de jeunes délinquants, mieux valait s'y adonner en ayant les pleins pouvoirs pour les mettre sous les verrous. « Que vient faire le spectre de Banquo dans tout ça, monsieur ? »

Coleridge n'avait pas l'intention d'en dire davantage. Il se contenta de lui remettre une liste de courses. « Soyez gentille d'aller acheter ces articles. »

Trisha parcourut la liste des yeux. « Des perruques, monsieur ?

— Oui, correspondant à la description que j'ai notée. Le mieux serait, à mon avis, de chercher un loueur de costumes de théâtre dans l'annuaire. Je doute fort que le service des fournitures accueille mes requêtes d'un bon œil, donc, pour l'instant, je finance de ma poche. Puis-je vous confier un chèque en blanc ? »

## SOIXANTE-TROISIÈME JOUR, 18 H 30

Si ses calculs étaient corrects, Woggle se trouvait pile sous la maison. Il avait vu juste pour la localisation, il avait vu juste pour le timing, et il avait réussi à remorquer le lourd sac de toile à sa suite.

Accroupi dans l'obscurité de son tunnel, Woggle savait qu'à quelques centimètres au-dessus de lui, les trois derniers candidats se préparaient à l'ultime élimination. Eh bien, il allait leur offrir, à eux et à Voyeur Prod., une petite fête de départ qu'ils n'étaient pas près d'oublier.

## SOIXANTE-TROISIÈME JOUR, 21 H 30

Arriva donc la fin de la partie.

Et avec elle, la dernière chance, pour l'assassin, de tuer, la dernière, pour Coleridge, de confondre celui-ci avant que tout l'édifice de *Résidence surveillée* ne soit démantelé et dispersé. D'instinct, l'inspecteur savait que, s'il ne procédait pas à son arrestation ce soir-là, sa proie lui échapperait à jamais.

Cependant, comment allait-il pouvoir s'y prendre ? Il ne détenait aucune preuve. Pour l'instant, du moins.

L'inspecteur n'était pas le seul à éprouver de la frustration. Le public de l'émission partageait ce sentiment ; la soirée de l'élimination finale touchait à sa conclusion, et, jusque-là, il ne s'était pas produit grand-chose. La plus vaste audience jamais réunie devant une émission de télévision regardait ce qui s'avérait être le plus grand des non-événements dans l'histoire des programmes audiovisuels.

Voyeur Prod. s'était pourtant donné du mal et avait mis en œuvre tous les ingrédients d'un immense spectacle télévisuel : feux d'artifice, ballets de projecteurs, groupes de rock, trois camions rouges de pompiers pour transporter individuellement chaque candidat par-dessus le fossé. La presse du monde entier était présente, les foules déchaînées également. Les magnifiques seins de Chloe étaient là, eux aussi, exposés dans leur quasi-intégralité à force de chercher à s'échapper du carcan de cuir rose de son soutien-gorge.

Plus bizarrement, cinq des six candidats précédemment éliminés étaient eux aussi présents. Tous les suspects étaient de retour sur le lieu du crime.

En fait, les anciens résidents étaient tenus par les termes de leur contrat de revenir pour l'émission de clôture, mais sans doute seraient-ils revenus sans y être obligés. La célébrité exerçait une attraction toujours aussi puissante et, à l'exception de Woggle, évaporé dans la nature, Voyeur Prod. les avait tous réunis. Même Layla avait fait un effort et s'était mise sur son trente et un, tout comme David, Hamish, Moon et Sally, saluée d'un immense cri de bienvenue lorsqu'elle entra, à pas lents, car encore en convalescence.

En cette occasion spéciale, le boys' band numéro un des listes ce mois-là joua, en live, la musique du générique d'ouverture depuis une montgolfière. Les caméras montrèrent ensuite, en direct, les trois derniers résidents dans la maison. Le public rongeait son frein. Le mystérieux meurtrier lui avait promis que l'une des trois personnes qu'il voyait sur l'écran géant allait mourir.

Cependant cela n'eut pas lieu. Les musiciens jouèrent, le public poussa ses acclamations, la chorale de l'ancienne école de Kelly chanta en sa mémoire *Imagine*, de John Lennon, et, un par un, les trois derniers occupants furent désignés par les votes et quittèrent la maison, mais *personne, absolument personne, ne fut assassiné*.

Le premier à sortir fut Garry : « Ouais, ça va ! Franc jeu ! C'est l'éclate ! Respect ! »

Arriva ensuite Dervla : « Je suis juste contente que ce soit fini et d'être vivante. »

Et enfin, Jazz : « Mortel ! »

Jazz avait été donné pour favori depuis sa théâtrale intervention dans le confessionnal. L'offensive de Dervla à la boxe contre Garry avait considérablement rétréci le fossé qui la séparait de Jazz, mais pas assez pour effacer sa tricherie de l'esprit des gens. Ce fut donc Jazz qui se détacha comme vainqueur évident et populaire. Quant à Garry, il avait perdu du terrain tout au long de la semaine et se situait loin derrière.

C'en était fait. Tous étaient sortis, sains et saufs, et aussi fort que pût l'espérer le public, il était peu vraisemblable que l'un des trois finalistes, qui, cramponnés à leur chèque, souriaient de soulagement et de bonheur, saute sur l'un des deux autres pour l'assassiner.

Le baisser de rideau était proche. Kelly avait fait l'objet d'un hommage particulièrement mielleux, mêlant musique et discours, donnant l'impression qu'elle avait été un croisement de mère Teresa et de la princesse Diana, impression accrue par une musique d'Elton John. À présent, Chloe exécutait son numéro d'amuseur public et soulignait, par des commentaires appropriés, combien tout cela était super et mortel, en s'efforçant de cacher sa déception à l'idée que rien de plus excitant n'avait eu lieu.

L'inspecteur Coleridge se tenait derrière Geraldine dans le studio. Il essayait de paraître satisfait, détendu, mais il n'avait de cesse de surveiller par-dessus son épaule la grande porte, au fond du studio. Il attendait Hooper et Patricia, qui n'avaient donné aucun signe jusque-là. S'ils n'arrivaient pas dans quelques minutes pour lui fournir la preuve dont il avait besoin, l'inspecteur savait que sa proie lui échapperait.

« Vous aviez raison, dit Geraldine sans enthousiasme. Personne n'a été assassiné. Vous savez, j'ai vraiment cru que ce salaud pourrait réussir à mettre son plan à exécution. C'était idiot de ma part, je suppose, mais il s'était si extraordinairement bien débrouillé la première fois ! Cela dit, ça ne change rien pour moi. L'émission était prévendue. » Elle jeta un coup d'œil à sa montre. « Cinquante-trois minutes jusque-là, ça fait cent six millions de dollars. Très très bien joué, vraiment. »

Elle appela par l'Interphone Bob Fogarty, dans la cabine de contrôle. « Bob, dis à cette bimbo de Chloe de conclure le plus lentement qu'elle peut. Des mots d'une syllabe, s'il te plaît. Quand elle a fini, tu repasses l'hommage à Kelly et tu envoies la version longue du générique. Chaque seconde vaut de l'argent. »

Coleridge coula un nouveau regard vers la porte : toujours pas le moindre signe de ses assistants. Tout menaçait de lui filer entre les doigts. Il devait absolument inventer un moyen de retarder la fin de l'émission. Le spectre de Banquo ne pouvait fonctionner que pendant l'émission. Il devait y avoir un banquet en cours. En privé et sans témoins, la déconfiture de Macbeth ne signifierait rien.

« Attendez une minute, madame Hennessy, déclara-t-il posément. Je crois pouvoir vous faire gagner quelques millions de dollars de plus. »

La productrice savait reconnaître une intonation sincère lorsqu'elle en entendait une. « Laissez tourner les caméras ! cria-t-elle dans son Interphone. Et dites à mon chauffeur d'attendre. Qu'avez-vous derrière la tête, inspecteur ?

— Je vais capturer l'assassin de Voyeur Prod. pour vous.

— Putain ! »

Même Geraldine fut surprise d'entendre l'inspecteur Stanley Spencer Coleridge demander si l'on pouvait lui donner un micro.

On se hâta de lui en glisser un sans fil dans la main, et là, à l'immense surprise générale, Coleridge monta rejoindre Chloe sur scène. Partout dans le monde, et dans toutes les langues parlées sous le soleil, on se posa la même question : « Mais qui diable est ce vieux bonhomme ? »

« Je vous prie de m'excuser, Chloe… J'ai bien peur d'ignorer votre nom de famille, commença Coleridge, et j'espère que le public lui aussi me pardonnera d'empiéter pour quelques instants sur son temps. »

À la vue de ce citoyen d'âge mûr qui envahissait la scène, Chloe lança des regards affolés autour d'elle, se demandant où étaient passés les agents de la sécurité.

« Continue, Chloe, lui chuchota le responsable du studio dans l'oreillette. Geraldine dit qu'il est OK.

— Ah, bon. Super », répondit-elle, dubitative.

Les regards étaient rivés sur Coleridge. Jamais il ne s'était senti aussi ridicule, mais il avait agi en désespoir de cause. Toujours pas le moindre signe de Hooper et de Patricia. L'inspecteur savait qu'il allait devoir gagner du temps. Il contempla la mer de visages tendus d'expectative et empreints d'une légère hostilité. Il s'efforça de ne pas penser aux centaines de millions d'autres visages qu'il ne pouvait voir, mais qui, il le savait, le scrutaient. Il dompta son trac.

« Mesdames et messieurs, je suis l'inspecteur-chef Stanley Coleridge, de la police du Sussex Est, et je suis ici pour arrêter l'assassin de Kelly Simpson, célébrité temporaire affiliée à la paroisse de Stoke Newington, de Londres. » *Célébrité temporaire?* Il ne savait pas pourquoi il avait dit cela, mais il savait en revanche qu'il allait devoir *temporiser, temporiser* à tout prix. Pendant combien de temps, il n'en avait aucune idée.

Une fois dissipée la sensation causée par son préambule, Coleridge se tourna vers les huit ex-colocataires que Chloe avait rassemblés sur scène. Ces huit personnes dont il avait si longuement observé les visages. Les suspects.

« Cette enquête n'a pas été facile. Tout le monde sur cette planète avait sa théorie, et les mobiles étaient légion – fait qui nous a considérablement déroutés, mes officiers et moi-même, au cours des dernières semaines. Mais l'identité de ce meurtrier cruel, de cet individu méprisable qui a jugé bon de plonger un couteau dans le crâne d'une belle jeune fille innocente, est restée un mystère. »

Coleridge se sentait devenir la proie d'un phénomène assez étrange, inédit, qui agissait au plus profond de son estomac. Cette sensation était nouvelle, mais loin d'être déplaisante. Se pouvait-il qu'il soit en train de *s'amuser?* Le terme était peut-être exagéré. La tension était trop forte, et l'éventualité d'un échec trop immédiate ; mais assurément il se sentait… stimulé. S'il avait eu le loisir d'un instant de réflexion, il aurait pu songer que les circonstances lui offraient sur un plateau ce qu'il désirait par-dessus tout et que sa compagnie de théâtre amateur lui déniait depuis si longtemps : un public, et un premier rôle.

« Donc, reprit-il face à la caméra dont le voyant rouge était allumé (car il présumait, à juste titre, que c'était celle du direct), qui a tué Kelly Simpson? Tout d'abord, compte tenu des nombreuses suspicions qui ont pesé sur plusieurs innocents, il n'est que justice, je crois, de commencer par établir clairement qui ne l'a pas tuée. »

« Ce type est fait pour la télé », chuchota Geraldine au responsable du studio. Cette facette inédite de la personnalité de Coleridge lui en bouchait un coin, et, si riche qu'elle fût, chaque minute où il parlait lui faisait gagner deux millions de dollars supplémentaires.

*Temporise. Temporise*, s'intimait in petto Coleridge, ce à quoi Geraldine aurait applaudi de tout cœur.

« Sally ! lança-t-il, en pivotant théâtralement vers les huit suspects. Vous avez été victime d'une affreuse coïncidence. Les souffrances de votre pauvre mère, dont vous aviez souhaité qu'elles demeurent une affaire privée, ont été publiquement divulguées. La crainte que le fléau qui a détruit sa vie puisse également avoir détruit la vôtre vous a torturée. Et la question "Ai-je assassiné Kelly ?" vous a harcelée. L'obscurité de cette étuve avait-elle servi de révélateur à votre vraie personnalité ? »

Sally, le regard absent, ne répondit pas. Elle pensait à sa mère, assise dans cette affreuse petite chambre où elle avait passé le plus clair des vingt dernières années.

« Permettez-moi de vous assurer, Sally, qu'à aucun moment je n'ai pensé que vous étiez coupable. Vos antécédents familiaux exceptés, vous n'aviez pas l'ombre d'un mobile, et que cette histoire puisse se répéter avec autant d'exactitude relèverait d'une coïncidence tellement invraisemblable que cela en devient virtuellement impossible. Nombre de familles ont un antécédent de désordre mental dans leur généalogie… D'ailleurs, la productrice de cette émission en personne pourrait en témoigner, n'est-ce pas, madame Hennessy ?

— Hein ? croassa Geraldine, qui se délectait du spectacle, mais ne s'attendait pas à y être associée.

— Dans les procès-verbaux des interrogatoires des membres de votre équipe, j'ai remarqué que, lorsque, par deux fois, Sally et Moon avaient évoqué la vie dans les hôpitaux psychiatriques, vous aviez souligné que cela ne s'y passait pas du tout comme elles le prétendaient. Vous avez même assez clairement expliqué à quoi ressemblait vraiment la vie dans un hôpital psychiatrique. Je ne peux que présumer que vous parliez d'expérience ? » Coleridge jeta encore un regard vers la porte du studio. Pas l'ombre d'un signe. *Temporise.*

« Eh bien, il se trouve que vous présumez juste, déclara Geraldine dans le micro-perche que l'équipe du studio, par réaction instinctive, s'était empressée de descendre à portée de sa bouche. Ma mère était un peu fêlée, et il se trouve que c'était aussi le cas de mon père, alors crois-moi, Sally, je sympathise entièrement avec le préjugé monstrueux auquel tu as dû faire face.

— Un sentiment qui vous honore, souligna Coleridge. Et ce d'autant plus que le corps médical estime que lorsque les deux parents souffrent d'instabilité mentale, leur progéniture a trente-six pour cent de risques d'hériter de ce qu'ils ont enduré. »

Geraldine n'appréciait guère de voir son linge familial lavé à ce point publiquement, mais elle jugea qu'à deux millions de dollars la minute, elle pouvait le supporter.

Coleridge se tourna une fois de plus vers les suspects. « J'espère donc, Sally, que cette terrible expérience vous aura appris qu'il est inutile de redouter le fardeau de votre passé. Vous n'avez pas assassiné Kelly Simpson, mais vous avez été à deux doigts d'être vous-même assassinée, comme j'ai l'intention de le montrer. »

Le public en avait le souffle coupé ; Coleridge essaya de tirer le meilleur parti de cette réaction.

« Bien, qu'en est-il des autres ? Moon a-t-elle assassiné Kelly ? Moon ? Vous êtes une menteuse chevronnée, nous l'avons appris en regardant les cassettes. Le public, lui, n'a jamais vu cette scène où vous inventez de toutes pièces une histoire d'abus sexuel, dans l'espoir de grappiller quelques pauvres points ; moi, en revanche, je l'ai vue, et je me suis dit qu'une femme capable d'inventer des mensonges aussi grotesques et à ce point dénués de sensibilité pouvait mentir à propos de tout et de n'importe quoi – meurtre inclus. »

Les caméras pivotèrent vers Moon.

« Gros plan maximum ! » hurla Fogarty depuis la cabine de contrôle.

Moon transpirait. « Mais c'est quoi, ce putain de…

— S'il vous plaît, si nous pouvions modérer notre langage, gronda Coleridge. Nous sommes en direct à la télévision, après tout. Inutile de vous mettre dans un tel état, Moon. S'il y avait autant de meurtriers que de menteurs en ce monde, nous serions tous morts à cette heure. Vous n'avez pas tué Kelly.

— Ben, ça, je le sais.

— Personne ne savait, ni n'était sûr de rien, au cours de cette enquête, Moon. Pensez donc, nous avons même soupçonné Layla. »

Les caméras pivotèrent pour cueillir l'expression choquée qui se peignait sur le visage de l'intéressée.

« Quoi ?

— Eh oui, l'apparente impossibilité du meurtre était telle qu'à un moment donné il a semblé envisageable que vous vous soyez infiltrée par une bouche d'aération, lors de cette sinistre nuit. Tout le monde n'avait-il pas vu Kelly vous sélectionner, pour ensuite vous serrer dans ses bras et vous embrasser au moment des adieux ? Cela a dû être blessant, pour une jeune femme aussi fière que vous.

418

— Ça l'a été, et, j'ai honte de l'avouer, mais quand j'ai appris que Kelly avait été assassinée, pendant un instant, j'ai été contente. N'est-ce pas atroce ? Mais depuis, je suis allée consulter quelqu'un, et ça m'aide beaucoup.

— Grand bien vous fasse, dit Coleridge. Car entendons-nous bien : dans notre monde d'aujourd'hui, il n'existe pas une circonstance, ni une situation, qui ne puisse tirer bénéfice d'une consultation. Vous avez tout simplement fait preuve d'égoïsme, Layla, rien d'autre, mais je ne doute pas qu'il se trouvera quelqu'un, quelque part, pour vous expliquer que vous aviez le droit de vous montrer égoïste. » Le sarcasme était mordant, mais la foule n'y vit que du feu ; elle applaudit, s'imaginant, à l'instar de Layla, que l'inspecteur témoignait ici d'une compassion pétrie de bons sentiments, dans la droite ligne d'Oprah.

« Layla avait depuis longtemps quitté la maison le jour où Kelly est morte, ce qui n'était pas le cas de Garry. Alors, Garry, et vous ? Avez-vous assassiné Kelly ? L'envie ne vous en manquait certainement pas. Le pays tout entier l'a vue vous assener quelques vérités désagréables sur les responsabilités incombant à un père. Après cela, vous aviez un mobile, sans l'ombre d'un doute. Maintes fois, dans l'histoire, la fierté blessée s'est trouvée à l'origine d'un meurtre, mais je vous soupçonne de ne pas accorder assez d'importance à quoi que ce soit pour courir le type de risques que ce meurtrier a pris. Alors, qu'en est-il de vous, Hamish ? Vous seul savez ce qui s'est passé entre Kelly et vous, la nuit où vous avez titubé tous les deux, ivres morts, jusqu'à la petite cabane. Peut-être Kelly avait-elle sa propre version de l'histoire à raconter ? Si elle l'a fait, heureusement pour vous, nous ne l'avons jamais entendue. Souhaitiez-vous la réduire au silence ? Avez-vous, tandis que vous étiez dans cette affreuse étuve, tendu une main pour l'empêcher de parler ? »

Hamish ne répondit rien ; il se contenta de décocher un regard féroce à Coleridge en se mordant la lèvre.

« Ce n'est pas impossible, reprit l'inspecteur, mais vous ne l'avez pas tuée. Et maintenant, qu'en est-il de David ? » Coleridge tourna les yeux vers le bel acteur, dont le visage, en dépit des épreuves traversées, affichait fierté et arrogance. « Vous partagiez un secret avec Kelly, vous aussi. Un secret dont vous espériez qu'il le reste, et que la disparition de Kelly, selon vous, protégeait.

— Pour l'amour du ciel, je n'ai pas…

— Non, je sais que vous ne l'avez pas tuée, David. Malheureusement pour vous, toutefois, à cause de sa mort et de l'enquête qui s'en est suivie, le monde a finalement découvert votre secret, et, comme Kelly, je doute qu'à présent vous puissiez jamais réaliser vos rêves.

— En fait, j'ai eu quelques propositions intéressantes, rétorqua David d'un ton de défi.

— Vous persistez à jouer un rôle, David ? Je vous conseille d'essayer de regarder la vérité en face. Sur le long terme, cela facilite la vie. »

Tandis que David lui jetait un regard peu amène, Coleridge détourna une nouvelle fois le sien vers la porte du studio. Toujours pas le moindre signe de Hooper et de Patricia. Combien de temps encore pourrait-il faire traîner en longueur ? Il commençait à être à court de suspects.

« Dervla Nolan, j'ai toujours eu quelques doutes à votre sujet », déclara-t-il en se tournant théâtralement vers la jeune fille, l'index tendu.

420

Les caméras réajustèrent leur mise au point.

« Encore aujourd'hui, inspecteur ? riposta Dervla, ses yeux verts traversés d'éclairs de méfiance et de colère. Et pourquoi ces doutes ?

— Parce vous étiez très investie dans le jeu. Parce que vous avez le courage d'un franc-tireur et que vous avez tout risqué en communiquant avec le cadreur Larry Carlisle à travers le miroir. Parce que vous étiez la personne assise le plus près de l'entrée de l'étuve et que vous auriez pu en sortir à l'insu des autres. Parce que vous aviez un besoin désespéré d'argent. Et qu'on vous avait dit que, Kelly morte, vous seriez la gagnante. Ce n'est pas un mauvais concours de circonstances, mademoiselle Nolan. Je pense qu'un bon procureur pourrait en tirer quelque chose !

— C'est de la démence. J'adorais Kelly, vraiment…

— Mais vous n'avez pas gagné, n'est-ce pas, Dervla ? poursuivit fermement Coleridge. C'est Jazz le vainqueur. Finalement, c'est ce bon vieux Jazz qui a gagné. Jazz, le copain de tout le monde, le comique, l'homme qui se trouvait, lui aussi, à une place stratégique dans l'étuve, et qui aurait pu la quitter sans être remarqué ! L'homme dont les empreintes génétiques sont le plus représentées sur le drap utilisé par l'assassin. L'homme qui a si commodément brouillé ces mêmes empreintes en reposant ce drap sur la pile après l'avoir utilisé. Dites-moi, Jazz, pensez-vous franchement que vous auriez gagné si Kelly n'était pas morte ?

— Hé, minute ! protesta l'intéressé. Vous essayez tout d'même pas de dire que…

— Répondez à ma question, Jason. Si Kelly avait survécu cette nuit-là, la nuit où elle vous a effleuré en quittant l'étuve et où quelqu'un lui a emboîté le pas pour la tuer, auriez-vous gagné ? Ne serait-ce pas son nom qui serait inscrit sur le chèque que vous tenez en ce moment ?

— J'en sais rien… Peut-être, mais ça veut pas dire que j'l'ai tuée.

— Non, vous avez raison. Cela ne signifie pas que vous l'avez tuée, et effectivement, vous n'êtes pas le coupable. *Parce qu'aucun de vous n'est le coupable.* »

L'émoi que causa cette déclaration fut des plus gratifiants. Coleridge était déchiré par des émotions contradictoires. Une part de lui, la principale, se débattait dans un tourment absolu et attendait désespérément l'arrivée de Hooper et de Trisha – arrivée qui, si elle était encore différée, perdrait de toute façon son utilité. Mais il existait en Coleridge une autre part, celle du comédien frustré : cette part-là savourait chaque minute de son jour de gloire.

« Vous êtes tous innocents, répéta-t-il. C'est un fait établi : aucune des personnes présentes dans l'étuve avec Kelly, la nuit où elle est morte, ne l'a assassinée !

— C'était Woggle, n'est-ce pas ? s'écria Dervla. J'aurais dû m'en douter ! Il nous haïssait tous ! Il s'est vengé de l'émission.

— Ah ! tonna Coleridge. Woggle, le creuseur de tunnels ! Bien sûr ! L'erreur générale au cours de cette enquête – *mon* erreur – a été de présumer que le meurtre avait été commis par une personne vivant dans la maison à ce moment-là. Mais qu'en était-il des ex-résidents – pas Layla, mais Woggle ? N'était-il pas aisé, pour un militant anarchiste de son acabit, pour un saboteur, un creuseur de tunnels expérimenté, d'entrer par effraction dans la maison et de prendre sa revanche sur l'émission ? De se venger, plus particulièrement, de la fille qui l'avait sélectionné et ensuite insulté en lui offrant un gâteau au tofu et à la mélasse à titre de réconfort ? »

Dans le studio, ce fut l'éruption. Partout dans le monde, les téléscripteurs se mirent à caqueter. Ainsi, finalement, c'était Woggle le coupable. Le diabolique personnage qui tabassait les adolescentes avait surpassé ses précédents degrés de violence.

« Mais, naturellement, ce n'est pas Woggle ! s'impatienta Coleridge. Doux Jésus, si ce bonhomme reconnaissable entre mille avait surgi de sous la moquette, nous l'aurions remarqué, non ? Alors, cessons de chercher des opportunités pour nous pencher sur le *mobile*. Quels sont généralement les mobiles d'un crime ? La haine en est un, à mon sens. La haine conduit les gens à tuer, et mes recherches ont révélé qu'une relation véritablement haineuse minait l'expérience de Voyeur Prod., mais qu'elle ne filtrait pas à l'intérieur de la maison. Il s'agissait de la haine qu'éprouvait Bob Fogarty, le chef monteur des épisodes, à l'égard de Geraldine Hennessy, la productrice ! »

Coleridge, le doigt tendu vers le fond du studio par-dessus les têtes du public, désigna la lucarne obscure, tout en haut du mur. « Derrière cette vitre, poursuivit-il, se trouve l'équipe de montage de Voyeur Prod. Et l'homme qui la dirige pense que son chef, Geraldine Hennessy, est une prostituée du petit écran. C'est ce qu'il a déclaré à l'un de mes officiers. Il affirme que le travail de Mme Hennessy est représentatif du plus bas niveau de qualité jamais atteint par des programmes télévisés ; il a déclaré qu'elle avait détruit l'industrie qu'il adorait et qu'il attendait impatiemment sa chute ! Mais… il n'a pas tué Kelly. »

Coleridge détecta un sursaut d'impatience dans la foule. Il savait qu'il ne pourrait pas continuer encore bien longtemps ce petit numéro. Cela avait assez duré. Mais peu lui importait. Coleridge souriait, car au fond du studio la lourde porte s'était enfin ouverte. Hooper se faufila et, de ses deux pouces dressés, lui adressa le plus bref des signaux.

Geraldine ne prêta pas garde au sourire qui s'élargit alors sur le visage de l'inspecteur. Elle était trop occupée à sourire elle aussi : d'un coup d'œil à sa montre, elle calcula que ce policier fou, en occupant la scène depuis cinq minutes et demie, lui avait fait gagner onze millions de dollars supplémentaires. En plus, cet imbécile n'en avait manifestement pas terminé.

Mais ce sourire n'allait pas durer.

« Donc ! repartit Coleridge d'un ton théâtral. Nous savons maintenant qui n'a pas tué Kelly Simpson. Venons-en au problème qui nous occupe vraiment : établir qui l'a tuée. Il ne s'est rien passé dans cette maison qui n'ait été au préalable arrangé, manipulé et conditionné par la production. Rien, mesdames et messieurs, pas même le plus odieux des crimes. En conséquence, n'ayons aucun doute là-dessus : le meurtrier n'était autre que... vous, Geraldine Hennessy ! » conclut-il, l'index braqué. Et les caméras de pivoter diligemment vers la direction indiquée.

Pour une fois, Geraldine se retrouva du mauvais côté de l'objectif.

« Vous avez perdu la raison ! s'étrangla-t-elle.

— Croyez-vous ? Eh bien, je pense que vous en savez quelque chose, madame. »


Trisha entra dans la cabine de montage, un sac en plastique rempli de cassettes à la main. Elle s'avança vers Bob Fogarty et lui murmura quelques mots à l'oreille.

« Je ne peux pas m'absenter en ce moment, protesta-t-il.

— Je peux me débrouiller, dit Pru, son assistante, qui toute sa vie avait attendu une occasion semblable.

424

— Je crains de devoir insister, monsieur », lui chuchota Trisha une fois de plus à l'oreille.

Fogarty se leva et quitta la cabine en embarquant sa tablette de chocolat au lait de format familial.

Pru prit en charge les écrans de retour. « Caméra quatre, dit-elle. On zoome lentement sur Coleridge. »

Sur la scène, en contrebas, le sujet de tant d'attention avait atteint sa vitesse de croisière.

« Peut-être me permettrez-vous de m'expliquer, dit-il. Considérons tout d'abord le mobile. » Il se tenait à présent bien droit, plein d'une force et d'une autorité qu'il devait non seulement à l'échauffement de ses muscles – ces muscles que tout comédien met au service de son interprétation et qui, chez l'inspecteur, se déliaient après un trop long sommeil –, mais aussi à la certitude que le succès ne vient pas sans confiance en soi. Geraldine devait absolument croire que les jeux étaient faits.

« Un mobile semble s'imposer ici, et il s'agit du plus vieux de tous. Non pas la haine, non pas l'amour, mais la cupidité. La cupidité pure et simple. Kelly Simpson est morte pour faire votre fortune, madame Hennessy. Tous les médias s'attendaient que la troisième saison de *Résidence surveillée* soit un échec. L'affaire concernant Woggle a certes attiré l'attention sur votre émission, mais c'est la mort de Kelly qui en a fait le plus grand succès de télévision dans l'histoire, *comme vous l'aviez escompté* ! Pouvez-vous le nier ?

— Bien sûr que non, riposta Geraldine. Ça ne signifie pas pour autant que je l'ai tuée. »

Elle était seule, à présent, sur le plateau. La joyeuse foule du jeune public déchaîné et les membres de l'équipe avaient reflué vers l'arrière du studio pour former un large cercle au centre duquel elle se tenait, telle une lionne aux abois, point de mire de la vaste salle ; trois grosses caméras de studio rôdaient autour d'elle, comme de grands prédateurs en chasse.

Derrière eux, sur la scène, à côté de Chloe et des huit colocataires, Coleridge toisait Geraldine et lui renvoyait son regard chargé de défiance. « Vous avez fait preuve d'intelligence, madame, d'une intelligence cruelle et diabolique. Je suis convaincu que votre trait de génie aura été d'accepter de renoncer aux premiers profits engendrés par l'intérêt que ce meurtre a suscité à l'échelle internationale. Oh oui, cela m'a assurément étonné, quand votre chef monteur, Bob Fogarty, a évoqué devant nous votre fureur d'avoir manqué ces opportunités. Combien avez-vous perdu ? Un million ? Deux, peut-être ? Un coût bien modeste pour éviter que la suspicion ne tombe immédiatement sur vous, me suis-je dit alors, puisque, ensuite, vous avez tiré des centaines de millions de dollars de votre crime.

— Allons, inspecteur, riposta Geraldine, nous sommes en direct. Vous êtes en train de vous ridiculiser aux yeux du monde entier. » La mention de l'argent lui avait remis les idées en place. L'accusation de Coleridge lui avait naturellement causé un choc, mais elle ne pouvait imaginer sur quoi il allait la fonder, sans parler de la prouver. Pendant ce temps, le drame de *Résidence surveillée* se poursuivait et les profits continuaient de s'engranger.

« Fanfaronnez autant que bon vous semble, madame, répliqua Coleridge, mais j'ai l'intention de prouver que vous êtes la meurtrière, et je compte bien vous voir punie selon les termes de la loi. Laissez-moi vous dire maintenant que j'ai deviné, dès le soir du crime, combien, dans cette affaire, les apparences étaient trompeuses. En dépit de vos impressionnants efforts, il demeurait des détails discordants. Pourquoi ce cadreur, Larry Carlisle – la seule personne à avoir vu le meurtrier, sous son drap, suivre Kelly jusqu'aux toilettes –, pensait-il que celui-ci était apparu deux minutes seulement après que Kelly eut quitté l'étuve, alors que ceux qui observaient la scène sur *les écrans* pouvaient voir que les minutes en question étaient plus vraisemblablement au nombre de cinq ?

— Larry Carlisle s'est révélé être…

— Un témoin bien peu fiable, je vous l'accorde, mais suffisamment, me semble-t-il, en ce qui concerne le point qui nous occupe ici. Sinon, comment expliquer que le sang s'écoulant des blessures de Kelly ait semblé s'accumuler si rapidement ? Le médecin était surpris, tout autant que moi. *Qui aurait cru que la jeune femme eût en elle tant de sang ?* dirais-je pour paraphraser le barde de Stratford-upon-Avon. Cela fait un écoulement de sang considérable pour ces deux minutes censées séparer le meurtre de votre arrivée sur les lieux, madame, mais qui s'explique beaucoup mieux quand vous songez aux cinq minutes indiquées par Carlisle.

— Mais le sang ne coule pas à la même vitesse chez tout le monde, bordel de merde ! aboya Geraldine, oubliant momentanément qu'elle parlait en direct à la télévision.

— Et il y avait aussi le vomi, poursuivit Coleridge. Kelly avait beaucoup bu et s'était précipitée en urgence aux toilettes, n'est-ce pas ? Mais, d'après ce que nous avons vu, lorsqu'elle y est arrivée, elle s'est contentée de s'asseoir. Détail plus curieux encore, bien que la cuvette ait manifestement été récurée, il demeurait, par endroits sur la lunette, des éclaboussures de vomi – qui, c'est établi, émanaient bel et bien de Kelly. Comment cela était-il possible ? me suis-je demandé. En visionnant à nouveau la cassette, j'ai bien vu que Kelly ne vomit pas, à peine s'assoit-elle… et pourtant, je le sais, elle était malade. Il y avait du vomi dans sa bouche, il y en avait sur la lunette des W.-C. Sans le moindre doute, voilà une fille qui s'est précipitée aux toilettes, qui s'est agenouillée devant la cuvette et qui a été malade. Et pourtant, quand je regarde la vidéo, *Kelly est juste assise.* »

En haut, dans la cabine de montage dont elle s'était approprié le contrôle, Pru tenait la mission de sa vie. Travaillant en direct et dans l'improvisation totale, elle avait d'abord réussi, en criant posément des instructions claires à l'équipe d'opérateurs sous le choc, à couvrir en image la scène qui se déroulait en bas dans le studio. Voilà qu'elle se surpassait maintenant en réussissant à retrouver l'emplacement de la scène du meurtre sur la cassette et en l'insérant dans le direct en même temps que Coleridge parlait. Une fois de plus, de par le monde, les téléspectateurs virent Kelly entrer dans les toilettes et s'asseoir sur la cuvette, mais ils découvrirent cette fois la séquence familière à la lumière d'un contexte nouveau.

En bas, dans le studio, la confrontation se poursuivait.

« Je me suis ensuite intéressé au son des cassettes enregistrées pendant le meurtre. Au début de la soirée, la plupart des paroles échangées dans cette sinistre boîte en plastique sont clairement audibles – et, si je puis me permettre, peu d'entre elles font honneur aux huit personnes ici présentes sur cette scène. Franchement, ajouta-t-il en se tournant vers les intéressés, vous devriez avoir honte. Vous n'êtes pas des bêtes, tout de même.

— Je n'y étais pas ! protesta Layla, telle une écolière anxieuse. J'avais déjà été éliminée, je n'y étais pas ! »

La prestation de Coleridge en imposait tellement qu'au lieu de rétorquer à celui-ci de s'occuper de ses affaires, les sept autres ex-colocataires rougirent en fixant leurs pieds, la mine contrite.

« Mais je m'écarte du point qui nous intéresse, admit l'inspecteur. À savoir celui-ci : tout le temps où Kelly était dans l'étuve, nous pouvions entendre ce qui s'y disait, mais, sitôt est-elle entrée dans les toilettes, le son en provenance de l'étuve est devenu confus, proche d'une cacophonie de murmures. Pourquoi ? Pourquoi ne pouvions-nous plus distinguer aucune voix ?

— Ben tiens, parce qu'ils étaient tous trop bourrés, espèce de… » Geraldine se mordit la lèvre. Elle savait qu'il n'avait pas de preuve. Il n'y avait pas lieu de s'affoler.

« Je ne pense pas, madame. Sept personnes ne se mettent pas simultanément à marmonner à l'unisson. Que s'était-il passé ? Pourquoi le son s'était-il modifié ? Était-ce parce que le son reproduit sur la vidéo n'était pas celui produit à l'intérieur de l'étuve ? Se pouvait-il que l'auteur de cette cassette ait pu souhaiter qu'il soit impossible de distinguer précisément aucune voix dans l'étuve pendant le meurtre, parce que *cette personne ignorait l'identité de celle qui allait être assassinée* ? Entendre la voix de la victime dans l'étuve, après sa mort, aurait assurément été déroutant. Était-ce pour cette raison que le son de la cassette du meurtre est aussi significativement anonyme ? »

Geraldine garda le silence.

« Faisons un bond dans le temps et considérons le moment où a été découvert le bulletin prédisant le second meurtre. Oh, que de sensations il a causées ! Mais pour moi, madame Hennessy, ce bulletin constituait la preuve définitive qu'aucun des colocataires n'avait commis le meurtre.

— Et pourquoi, mon joli ? »

Coleridge réprima un sursaut. Il avait oublié la présence de Chloe à ses côtés. La présentatrice qui, tout au long de cet exposé, avait essayé sans grande subtilité de se maintenir dans le champ des caméras tentait maintenant un mouvement pour s'investir dans l'action. Elle se sentait dans son bon droit. N'était-elle pas, après tout, l'animatrice de l'émission ?

« Pourquoi, ma chère Chloe ? Tout simplement parce que c'était complètement ridicule. Impossible. C'était un moment évident de pur théâtre. Aucun des candidats n'avait pu savoir, à la fin de la première semaine, quand et comment Kelly Simpson allait mourir. Même si quelqu'un avait prévu de la tuer, il est assez absurde d'imaginer que cette personne aurait été capable de prédire l'avenir – a fortiori avec autant de détails – et de savoir avec certitude que l'occasion se présenterait le vingt-septième jour. Alors, comment ce bulletin s'était-il retrouvé dans l'enveloppe des pronostics ? Cette même enveloppe que les colocataires avaient remplie et scellée sous nos yeux le huitième jour ? À l'évidence, une personne extérieure avait glissé ce bulletin dans l'enveloppe, l'y avait ajouté *au moment où elle avait tué Kelly*. C'était là un petit élément dramatique supplémentaire auquel vous n'avez pas pu résister, madame Hennessy. Vous étiez prête à tout pour maximiser votre prix de vente des séquences de la dernière semaine. Or, jour après jour, vous le saviez, l'intérêt suscité par le meurtre tiédissait, et chaque nouvelle élimination amenuisait les chances que le meurtrier soit toujours dans la maison. D'où ce bulletin absurde et ridicule dans l'enveloppe des pronostics, qui a berné tout le monde mais n'a servi qu'à me convaincre qu'en aucun cas il n'y aurait de second meurtre.

— Excusez-moi de vous interrompre, mon chou, dit Chloe, ravie de cette nouvelle opportunité de revenir dans l'action. On me prie en régie de vous demander comment elle a procédé. On peut prendre tout le temps que vous voulez, mais le problème, c'est qu'on est en direct. À un moment donné, on va devoir rendre l'antenne pour une page de publicité, mais on meurt tous d'envie de savoir.

— La justice va à son propre rythme, mademoiselle », déclara Coleridge avec grandiloquence. Il était cruellement conscient de ne disposer d'aucune preuve. Pour décrocher une inculpation, il lui fallait un aveu, et seul le spectre de Banquo, seule une poignée de boucles sanglantes qu'on secoue pourrait lui permettre de l'obtenir. Le minutage devait être exact, la meurtrière devait *transpirer*.

« Très bien, mon chou, dit Chloe. Ils disent que c'est bon. Bravo.

— Sans doute avez-vous tous deviné, de toute façon, comment elle a procédé ? reprit l'inspecteur. C'est évident, non ? »

La mer de visages inexpressifs du public lui procura une vision immensément gratifiante.

« Ah, mais j'oubliais naturellement un détail. Vous n'avez pas eu le privilège de visiter les studios de Shepperton, où se trouve une maquette à l'échelle de la maison. Où Geraldine Hennessy a réalisé un enregistrement vidéo. L'enregistrement d'un meurtre qui n'avait pas encore eu lieu. »

Coleridge avait renoncé à tout semblant de réserve et de calme. Il était entré dans la peau d'un comédien — d'un comédien qui remportait un franc succès.

« Par une sinistre nuit, peu avant le coup d'envoi de l'émission, Geraldine Hennessy s'est introduite dans la maquette de la maison. D'un coup de manivelle, dans un fracas métallique, elle a allumé les lumières du studio et mis en route les caméras télécommandées qui, peu de temps après, seraient installées dans la vraie maison. Elle a également mis en marche une caméra manuelle qu'elle a poussée devant la porte des toilettes avant de bloquer son objectif, comme elle indiquerait à Carlisle de le faire, un mois plus tard. Ensuite, madame Hennessy s'est entièrement déshabillée, et s'est coiffée d'une perruque brune, de la même couleur que les cheveux de Kelly Simpson. Elle est entrée dans la maquette des toilettes, où seule la caméra placée haut derrière son dos l'enregistrait. Elle s'est empressée de s'asseoir et de plonger sa tête entre ses mains. Mettre en scène cette supercherie ne présentait aucune difficulté. Une caméra suspendue n'offre pas une qualité suffisante de perspective pour permettre de remarquer des discordances de taille et de silhouette et, vu en plongée aussi abrupte, un corps tassé sur un siège de toilettes ne se différencie pas particulièrement d'un autre. Donc, environ un mois avant la date à laquelle il s'est réellement déroulé, le dernier voyage de Kelly aux toilettes a été… reconstitué – pré-constitué, devrais-je dire. »

Coleridge se régalait. Le spectre de Banquo attendait en coulisse, Macbeth (mais n'était-ce pas plutôt lady Macbeth ?) lui faisait face dans toute sa morgue. Il ne lui restait plus à présent qu'à amener son adversaire jusqu'au point où ses nerfs allaient céder, et il s'en sentait capable. En trente-cinq ans de bons et loyaux services généralement couronnés de succès, au sein de la police, on ne pouvait pas dire que Coleridge eût particulièrement brillé. Mais ce soir-là, tandis que se profilait le terme de sa longue carrière, il étincelait.

« Donc, poursuivit-il, Geraldine Hennessy jouant le rôle de Kelly est assise sur les toilettes. Au-delà de la maquette de la grande pièce à vivre, dans la chambre des garçons – où l'on a construit une petite étuve, exactement selon les mêmes spécifications et positions

432

qui seront données plus tard aux colocataires – voilà qu'émerge une silhouette drapée. Votre complice dans cette comédie macabre, madame Hennessy. La silhouette traverse la grande pièce, s'empare d'un couteau et fait irruption dans les toilettes, en soulevant le drap derrière elle pour masquer son champ à la caméra. La silhouette exécute deux mouvements en plongée. Un détail de mise en scène intelligent, madame, ces deux coups. Un premier coup pour rien, qui donne l'impression qu'il s'agit d'une improvisation désespérée plus que d'une supercherie froide et habile. Un seul coup mortel aurait pu sembler trop prémédité. Ensuite, alors que vous êtes toujours tassée sur le siège des toilettes, votre complice vous recouvre d'un drap, retraverse la réplique de la maison et regagne l'étuve.

— Qui ça? Qui était le complice? souffla Chloe.

— Eh bien, mais Bob Fogarty, évidemment. Ce ne pouvait être que lui. L'homme qui hait Mme Hennessy avec tant d'acharnement. Le monteur en possession d'un talent équivalent au vôtre, madame. Car voici l'hypothèse que je vous soumets : personne n'a jamais vu le meurtre de Kelly! Ce sinistre événement n'a jamais été enregistré. C'est la cassette que vous avez préparée avec Fogarty, à Shepperton, qui a été diffusée cette nuit-là et qui a depuis passionné les foules! Votre construction d'un meurtre qui ne s'était pas encore produit, et que Fogarty et vous-même avez insérée dans le montage au moment où la vraie Kelly est entrée dans les toilettes. Je me suis renseigné : le moment où la porte s'ouvre serait, m'a-t-on dit, l'instant idéal pour substituer une cassette à une autre. À partir de ce moment-là, vous et tous les gens qui se trouvaient à la régie étiez donc en train de regarder la vidéo que vous aviez enregistrée et non les images transmises en temps réel par la caméra. Vous-même vous êtes vantée de pouvoir facilement falsifier les codes horaires, et pour Fogarty et vous, qui travailliez main dans la main, il suffisait de basculer d'un canal à un autre sur vos moniteurs pour visionner cette cassette au moment requis. »

Geraldine voulut risposter mais elle resta sans voix. Le responsable de studio fit ce que font tous les responsables de studio : il lui apporta un verre d'eau.

« Maintenant que Kelly était dans les toilettes, bien que vous ne puissiez plus la voir, évidemment, vous avez actionné le cadenas télécommandé installé sur votre insistance et vous avez bloqué la porte, pour piéger la pauvre fille, pour vous assurer que ses besoins naturels ne seraient pas terminés avant que vous l'ayez rejointe. Puis vous vous êtes éclipsée de la régie en prétextant devoir, à l'instar de la jeune fille sur l'écran, aller aux toilettes, et vous vous êtes précipitée pour accomplir votre odieux forfait ! »

Cette déclaration fit sensation dans le studio, et bien sûr, partout dans le monde. Rarement un présentateur de télévision avait bénéficié d'un public aussi attentif. D'un bout à l'autre du globe, on oublia des casseroles sur le feu, des dîners brûlèrent, des pleurs de bébés passèrent inaperçus. Personne ne parla plus d'interrompre l'émission par une page de pub.

« Poursuivez, ricana Geraldine. Que suis-je supposée avoir fait ensuite ?

— Vous avez couru et emprunté le tunnel de liaison sous le fossé, après avoir, j'imagine, pris au passage une blouse que vous conserviez à un endroit stratégique. Je suis certain que, quelque part dans Londres, un incinérateur pourrait nous en dire de belles à propos d'une blouse tachée de sang. Du couloir de travelling, vous avez gagné la chambre des garçons. Là, vous avez saisi un drap sur le sommet de la pile que vous aviez demandé aux colocataires de disposer à l'exté-

434

rieur de l'étuve – cette construction en polyéthylène dans laquelle ces gens, ici devant vous, transpiraient de désirs ivres…

— Pas moi, j'avais été éliminée, pépia Layla.

— … et vous vous en êtes recouverte. Vous avez ensuite traversé la grande pièce pour aller prendre le couteau, vous arrêtant brièvement devant le placard de la cuisine pour en sortir l'enveloppe des pronostics, l'ouvrir et transvaser son contenu dans une autre enveloppe identique. C'est à ce moment-là que vous avez ajouté votre bulletin prédisant un second meurtre. À l'insu de tous, évidemment, puisque, en régie, l'équipe regardait la cassette que Fogarty et vous-même aviez enregistrée un mois auparavant : ils y voyaient Kelly Simpson tranquillement assise aux toilettes, et personne d'autre pour l'instant. Il fallait certes prendre en compte le cameraman chargé du direct, mais Larry Carlisle avait reçu ordre de filmer la porte des toilettes et d'attendre la sortie de Kelly. *Ce* pourquoi Carlisle affirmait que moins de temps s'était écoulé entre le moment où Kelly est entrée dans les toilettes et celui où le meurtrier est apparu : la silhouette dissimulée sous un drap qu'il a vue filer près de lui, c'était vous – *le vrai assassin*. Pendant ce temps, à la régie, votre complice et l'équipe de montage continuaient à observer une maison paisible, dans laquelle une fille, toute seule, était assise sur les toilettes. Vous, madame Hennessy, seriez de retour à la régie avant que votre cassette ne montre une silhouette couverte d'un drap pénétrer dans les toilettes. »

Il y eut des exclamations étouffées et des applaudissements dans le public.

« Incroyable, dit Chloe. C'est dingue. Complètement dingue. Purement et simplement mortel. »

435

Geraldine demeura silencieuse, sur sa réserve, comme tenue en respect par les trois caméras braquées vers elle.

« Mais je m'emballe, reprit Coleridge. Cette pauvre Kelly Simpson est encore vivante… Plus pour très longtemps, cependant. La porte des toilettes s'ouvre, déverrouillée au moment voulu par votre collègue, demeuré en salle de régie. Vous fondez sur la jeune fille, qui ne se doute de rien, mais vous ne la trouvez pas, comme vous l'espériez, assise sur les toilettes, conformément à votre mise en scène sur la cassette. Non, elle est agenouillée *devant* les toilettes, en train de vomir. Ça ne va pas : tout doit être conforme à votre enregistrement. La fille doit mourir assise et, plus important encore, elle ne peut pas avoir été malade puisqu'elle ne l'est pas sur votre vidéo. Vous saisissez la jeune fille, vous la faites pivoter vers vous ; elle, sans doute, s'imagine à ce moment-là que quelqu'un est venu l'aider. Mais non : vous êtes venue la tuer. Avec un admirable sang-froid, vous la poignardez une première fois dans le cou, puis, en déployant toute votre rage, votre force et votre cupidité, vous lui enfoncez la lame dans le crâne, d'un geste vif, car vous êtes consciente que chaque minute compte. Vous tirez la chasse et nettoyez les traces de vomissures dans la cuvette. Du bon boulot, madame Hennessy, mais pas parfait, cependant. Il reste de minuscules éclaboussures sur la lunette. Ensuite, et là je ne peux que rester bouche bée face à vos nerfs d'acier, *vous nettoyez la bouche de la jeune fille morte.* Aviez-vous une serviette ? Du papier hygénique aurait collé aux dents. Avez-vous utilisé les poignets de votre chemisier ? Je ne sais pas, mais ce que je sais, c'est qu'en le faisant, vous avez meurtri la langue de Kelly. La mort ne remontait qu'à quelques secondes et, malheureusement pour vous, le corps pouvait encore se couvrir d'hématomes. Vous ne pouviez pas, naturellement, effacer les vomissures au fond de sa bouche et dans sa gorge, mais vous avez fait de votre mieux, un mieux qui était suffisamment proche du bien. Mais le temps presse, Kelly saigne. Si jamais trop de sang se répand sur vous, votre compte est bon. Prestement, vous installez le corps dans la même position que celle que vous aviez adoptée sur votre vidéo. Vous étendez un second drap sur le cadavre de la jeune fille et, vous recouvrant une fois de plus du vôtre, vous sortez des toilettes. Une fois de plus, Larry Carlisle voit passer la silhouette drapée quelques minutes avant que les monteurs, eux, puissent la voir, car, sur leurs écrans, *il ne s'est encore rien passé*. Sur leurs écrans, Kelly Simpson est toujours vivante ! Je vous applaudis, madame : vous avez imaginé la procédure de telle sorte que la version de Larry Carlisle corrobore précisément ce qu'on pouvait voir à la régie. Seul le décompte des minutes échappait à votre contrôle. »

Il y eut de nouveaux murmures d'appréciation dans le public.

« À présent, vous retraversez le salon, reprit Coleridge en enflant la voix. Vous courez jusqu'à la chambre des garçons, vous vous attardez quelques secondes pour essuyer les lits du drap dont vous étiez couverte, afin qu'il présente un mélange confus de cellules de peaux et d'autres traces d'ADN. Peut-être portiez-vous des gants et un foulard autour de vos cheveux ? Je l'ignore, car j'ai omis de faire tester toute autre personne que celles présentes dans l'étuve – une sottise de ma part.

— Non ! » se récria aussitôt l'assistance. Coleridge était le héros du jour, et le public n'aurait pas supporté la moindre critique à son égard, émanât-elle de l'inspecteur lui-même.

« Vous regagnez le couloir, galopez le long du tunnel, dissimulez votre blouse et arrivez dans la salle de régie juste à temps pour voir défiler à l'écran *votre version à l'identique* du meurtre. Vous vous êtes créé un alibi parfait au moment où le meurtre a lieu, vous êtes ostensiblement entourée des membres de votre équipe. Personne ne peut vous soupçonner. Le meurtre, comme tout ce qui se produit dans ces émissions de prétendue "télé-réalité", a été construit au montage. Il n'était rien de plus qu'une *réalité* télévisuelle. »

Coleridge s'interrompit pour reprendre son souffle. Il savait qu'il allait devoir, sous peu, faire intervenir son spectre.

« À partir de là, vous n'aviez plus qu'à rebasculer les écrans de contrôle de votre cassette sur l'authentique spectacle qu'enregistraient les caméras. Cela, je suppose, était le grand test. Fogarty était-il prêt, avec ses codes horaires falsifiés ? Le drap que vous aviez étendu sur Kelly était-il placé exactement comme sur la vidéo enregistrée à Shepperton ? Si oui, le passage de l'une à l'autre séquence se ferait en douceur. Si non, on remarquerait un décalage à l'image. Une fois de plus, madame, je vous tire mon chapeau. J'ai visionné maintes fois la cassette, et aujourd'hui encore, je ne peux détecter avec certitude le moment précis où intervient le basculement d'une image à l'autre – et il va sans dire que jamais vous n'avez imaginé que quelqu'un chercherait un tel détail.

— Parce qu'il n'y a rien à chercher, espèce de connard de mes deux ! Je ne l'ai pas tuée, vous le savez pertinemment. Vous avez inventé ces salades parce que vous êtes un putain de naze infoutu de découvrir lequel de ces sinistres salauds ici présents l'a vraiment fait. »

Les monteurs, qui, dans le monde entier, prenaient en direct le son et l'image de Voyeur Prod., bataillèrent pour activer leurs brouilleurs de sons. Mais aucun n'y réussit à temps; tous étaient trop absorbés par la démonstration de Coleridge. La rafale d'obscénités de Geraldine fusa dans le monde entier, et ce fut un pur moment de télé-réalité.

Coleridge ne regardait pas la productrice, mais au-delà d'elle, vers le fond du studio, où Hooper, une fois de plus, leva les pouces. L'heure était venue d'introduire le spectre de Banquo au banquet.

« Ah, madame, reprit Coleridge, mais ce ne sont pas des accusations en l'air. Je détiens la preuve de ce que j'avance car, voyez-vous, j'ai les preuves de vos *autres meurtres*.

— Quoi !

— Laissons-les venir secouer contre vous leurs boucles sanglantes, madame Hennessy ! Laissons-les pointer leurs doigts ensanglantés.

— Mais c'est quoi, ce putain de déballage de conneries, espèce de vieux connard débile ! »

Un éclair de timidité crispa le visage de l'inspecteur.

« Peut-être ai-je été par trop imprécis. J'aurais dû dire, il va de soi, vos autres *pré-constructions* de meurtre ! Car voyez-vous, madame, il m'a semblé que vous ne pouviez pas savoir à l'avance qui quitterait l'étuve pour aller aux toilettes ce soir-là. *Quelqu'un* ne manquerait pas de le faire, c'était une certitude virtuelle et le pré-suppposé sur lequel reposait tout votre projet. Mais vous ne pouviez pas savoir qui serait cette personne. Mon raisonnement a donc été le suivant : pour que votre plan fonctionne, vous aviez eu besoin d'enregistrer votre mise en scène non seulement en endossant le rôle de Kelly, mais en répétant ce scénario avec au moins chacune des autres filles. Ainsi, quand l'une d'elles, n'importe laquelle, sortirait pour se diriger vers les toilettes, vous activeriez la bonne cassette avant d'aller la tuer. C'est peut-être le point le plus triste de cette enquête. J'ai trouvé plusieurs mobiles possibles pour expliquer le meurtre de Kelly, mais aucun d'eux n'est le bon, car Kelly est morte *par un pur hasard*. C'est elle qui a été assassinée parce qu'elle a été la seconde fille à aller aux toilettes. La seconde? Pourquoi la seconde? Sally ne s'est-elle pas, elle aussi, rendue aux toilettes, en tout début de soirée? Comment se fait-il qu'elle n'ait pas été assassinée? Je vais vous le dire : parce que, après son arrivée dans la maison, Sally *s'est coupé les cheveux et les a teints*! Sa crête brune s'était réduite à une houppe rouge, et cette nouvelle coiffure lui a sauvé la vie. Car voyez-vous, Sally, si vous n'aviez pas modifié votre apparence, c'est vous, et non Kelly, qui seriez morte, et votre assassinat aurait ressemblé à ça! »

D'un hochement de tête et d'un geste discret qui le combla d'aise, Coleridge signifia aux techniciens, dans la cabine au fond du studio, qu'il était prêt.

Pru, qui avait travaillé sous les ordres de Trisha, pressa le bouton de démarrage sur lequel elle avait griffonné en hâte « Sally ». Le monde entier, stupéfait, vit alors la silhouette nue de Sally (mais une Sally arborant sa crête brune) entrer dans les toilettes. Du moins aurait-on facilement pu prendre cette silhouette pour celle de Sally. Elle était filmée en une plongée très abrupte, et on ne pouvait guère distinguer que des éclairs de membres féminins dénudés – tatoués, dans ce cas précis – et, bien sûr, le sommet du crâne si distinctif. La fille qui pouvait être Sally s'assit sur les toilettes et se prit la tête entre les mains, avant d'être assassinée, exactement selon le même scénario que pour Kelly, par la même silhouette drapée.

« Oh, mon Dieu ! » murmura la vraie Sally en découvrant à quel point elle était passée près de la mort.

L'écran se brouilla de parasites et une seconde vidéo démarra. Cette fois, on découvrit, toujours filmé en plongée, le crâne rasé de Moon qui entrait dans les toilettes. Une fois de plus, la silhouette couverte du drap traversa le salon, s'empara du couteau et mima le meurtre.

« Putain ! couina Moon. Vous voulez dire que si j'avais été pisser…

— Tout à fait, mademoiselle, lui répliqua Coleridge. Tout à fait. Intéressant, n'est-ce pas, la façon dont Geraldine Hennessy a sélectionné des femmes qu'il était aisé d'identifier à leur coiffure – ou dans votre cas, une absence de coiffure ? »

Ensuite, on vit la chevelure aile de corbeau de Dervla, bien reconnaissable elle aussi, entrer dans les toilettes, et le scénario se répéta.

Enfin, ce fut le tour des mèches perlées de Layla, et une fois de plus la scène du meurtre fut jouée.

« Eh oui, Layla, vous étiez également là. Layla et ses tresses blondes perlées. Car comment Geraldine Hennessy aurait-elle pu savoir, avant le début de l'émission, quelles candidates seraient éliminées les premières ? »

Le public applaudit une fois de plus.

« Toutes ces filles étaient incarnées par *vous-même*, tonna Coleridge, l'index tendu vers Geraldine, qui commençait à afficher un air plutôt tracassé. Ainsi que le prouvera, je n'en doute pas, l'amélioration des cassettes par procédé numérique.

— J'avais dit à cet enfoiré de Fogarty de les détruire ! » hurla Geraldine.

Le spectre de Banquo avait rempli son office.

Geraldine savait que le jeu était terminé. S'acharner à nier ne servirait à rien. Coleridge détenait ses cassettes. Or, bien entendu, ce n'était nullement le cas : l'inspecteur lui avait tendu un piège.

Fogarty avait détruit les cassettes, ainsi qu'il était en train de le crier à sa complice depuis la petite galerie d'observation insonorisée où l'avait conduit Trisha, et d'où il avait suivi toute la scène sur un moniteur.

« Je les ai détruites, espèce de pauvre conne ! hurlait-il à l'écran, les yeux submergés de larmes de terreur. Il t'a piégée. C'est lui qui a fabriqué ces cassettes !

— Non, en fait, c'est moi, corrigea, non sans fierté, Trisha. Moi et le sergent Hooper, à Shepperton, cet après-midi. On a dû se magner pour revenir à temps… J'ai détesté porter cette perruque de chauve, ça tire les cheveux quand on l'arrache. »

Trisha avait passé une bonne journée. Certes, elle avait dû s'exhiber nue devant le sergent, mais en fait, cela avait eu un résultat heureux, inattendu. Hooper, vivement impressionné en découvrant le corps nu de sa collègue, lui avait demandé sur-le-champ de sortir avec lui.

« Désolée, sergent, je suis lesbienne », avait-elle répondu. Elle l'avait dit, enfin, et elle se sentait beaucoup mieux depuis.

Dans le studio, Coleridge procéda à l'arrestation de Geraldine devant des centaines de millions de gens. Rarement les heures de gloire atteignent de tels sommets.

« Et même si je l'ai tuée ? hurla Geraldine. Elle a eu ce qu'elle voulait, non ? Elle est devenue célèbre ! C'est ce qu'ils voulaient tous. Ils en crevaient d'envie, tous. Ces connards pathétiques auraient accepté de participer à l'émission même en connaissant mes plans ! Une chance sur dix de mourir et neuf sur dix de devenir célèbre dans le monde entier ? Mais ils auraient sauté sur l'occasion ! C'est ma seule erreur ! J'aurais dû leur demander leur putain de permission. »

## SOIXANTE-TROISIÈME JOUR, 22 H 30

Compte tenu de la prestation théâtrale de Coleridge, l'émission de clôture de *Résidence surveillée* déborda de son horaire et dura une heure et demie ; une demi-heure après qu'elle se fut achevée, soit avec une heure pile de retard (imputable au fait qu'il avait oublié le passage à l'heure d'été), Woggle fit irruption dans la maison.

« Ha ha, sorcières et sorciers, que dites-vous de ça ? » tonna-t-il en émergeant de son tunnel tandis qu'y dégringolaient les derniers morceaux de murs et de bois. Il avait prévu que cet instant constituerait l'apogée de l'émission : l'instant où lui, Woggle, accablerait ces gens, tous autant qu'ils étaient, de son mépris ; l'instant où il reléguerait au second plan leurs ego étriqués en détruisant la maison au point culminant de la fête de Voyeur Prod. Cependant, à cause de son erreur de calcul, la majorité du public que Woggle avait espéré regagnait sa voiture quand la bombe explosa.

Geraldine, la principale cible de cette revanche, n'y assista pas : à ce moment-là, elle faisait route vers la prison à l'arrière d'un fourgon blindé de police.

Coleridge, lui, y assista et estima que l'entreprise relevait d'une belle performance, justifiée dans l'ensemble. Ce qui ne l'empêcha pas d'arrêter Woggle, au motif qu'il avait disparu dans la nature alors qu'il était en liberté sous caution.

## SOIXANTE-TROISIÈME JOUR, 23 HEURES

Lorsqu'il rentra chez lui, l'inspecteur fut ravi d'apprendre que sa femme avait regardé toute l'émission.

« Très théâtral, mon cher. Ça ne te ressemblait pas du tout.

— Il fallait bien que je fasse quelque chose, non ? Je n'avais pas de preuve. Je devais la piéger pour obtenir une confession publique, et c'était ce soir ou jamais. C'est tout.

— Oui, et tu t'en es très bien sorti. Remarquablement bien, vraiment. Et je suis très contente que nous n'ayons plus à regarder cette épouvantable émission. Ah, au fait, un certain Glyn, de l'atelier de théâtre amateur, a téléphoné. Il a dit qu'il voulait t'appeler depuis longtemps. Il s'est montré très élogieux à propos de ton audition, il semblait impressionné ; il a dit que ta lecture avait été brillante, et que, réflexion faite, il souhaiterait que tu joues le rôle principal. »

Coleridge fut parcouru d'un frisson de vive impatience. Le rôle principal ! Il allait enfin donner au monde son interprétation de Macbeth. Naturellement, il n'était pas idiot. Il savait pertinemment qu'il ne devait d'avoir décroché le rôle qu'à son passage à la télévision. Mais pourquoi pas ? Si tout le monde pouvait jouer la comédie, pourquoi pas lui ? La célébrité, semblait-il, avait ses usages.

Je remercie

*au Royaume-Uni* :
Andrew, Anna, Caroline, Claire, Craig,
Darren, Mel, Nichola, Nick, Sada et Tom,
ainsi que
Amma, Brian, Dean, Elisabeth, Bubble, Helen,
Josh, Narinder, Penny, Paul et Stuart ;

*et en Australie* :
Andy, Anita, Ben, Blair, Christina, Gordon,
Jemma, Johnnie, Lisa, Peter, Rachel,
Sam-Marie, Sharna et Todd,

sans lesquels ce roman n'aurait jamais existé.